응급!
사랑에
대처하는
방법

단글

응급! 사랑에 대처하는 방법 1

초판 1쇄 인쇄 2017년 7월 20일
초판 1쇄 발행 2017년 7월 28일

지은이 강규원
발행인 오영배
기획 박성인
책임편집 김수현
디자인 권지연
제작 조하늬

펴낸곳 (주)삼양출판사·단글
주소 서울시 강북구 도봉로 173
대표 전화 02-980-2112 **팩스** / 02-983-0660
편집부 전화 02-980-2116 **팩스** / 02-983-8201
블로그 blog.naver.com/dan_gul
출판등록 1999년 3월 11일 제9-00046호

ⓒ 강규원, 2017

ISBN 979-11-283-9263-4 (04810) / 979-11-283-9262-7 (세트)

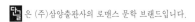은 (주)삼양출판사의 로맨스 문학 브랜드입니다.

응급!
사랑에
대처하는
방법 vol.1

강규원 장편소설

단글

┤ 차 례 ├

프롤로그

으리으리한 저택은 처음이었다. 3층짜리 큼직한 단독 주택은 그러
려니 넘겨도 서울 한복판에 우아한 마당을 가진 집이 몇이나 될까?
그것도 꼭 전원주택에서나 볼 만큼 크고 널찍한 마당. 오래된 우물은
이미 메워져 있었지만 집 안에 우물이 있다는 것부터 평범하게 아파
트에서 살아온 강우에게는 신세계나 다름없었다.

"어우, 가운 어디 갔지? 아주머니!"

심지어 일손을 돕는 가정부까지 있는 집이었다. 앞마당이고 뒷마
당이고 고삐 풀린 망아지처럼 뛰어다니는 동기를 강우는 초조하게
쳐다보았다. 조금 있으면 실험 과목 강의가 있는데, 이 친구를 기다
리느라 늦게 생겼다.

어쩌다 친해진 동기, 은수가 알고 보니 어마어마한 집안 자식이

라는 걸 알게 되었을 때, 꽤 기묘한 기분이 들었었다.

의과 대학에 입학한 백강우가 백씨 집안 자랑인데, 동기인 조은수의 집안에는 의사가 발에 채일 만큼 많다. 할아버지부터 아버지, 삼촌들, 사촌 형들 모두 의사라서 명문 의대는 명함도 못 내민다고.

자존심 강하고 자기중심적인 스무 살 때, 백강우는 조금 박탈감 같은 걸 느꼈던 것 같다.

스물두 살의 백강우는 이제 둔해져서 그러려니 하고 있지만.

"똥 마려운 개처럼 뭘 그렇게 찾아 싸대?"

"가운이요, 가운. 실험하다가 더러워져서 세탁한다고 내놨었는데 없어서요."

"급한 거야?"

"네! 30분 뒤에 수업 시작인데…….."

결국 가정부가 혀를 차면서 집 안으로 들어갔다. 강우는 왼쪽 손목을 내려다보았다. 시간이 조금 빠듯하다 싶었다.

"조은수, 그냥 가다 사자."

결국 기다리다 못한 강우가 한마디 보탰다. 그러나 은수는 머리를 긁적이며 울상을 지었다. 아무래도 살 수가 없는 사정이 있나 보다. 강우는 자신보다 눈높이가 조금 낮은 친구를 의아하게 쳐다보았다.

"왜?"

"혜영이가 가운 소매에 하트 무늬로 수놔 줬잖아."

뜬금없이 튀어나온 다른 동기 이름에 강우가 미간을 찌푸렸다.

하트 무늬 자수라. 뭔지 알 것 같았다.

조은수는 동기 김혜영하고 CC, 즉 캠퍼스 커플이었다. 예과 1학년 때부터 오랫동안 연애 중인 동기 커플이었는데, 혜영이 실험 가운에 자수를 빙자한 바느질 몇 번을 해 줬었다. 은수는 그 실험 가운을 보물처럼 여기고 있었다.

"안 돼요, 아줌마!"

그때, 가운을 든 가정부가 현관문을 열고 나왔다. 문제는 그 뒤에 달라붙어 있는 여자였다. 긴 머리를 허공에 나풀거리며 가정부에게 매달려 있는 여자는 처음 보는 사람이었다. 은수는 형이 있을지언정, 동생은 없다고 했는데? 강우가 막 은수에게 시선을 돌릴 참이었다.

"어휴! 여기, 채린이 방에 있었어."

"뭐야? 설마 신채린, 네가 그거 가지고 간 거야?"

은수가 눈살을 찡그리면서 꽥 소리를 질렀다. 소란 피우지 말라는 말만 남기고 가정부는 실내로 들어가 버렸다. 남은 건 얼굴이 유난히 하얀 소녀뿐이었다.

강우는 처음 보는 소녀를 가만히 살폈다.

"신채린, 너 왜 학교 안 갔어?"

"개교기념일이니까."

신채린이면 조은수와 남매는 아닐 것이다. 성이 다르니 말이다.

작고 하얀 얼굴에 팔다리가 길쭉한 채린은 어깨 너머로 머리를 길게 길렀다. 겉으로 보기에는 얌전하고 연약할 것 같은데 아까 들은 목소리 성량을 보면 의외로 말괄량이 같은 면이 있는 듯했다.

"근데 오빠, 이거 나 주면 안 돼?"

"이걸 왜 널 줘?"

은수가 가운을 품에 꼭 안고 채린을 경계하자 올망졸망하던 채린의 표정이 표독스럽게 변했다. 오밀조밀하니 인형처럼 예쁜 얼굴이 순식간에 작은 악마가 되었다.

"좀 주면 안 돼? 오빠는 그냥 학교 가서 또 사면 되잖아!"

"야, 너는 고3이 실험 가운을 어디다 쓴다고 그래? 됐어. 나 학교 가야 돼."

은수가 매몰차게 돌아섰다.

신채린, 고3. 힘들 때다, 하면서 강우도 별말 없이 대문가로 걸음을 옮길 때였다.

"악!"

……하고 은수의 비명이 들렸다. 깜짝 놀란 강우가 은수를 돌아보았다. 황당하게도 채린이 뒤에서 은수의 목에 매달려 있었다. 그녀가 은수의 귓가에 쩌렁쩌렁하게 소리를 질렀다.

"좀 줘라! 좀생이야!"

"신채린, 미쳤어? 놔!"

"가운 줘!"

조은수와 신채린은 가운을 달라, 못 준다 한창 공방 중이었다. 강우는 다시 시간을 살폈다. 진짜 위험할지도 모르겠다. 그는 한숨을 길게 내쉬었다. 비디오 게임 CD 따위를 빌리러 조은수를 따라왔다가 큰일 나게 생겼다.

"저기."

둘의 공방을 보다 못한 백강우가 나섰다. 은수와 은수에게 매달려 있는 채린이 동시에 강우를 쳐다보았다. 강우는 자신보다 머리 하나는 작은 채린에게 말을 붙였다.

"꼭 그 가운이 필요한 게 아니면 이거라도 가져갈래?"

가엾게도 백강우가 신채린에게 손에 들린 종이봉투를 내밀었다. 채린이 은수에게서 손을 떼고 강우를 경계하듯 올려다보며 물었다.

"의대생이에요?"

"은수랑 동기."

강우가 긍정하며 고개를 끄덕이자 순식간에 채린의 얼굴이 환해 졌다. 그녀가 냉큼 종이봉투를 받아 품에 안았다.

"고맙습니다."

밝게 웃는 채린을 강우가 가만히 응시했다. 아까는 눈빛이 사나 웠는데 언제 그랬냐는 듯, 그녀는 예쁘게 웃고 있었다. 옆에서 은수 가 혀를 쯧쯧, 찼다.

"신채린, 저거 미쳐 가지고."

"흥! 조은수 좀생이!"

"뭐? 야! 이게, 오빠한테!"

혀를 날름 내밀고 나서 채린은 은수의 호통을 피해 후다닥 집 안 으로 도망쳐 들어갔다. 밖에 남아 혼자 씩씩거리는 은수를 강우가 재촉했다.

"빨리 가자."

"응? 아, 맞다."

다시 정신을 차린 은수는 대문을 빠져나가며 채린 대신 친구에게 사과했다.

"미안해. 가면서 실험 가운 내가 사 줄게."

하지만 강우는 얼마 하지 않는 가운 가격이 중요한 건 아니었다. 대문 앞에 세워 둔 은수의 차에 오르며 강우가 물었다.

"누구야?"

"아, 쟤? 신채린이라고, 돌아가신 막내 고모 딸이야."

그러니까 신채린은 조은수와 사촌지간인 모양이었다. 강우가 대답 대신 고개를 끄덕였다.

"우리 집이 여자애가 좀 귀해서, 할아버지가 아주 싸고 돌아가지고 버릇이 완전……."

차마 말을 잇지 못하는 은수에게 강우가 안쓰러운 눈빛을 보냈다.

사촌 오빠 이름을 마음대로 부르질 않나, 가운을 훔쳐서 숨겨 두질 않나. 잠깐 지켜본 것만 봐도 얌전한 스타일은 결코 아니었다.

"사촌하고 같이 살아?"

"우리 집, 3대가 같이 살잖아. 할아버지, 할머니, 큰아버지네랑, 둘째 큰아버지네, 우리 집, 그리고 신채린."

집이 꽤 크다 했는데 그만큼 많은 사람들이 산다면 저 큰 집도 복작복작할 듯했다. 고개를 끄덕이던 강우가 의아한 점을 지적했다.

"혹시 고모부도 안 계셔?"

"사고로 두 분이 한 번에…… 뭐, 그렇게 됐어."

안 좋은 이야기를 굳이 하고 싶지 않아 은수가 대충 말끝을 흐렸다. 강우는 괄괄하던 소녀를 떠올렸다.

겉으로 보기에는 부모를 잃은 티가 안 났는데, 일찌감치 부모를 여의었다니 안됐다 싶었다.

학교에 도착한 강우와 은수는 실험 가운을 새로 구입하고 아슬아슬하게 강의 시간을 맞출 수 있었다. 수업이 끝나고, 은수와 헤어지며 게임 CD에 대한 감사를 표했을 때까지도 강우는 10분 뒤에 일어날 참사를 예측하지 못했다.

지하철역에 도착해서 가방 이곳저곳을 뒤적이던 강우가 고개를 갸웃거렸다.

"왜 없지?"

아무리 찾아도 머니 클립이 보이지 않았다. 요즘 남학생들 사이에 지갑 대신 머니 클립이 대유행 중이라 강우도 며칠 전에 큰맘 먹고 백화점에서 유명 브랜드 머니 클립을 구입했다. 그런데 그 머니 클립이 없었다.

'큰일 났네.'

완전히 빈털터리가 된 강우는 지하철 개찰구 앞에 망연히 섰다. 집에 돌아가긴 해야 하는데 머니 클립을 잃어버렸으니 집도 못 가게 생겼다. 우두커니 선 그를 행인들이 흘긋거렸다. 키가 훌쩍 큰 남학생은 누구보다도 눈에 띄었다.

잠시 가만히 서서 어떻게 해야 하나 고민하던 그는 어쩔 수 없이 발걸음을 돌렸다. 왔던 길을 돌아가면서 찾아보고, 그래도 못 찾는다면 학교에 남아 있는 동기든, 선후배든 아는 사람에게 교통비를 빌려야 했다.

당연하게도 머니 클립은 어디에서도 찾을 수 없었다. 유명 브랜드 제품이라 길바닥에 흘렸으면 찾기는 무리였다.

강우는 우울하게 출입문 근처 벤치에 앉았다. 그의 머리 위로 먹구름이 잔뜩 꼈다.

"백강우, 뭐 해?"

"어?"

익숙한 목소리에 강우가 고개를 들었다. 혜영이 다른 여자 동기와 함께 그의 앞에 서 있었다. 아까 은수와 함께 하교한 줄 알았는데 아닌 모양이었다.

"잘됐다."

혜영을 본 강우는 벤치에서 벌떡 일어났다. 시커먼 놈이 확 일어나자 혜영이 한 걸음 물러섰다.

"뭐, 뭐야?"

"김혜영, 나 돈 좀. 만 원만 꿔 줘."

구구절절 사정을 설명하기보다는 꼭 필요한 말만 하는 게 경제적이었다. 문제는 김혜영이 백강우의 사정을 잘 모른다는 데 있었다. 그녀는 기가 막힌다는 표정을 지어 보이며 황당하다는 식으로 받아쳤다.

"넌 이제 동기 삥까지 뜯니?"

"내일 줄게."

그래도 혜영은 떨떠름한 눈빛을 거두지 않았다. 그녀는 백강우와 껌 딱지처럼 붙어 다니는 제 연인을 떠올리고 물었다.

"조은수 어디 갔어? 조은수한테 빌리지?"

"집에 갔잖아. 몰랐어?"

"아, 이 새끼…… 내가 퀴즈 공부 같이하자고 했건만."

미간을 확 좁히며 혜영이 험한 소리를 뱉었다. 물론 강우는 연인들 간의 사정 따위는 알 바 아니었다.

"만 원만 빌려 달라니까?"

강우가 뻔뻔하게 손바닥을 펴서 내밀었다. 평소 아쉬운 소리를 하지 않던 동기가 갑자기 돈을 빌려 달라는 데는 이유가 있을 것이다. 혜영은 툴툴거리면서도 지갑을 꺼내서 만 원짜리 지폐를 꺼냈다.

"내일 이자 쳐서 2만 원으로 갚아라."

"미쳤어?"

돈을 받아 든 강우는 어이가 없다는 투로 대꾸했으나 혜영은 듣지 못한 척 여자 동기와 함께 자리를 획 떠 버렸다.

이튿날, 강우는 혜영에게 눈물의 만오천 원을 상납했다. 카드를 잃어버린 탓에 어제 어머니한테 욕을 얻어먹은 그는 학생지원처에 가서 학생증 재발급 신청을 했다.

임시 학생증 바코드를 낡은 지갑 안에 붙인 그가 씁쓸한 표정으로 복도를 지날 때였다.

"쟤 누구야?"

"웬 고딩이래?"

강우는 학생들이 수군거리면서 손가락으로 가리키는 쪽을 곁눈질했다. 대학 캠퍼스에 어울리지 않는 교복 차림의 여학생이 가방을 꼭 쥔 채로 서 있었다. 놀랍게도 아는 얼굴이었다.

어제 봤던, 조은수의 사촌 동생 신채린.

'조은수 만나러 왔나?'

어제 몰래 도망갔던 은수는 혜영에게 귀를 붙잡혀서 열람실에 끌려갔다. 오늘은 열 시까지 집에 보내지 않겠다는 무시무시한 혜영의 기세에 은수는 열람실 밖으로 나올 수 없을 것이다. 또한 조은수 휴대폰은 전원이 꺼진 채로 김혜영 손아귀에 있을 테니 전화 연락도 되지 않을 터였다.

고3에게 황금 같은 시간을 흘려보내게 할 수는 없어서 강우가 출입문 쪽으로 걸음을 재촉했다. 채린의 뒤에 선 그가 그녀의 어깨를 톡톡 두드렸다.

"조은수 사촌 동생?"

"아! 안녕하세요."

채린도 알은체를 했다. 하긴, 어제 본 사람인데 잊어버리면 금붕어가 따로 없을 것이다.

화장기 없는데도 깨끗하고 하얀 채린의 얼굴이 맑고 청순해 보였으나, 이미 강우는 은수에게 달라붙던 그녀의 과격한 모습을 알고 있었다.

"은수는 열 시까지 못 나올 텐데."

"네? 아, 근데 전 조은수…… 은수 오빠 보러 온 거 아닌데요."

은수의 이름을 버릇없게 부르려던 채린이 겨우 말을 바꾸었다. 강우는 여린 편인 동기가 기 센 사촌 동생에게 얼마나 치일지 걱정이 되었다.

"그럼?"

강우가 묻기 무섭게 채린이 주머니를 뒤적거리다가 익숙한 머니 클립을 꺼냈다. 강우의 시선이 머니 클립에 꽂혀서 움직일 줄 몰랐다. 그녀가 그에게 머니 클립을 내밀었다.

"이거 드리려고요."

"이걸 어디서……."

"가운 주머니에 있었어요."

어제 그토록 찾아 헤매던 머니 클립이 가운 주머니에 있었다니, 강우는 허탈하면서도 다행이다 싶었다. 그가 채린에게서 머니 클립을 건네받고 복잡한 한숨을 뱉었다. 카드도 정지했고, 학생증도 재발급 신청을 했는데 이제야!

"……고맙다."

잠시 할 말을 잃었던 강우가 감사 인사를 하자 채린이 배시시 미소를 지었다. 노을이 져서 그런지 그녀의 하얀 얼굴에 붉은 기운이 돌았다.

강우는 머니 클립을 바지 주머니에 넣고 아직 자리를 뜨지 않은 채린을 쳐다보았다. 그녀는 뭔가 할 말이 더 남은 듯 머뭇거리면서 그를 올려다보고 있었다. 강우와 눈이 마주치자 채린이 다물고 있던 입술을 떼었다.

"저기……."

"응?"

"의대에 여학생들도 많죠?"

"그렇지. 반 정도?"

그 순간 채린이 씩 웃었다. 마음에 드는 대답을 들은 듯 웃는 그녀를 그가 멀뚱히 응시했다. 왜 웃는지 그로서는 알 수가 없었다. 여학생들의 마음은 통 가늠하기가 힘들었다.

"어제 가운 고맙습니다. 잘 입을게요."

'그걸 입는다고?'

실험 가운은 기성복이라 남녀 사이즈가 달랐다. 강우는 키가 크고 어깨가 넓은 편이라 남자 치고도 큰 사이즈의 가운을 입었다. 자신보다 키도 작고 왜소한 여자가 입기는 품이며 길이며 많이 클 것이 뻔했다.

강우가 의아한 내색을 했으나 채린은 모르는 척 고개를 꾸벅 숙이고 종종걸음으로 자리를 떴다.

12월.

기말고사 시즌은 의과대 학생이든 다른 단과대 학생이든 우울하고 피곤했다. 거기에는 백강우도 포함이었다.

"담배 한 대만 피우고 올게."

피곤을 이기지 못해서 강우는 스터디 조원에게 양해를 구하고 밖으로 나갔다. 칼바람이 부는 겨울이지만 잠을 깨고 싶은 그는 싸늘한 바람이 반가웠다.

벤치에 앉아 담배를 입에 물고 막 불을 붙이려던 때 그의 앞에 인영이 드리웠다.

"담배 피우면 몸에 안 좋잖아요."

아는 목소리에 강우가 물었던 담배를 도로 빼고 고개를 들었다. 역시 생각했던 대로 아는 얼굴이 보였다.

이 추운 날씨에 교복 위로 모직 코트 하나만 걸친 채린이 왠지 기운 없는 표정을 짓고 있었다.

"신채린?"

채린이 눈을 동그랗게 떴다. 강우가 이름을 알고 있을 줄 몰랐다는 듯 놀란 눈이었다.

미성년자 앞에서 담배를 피우기도 껄끄럽고 해서 그는 담배를 갈무리해 주머니에 도로 넣었다.

'대체 얘는 고딩이 왜 여길 오는 거야?'

교복 치마 아래로 그녀의 다리는 검은 스타킹에 감싸여 있었다. 추울 법한데도 젊은 혈기 덕인지 그녀는 덜덜 떨지도 않았다.

"조은수는 지금 목줄 잡혀서 못 나오는데."

이번에도 은수는 혜영에게 붙잡혀서 바깥 구경도 못 하고 있었다. 하지만 채린은 고개를 저었다. 이번에도 그녀의 목적은 조은수가 아니었다.

"의대생 가운을 입고 공부하면 의대에 붙는다는 말이 있어요."

"뭐? 그런 게 어디 있어?"

미신 같은 건 믿지 않는 백강우는 채린의 말을 바로 부정했다. 채린의 미간이 홱 구겨졌다. 그제야 강우는 아차, 싶었다. 채린이 왜 은수의 실험 가운을 탐냈는지 알 것 같았다.

"그래서 그때……."

"네. 오빠 가운 엄청 컸는데도 입고 공부했거든요? 매일매일."

꽤 묘한 소리라 강우는 괜스레 움찔했다. 매일 자신의 가운을 입고 공부하는 여고생이라니, 이상한 감정보다는 그녀의 집념이 조금 무섭다는 생각이 먼저 들었다. 그는 꺼림칙한 감정을 숨기기 위해 무표정을 유지하면서 고개를 끄덕였다.

"성적표 나왔겠네. 잘 봤어?"

채린은 곧장 대답하지 못했다. 강우가 바로 분위기를 읽었다.

'수능 망했구나.'

강우는 채린의 눈치를 살피면서 긍정적인 말을 해 주려고 머리를 굴렸다. 재수도 있고, 다른 좋은 학과도 있고…… 등등. 무슨 말을 해 줘야 하나 고민할 때였다.

"네. 엄청 잘 봤어요. 담임선생님도 웬만한 의대는 다 갈 수 있을 거래요."

"아, 그래? 축하해. 잘됐네."

도대체 얼마나 시험을 잘 봤기에 웬만한 의대는 전부 지원이 가능하다는 걸까, 궁금했으나 강우는 더 이상 아무것도 묻지 않았다. 그보다, 시험을 망친 것도 아닌데 대체 왜 이렇게 죽을상인지 모르겠다.

"근데 저 의대 못 갈 거예요."

"왜?"

의과 대학 진학을 위해 남의 실험 가운까지 매일 입고 공부했고 시험 성적도 좋은데 갈 수 없다니, 이해할 수 없는 소리였다. 강우가 묻자 채린의 눈동자에 눈물이 가득 고이기 시작했다. 신채린이 갑자기 울 것 같아 백강우는 당황하기 시작했다.

"아니, 왜 그……."

"할아버지가 의대 원서 내지 말래요."

"뭐? 왜?"

"여자가 무슨 의대냐고!"

눈에는 눈물이 가득 찼는데 채린의 표정은 표독스럽게 변해 있었다. 아랫입술을 꽉꽉 깨물면서 그녀가 한 번 훌쩍였다. 추운 날씨에 눈물까지 난 탓이었다.

'조은수네 집, 그런 집안이었어?'

요즘 같은 세상에 듣기 힘든 소리였다. 강우도 채린을 따라 얼굴을 찌푸렸다.

"진짜 죽기 전까지 공부했는데!"

채린이 씩씩거렸다. 남녀 차별이 있는 집 사정은 안타깝지만 가풍이 그렇다는데 다른 사람이 왈가왈부할 수는 없었다. 벤치에 앉은 강우가 떨떠름하게 그녀를 올려다보았다. 참 안됐다 싶었다.

"그래서 가운 돌려주러 왔어요."

강우는 자신에게 내밀어진 종이봉투를 가만히 내려다보았다. 의과 대학에 진학하고 싶어서 매일매일 입었다던 실험 가운. 사이즈도 맞지 않은 가운을 입고 매일 그녀는 무슨 생각으로 공부를 했을까.

반쯤 포기한 듯 그녀의 얼굴에서 독기가 엷어졌다. 그는 그녀의 풀죽은 모습이 가여웠다.

무엇보다 열심히 노력했을 텐데, 타인의 의도로 그 결실을 얻지 못한다는 사실이 안타까웠다.

그래서 백강우는 쓸데없이 오지랖을 부렸다.

"원서는 썼어?"

"아뇨, 이제 쓸 때예요. 내일부터."

"원서 그거 그냥 네가 써도 돼. 인터넷으로 원서 접수 홈페이지 들어가서."

"정말요?"

포기하고 있던 채린은 눈동자를 반짝였다. 강우는 벤치 등받이에 기대며 말을 이었다.

"성적 잘 보고 가나다군에 전부 의대 쓰면 되잖아. 세 군데 다 붙었는데 설마 할아버지가 또 재수시키시겠어? 붙은 데 보내 주시겠지."

채린은 할 말을 잃고 강우를 멍하니 바라보았다. 보호자의 허락 없이 원서를 낼 수 없다고 생각했는지 그녀는 눈을 휘둥그렇게 뜨고 그를 쳐다보았다. 그가 피식 웃었다.

"네가 원하는 대로 써 봐. 원래 다 자식들한테 져 주시게 되어 있어."

말을 마친 강우는 시간을 살폈다. 잠도 깼겠다, 이제 그만 들어가야겠다. 날도 차가워서 담배가 아니고서는 밖에 오래 있을 필요도 없었다.

그가 벤치에서 일어나면서 말했다.

"그럼 좋은 의대 가서 좋은 의사 되세요. 안녕."

예쁘장한 여학생의 미래도 중요하지만 백강우에게는 당장 오늘 저녁에 있을 끔찍한 시험이 더욱 문제였다. 그는 뒤도 돌아보지 않고 서둘러서 건물 안으로 사라졌다.

차가운 바람 속에 홀로 남은 채린이 혼잣말로 중얼거렸다.

"가운……."

백강우는 가운을 받지 않고 가 버렸다.

가운이 든 종이봉투를 다시 품에 안은 그녀가 입가를 늘어뜨리며 씩 웃었다.

좋은 방법을 알았으니, 이제부터 다시 전쟁 시작이었다.

대처 방법 1.
냉정한 척하기

또각또각, 복도를 울리는 구두 소리가 유난히 크게 들렸다.

'어떻게 이럴 수가 있어? 어떻게?'

분노를 이기지 못하고 울긋불긋해진 안색과 빠르게 움직이는 다리, 그리고 무엇보다 형형하게 빛나는 눈동자. 고급 코트 차림의 여자는 이를 갈면서 복도를 무섭게 걸었다. 드문드문 복도를 지나가고 있던 사람들은 그녀를 똑바로 쳐다보지 못했다. 그녀에게서 풍기는 아우라 때문만은 아니었다. 이사장실과 임원 개인 사무실이 있는 이곳에서 그녀의 얼굴을 모르는 사람은 거의 없었다.

신채린.

재단 이사장이 가장 아꼈던 막내딸 부부가 남기고 떠난 금쪽같은 손녀는 어렸을 적부터 이곳을 제집처럼 드나들었다. 그런 손녀를 할아버지도 예뻐했고, 할머니도 안쓰럽게 여겼다. 자상한 삼촌들은 막내 여동생의 분신 같은 조카딸을 챙겨 주었다. 그렇게 가족들의 지원을 등에 업은 채린은 무엇이든 제 뜻을 굽혀 본 적이 없었다.

하지만 하고 싶은 것은 무엇이든 해야 했고, 갖고 싶은 것은 무엇이든 가져야 직성이 풀리던 채린의 인생에 그림자가 드리워지기 시작한 것은 고등학교 3학년, 대학 입시부터였다. 그때부터 지금까지 믿었던 할아버지에게 배신을 끊임없이 당하고 있었다.

"할아버지 계시죠?"

채린의 또래인 이사장실 비서는 얼굴을 무섭게 굳히고 있는 채린을 보고 차마 저지하지 못했다. 채린은 더 이상 기다려 줄 수 없다는 듯 비서를 대신해서 출입문을 쾅쾅 두드렸다. 원목으로 된 문이 흔들릴 정도로 세게.

"저, 저기……."

"할아버지, 채린이에요! 들어가요!"

비서가 만류하기도 전에 채린은 정체를 밝히고 문을 벌컥 열었다. 비서는 채린의 버릇없는 태도에 움찔 놀라 얼어붙었다. 채린은 비서에게 시선도 주지 않고 이사장실 안으로 휙 들어가 버렸다.

"손님이 계셨으면 어쩌려고 이러는 게야?"

역정을 내는 할아버지를 보면서도 채린은 지지 않았다.

"할아버지! 정말 저한테 왜 이러시는 거예요?"

"내가 뭘?"

여든이 훌쩍 넘은 조대식 이사장은 태연하게 오리발을 내밀었다. 그리고 이제 갓 스물일곱이 된 손녀, 채린은 할아버지를 기가 막힌다는 듯 바라보았다.

"제가 분명히 EM(Emergency medicine, 응급의학과)으로 원서 넣었다고 말씀드렸잖아요!"

"그랬던가?"

"할아버지!"

채린은 기억을 하지 못하는 척 딴청을 피우는 할아버지를 보자 속이 터질 것 같았다. 집안 어른들이 전부 의료계에 종사하는 터라 자신도 당연히 의대에 진학하겠다고 말했다. 손녀에게 자상하던 할아버지가 돌변한 건 그때부터였다.

여자가 의사가 되어서 무엇하겠냐는 시대착오적인 남녀 차별 발언에 수를 써서 어찌어찌 겨우 의대에 진학했는데 문제는 졸업 이후였다. 전문의가 되기 위해서는 의사 면허를 받은 뒤, 1년간의 인턴 과정과 4년간의 전공의 수련을 반드시 이수해야 했다. 그리고 할아버지는 이때다 싶었는지 훼방을 놓기 시작했다.

"그러게 내가 그랬지? 얌전히 너 좋은 일하면서 편히 살지 뭣하러 의사가 되겠다고 그래?"

"이런 게 어디 있어요!"

좁디좁은 의학계에서 대형 병원 이사장의 입김은 어마어마했다. 게다가 할아버지 본인도 의사인 터라 그 아래로 후배들이 까마득했으니 할아버지의 한 마디만으로 채린의 의사 생활은 끝장이 날 수도 있었다.

할머니의 설득 덕분인지 인턴 과정은 겨우 거칠 수 있었는데 문제는 레지던트, 즉 전공의 과정이었다.

인턴 1년을 알차게 보낸 다음 본 전공의 시험도 고득점. 요즘 응급의학과 지원율이 높긴 해도 채린은 합격을 확신했다. 대형 병원 이사장의 외손녀. 로열패밀리라면 로열패밀리인 그녀는 솔직히 인맥도 믿고 있었다. 면접도 시원스럽게 보았다. 합격이 되리라 자만했다.

똑 떨어졌지만.

알고 보니 황당하게도 채린은 할아버지의 입김 탓에 불합격이었다. 어느 과를 지원하든 간에 신채린은 무조건 불합격을 시키라는 엄포가 있었던 것이다.

전공의 시험을 잘 보든, 면접을 잘 보든 간에 애초에 자신의 운명은 불합격으로 정해져 있었다니 기가 막힐 노릇이었다.

"할아버지가 저 떨어뜨리라고 했다면서요?"

"흥! 누가 그래?"

"막내 외삼촌이 다 말씀해 주셨거든요?"

어린 손녀와 투닥투닥 말다툼을 하던 이사장이 겸연쩍은 표정을 애써 감추며 입을 다물었다.

'내, 준기 이놈을 그냥!'

세상을 뜬 막내딸과 가장 가까이 지냈던 막내아들은 부모를 잃은 조카를 끔찍하게 여겼다. 홀로 남은 조카가 가여워서 막내아들이 입을 놀린 게 틀림없었다. 채린이 울먹였다.

"정말 저한테 왜 이러시는 거예요?"

"지금이라도 잘 생각해 봐라."

"뭘요!"

할아버지의 부당한 처사를 참다못한 채린이 발을 쾅 굴렀다. 그놈의 생각! 고등학교 3학년 때부터 귀가 닳도록 들었던 말을 지금 와서도 또 듣게 될 줄은 몰랐다.

대식은 채린을 물끄러미 쳐다보았다. 예쁘고 애교가 가득 담긴 손녀의 얼굴은 막내딸을 꼭 닮아 볼 때마다 마음 한구석이 아팠다. 사고로 부모를 잃은 손녀가 가여워서 금이야, 옥이야 키웠는데 가시밭길이나 다름없는 의사를 하겠다니. 그것도 그 험한 응급의학과로!

"아니, 네가 뭐가 모자라서 의사를 하겠다는 게야?"

모자란 사람이 어떻게 의사를 하나! 채린은 기가 막혔다.

"그럼 제가 뭐가 모자라서 의사를 하면 안 되는 건데요?"

"의사는 힘들어. 평생을 공부하는 직업이야. 사람의 생명을 다루는 것이 쉬운 일도 아니고. 응급실이 얼마나 힘든지 잘 알잖니."

세상은 너무나도 빨리 변하고 기술은 끊임없이 진보한다. 매일 쏟아지는 의료 기술에 뒤처지지 않도록 노력해야 하는 것이 의사의 의무나 다름없었다.

그뿐만이 아니었다. 생사를 넘나드는 병원에 평생 묶여 있어야 하는 삶. 의사는 신이 아니기에 매일 누군가가 아파하고 죽어 가는 모습을 지켜볼 수밖에 없다. 마음이 단단해지기 전까지 얼마나 많은 방황이 뒤따르는가. 그걸 버티지 못해서 상처만 가득 받고 떨어져 나가는 후배들을 대식은 수도 없이 봐 왔다. 손녀가 지원한 응급의학과는 더욱 심했다. 그래서 의사로 반백 년을 넘게 살았던 대식은 귀여운 손녀가 험난한 의사의 길을 걷지 않기를 바랐다. 가녀린 몸으로 가시밭길에 뛰어들겠다는 말이 가당치도 않았다.

"난 몸도 안 좋은 네가 힘든 일을 하지 않았으면 좋겠구나."

"할아버지……."

진심이 가득 묻어나는 목소리에 채린의 기세가 잠시 꺾인 듯했다. 조 이사장은 인자한 웃음을 내보이고 있었으나 여기서 물러설 신채린이었으면 애초에 의대로 진학도 하지 않았을 것이다.

"그래도 제가 하고 싶은 일이에요. 진짜 잘할 수 있다니까요?"

"아이고!"

손녀는 말을 들을 생각이 없었다. 대식이 머리를 짚었다.

"그리고 다른 일을 지금 당장 어떻게 찾아요?"

가족들은 물론 주변 사람들이 전부 의료계 종사자이니 의사가 되는 길 말고는 생각도 해 본 적이 없었다. 어떻게 버텨 왔는데 이제 와서 전문의 타이틀을 포기할 수도 없었다. 그러나 할아버지는 만만치 않았다.

"안 된다면 안 돼! 다른 병원 갈 생각도 마라."

"이런 게 어디 있어요! 완전 차별이야!"

할아버지는 다 좋았는데 이상하게 남녀 차별이 있었다. 바락 소리를 친 채린의 눈에 눈물이 고였다. 오랜 노력이 허사가 되게 생겼으니 눈물이 날 만도 했다. 그 눈물을 보자 어렸을 적부터 손녀의 눈물에 벌벌 떨던 대식의 마음 역시 불편해졌다.

"얘, 채린아. 다른 일을 찾기에 시간이 좀 걸리면 일단 결혼 먼저 해 보는 건 어떠냐?"

"흥! 결혼 상대도 의사겠죠!"

딱 손주 사윗감으로 알맞은 젊은이들을 몇 명 추려 놓고 있던 대식이 정곡을 찔러서 입을 다물었다. 때를 놓치지 않고 채린이 계속 따졌다.

"저는 전문의 못 따게 하실 거면서 시집은 전문의한테 가라고요? 할아버지 손녀 복장 터지는 꼴이 보고 싶으세요?"

어째 말을 하다 보니 채린은 더욱 화가 치밀었다. 자신은 전문의가 되는 길에 계속 태클이 걸리는데 자신 덕분에 로열패밀리로 편입된 남편만 정작 탄탄대로를 걷게 된다면 속이 얼마나 쓰릴지 상상도 되지 않았다.

그래서 채린은 계획에 없던 선언을 즉흥적으로 하고 말았다.

"저, 전문의 따기 전에는 결혼도 안 할 거예요!"

"뭐야? 그럼 네 나이가 몇인데!"

독신 선언은 막내딸을 닮아 꽃같은 손녀에게서 증손녀를 반드시 보고 말겠다, 다짐했던 대식에게는 날벼락이나 다름없었다.

"그러니까 전문의냐 독신이냐 할아버지가 선택하세요."

영악하게 거래를 걸어오는 채린을 말없이 보던 이사장은 고개를 홱 돌렸다. 어느 쪽을 택하는 편이 나을지 영 가늠이 되지 않아 일단 시간이 필요했다. 손녀가 예쁘고 편한 꽃길만 걷기를 바라면서도 독신만큼은 절대 용납이 되지 않았다.

"나중에 다시 얘기하자."

언제나 그랬듯 할아버지는 져 줄 것이다. 그제야 마음이 조금 풀린 채린은 꾸벅 인사를 하고 경쾌하게 이사장실을 나왔다.

*　　*　　*

"······뭐? 다시 한 번 말해 봐."

백강우는 지난 밤, 정신없이 당직을 서고 나서 겨우 집에 돌아와 자는 도중에 친구의 황당한 전화를 받았다. 침대에 누운 채로 눈도 뜨지 못하고 통화를 하던 도중, 그의 눈이 번쩍 뜨이는 소리가 있었다.

—아, 혹시 기억 못 해? 신채린이라고, 내 사촌 동생 있잖아. 전에 네 실험 가운 갖고 간 애.

강우의 머릿속에 하얗다 못해 창백해 보이던 얼굴이 어렴풋이 떠올랐다. 그 애를 보았을 때가 본과 1학년 때였으니 벌써 7, 8년가량이 흘렀다. 그 뒤로 어쩌다 한두 번 생각이 나긴 했지만 적극적으로 근황을 알아보고 싶다는 생각은 그다지 없었다. 워낙 의사 생활이 바빠야 말이지.

"알아. 아는데 걔를 뭐 어쩐다고?"

—음, 그게······ 맞다! 너희 병원 EM 미달이더라? 무슨 일 있었어?

오랫동안 인연을 이어 온 학부 동기 조은수는 쓸데없이 말을 잘 돌렸다. 너무 피곤해서 머리 회전이 잘 되지 않아 강우는 은수의 페이스에 말려들었다. 강우가 한숨을 푹 내쉬었다.

'아, 그 미친놈······.'

원래 추가 모집 계획은 없었다. 올해 응급의학과 전공의 모집에는 픽스턴(전공이 결정된 인턴들)과 미리 이야기가 잘 되어서 3명 중 3명 지원으로 깔끔하게 1대 1의 경쟁률을 기록했다. 마음이 놓였고, 다행이다 싶었는데 웬걸? 덜컥 한 명이 '신 내림을 받았는데 장군님께서 의사를 그만두라고 했다!'는 이유로 돌연 포기를 했다. 박수무당이 되었다고 의사를 그만두다니! 살다 살다 이런 황당한 포기는 처음이었다.

어차피 요즘 응급의학과 지원율도 좋아져서 추가 모집 때 적당히 괜찮은 친구가 들어오겠거니, 별로 신경 쓰지도 않았다. 친한 비뇨기과 전공의가 비뇨기과에 제발 한 명이라도 지원했으면 좋겠다고 우울해하는 걸 보며 위로까지 해 줄 만큼 강우는 여유로웠다.

"지원하기로 한 인턴 하나가 도망갔어."

―도, 도망? 왜?

"그런 사정이 있어. 아무튼 넌 무슨 일이야? 네 사촌이 뭐?"

―신채린이 미쳐 가지고 거기 지원했대. 걔가 좀 독한 면이 있어서 시험 성적도 좋거든? 아마 웬만하면 붙을 거야.

그 순간 강우가 눈을 번쩍 떴다. 의과 대학 진학을 반대하던 할아버지가 져 주었으면 그 친구도 의과 대학에 갔겠구나, 그 정도만 생각했었다. 그때 그 여고생이 벌써 인턴 과정을 마치고 전공의 과정에 지원했다는 게 놀라웠다.

그리고 또 하나.

"……너희 병원이 아니라 왜 여길?"

조은수의 집안은 그저 의사가 많은 집안이 아니었다. 할아버지가 대형 병원 이사장이었고 다른 가족 구성원들도 그 병원에서 한자리하고 있는 어마어마한 집안이었다. 은수 역시 그 병원에서 현재 일반외과 전공의로 수련 중이었다.

신채린이 의사가 되었다면 당연히 그 병원에서 수련 과정을 밟아야 하는 건데, 이상했다. 은수의 말마따나 그녀의 전공의 시험 성적도 좋았다면 인턴 과정을 밟은 그 병원에서 전공의 과정도 함께 하는 편이 훨씬 나았다. 강우는 그녀가 어째서 인턴 과정도 거치지 않은 다른 병원에 지원을 한 건지 의아했다.

─음, 자세한 건 말하기가 조금 그런데 할아버지랑 마찰이 있어서 그래. 채린이가 전문의 되는 걸 할아버지께서 좀 많이 반대하셔서.

알 법했다. 강우는 추운 겨울날, 눈물을 가득 담고 있던 채린의 얼굴을 또렷하게 기억해 냈다. 그때 자신이 알려 준 방법을 썼을까? 의사 면허를 받은 걸 보면, 그 작전은 성공인 모양이었다.

─그래서 아버지가 너랑 만나 보고 싶은가 봐.

"아버지? 네 아버지?"

─응.

신채린 이야기에서 갑자기 조은수의 아버지로 화제가 바뀌었다. 강우는 도대체 상황이 어떻게 돌아가는 건지 통 알 수가 없었다.

"날 왜?"

─신채린 관련해서 뭔가 하고 싶은 말씀이 있으신가 봐. 마침 네가 딱 EM 4년 차니까 잘됐다 싶었는지 언제 한 번 만나고 싶대.

강우의 얼굴이 확 구겨졌다. 조카를 잘 부탁한다며 은근히 압박을 주려는 걸까? 강우도 은수의 아버지가 누군지 모르지는 않았다. 조은수의 아버지, 조준기는 수도중앙 병원 응급의료센터장이었다. 따지고 보면 자신의 선배인 셈이었다. 강우가 한숨을 섞어 말했다.

"꼭 만나야 하는 건가?"

─잠깐만 시간 내 주면 된다는데, 오프 날 언제인지 알려 주면 안 돼?

친구가 이렇게까지 말하는데 싫다고 매몰차게 거절할 수도 없는 노릇이었다. 강우는 어쩔 수 없이 쉬는 날을 알려 주고 전화를 끊었다.

통화가 끊어지길 기다렸다는 듯 다시 누운 강우는 휴대폰을 침대 위에 아무렇게나 던졌다. 피곤해서 딱 죽기 직전인데, 이상하게 잠이 다시 오지 않았다. 그는 누운 채로 인상을 쓰고 마른세수를 했다.

'그 애가 EM 전공이라고?'

강우는 오래전에 만났던 채린의 모습을 조금 더 정교하게 떠올리려 애를 썼다. 희미했던 기억이 점차 또렷해지기 시작했다. 창백한 안색, 바람에 흩날리던 긴 머리, 그리고 반짝거리던 눈빛까지.

강우가 전화로 말했던 날짜에 딱 맞춰서 조준기 교수가 찾아왔다.

"조준기입니다."

조준기라 밝힌 남자가 자연스럽게 명함을 내밀었다.

수도중앙 병원 응급의료센터 응급의학과 과장 조준기

단번에 준기의 정체를 파악한 강우가 명함을 받으며 인사했다.

"아, 예. 백강우입니다."

"우리 막내 동기라던데, 말 놓아도 되지요?"

"예, 편하신 대로 하십시오."

예의 바른 강우의 대답에 준기가 생긋 웃었다.

"김웅진 선생은 잘 계시나?"

"김웅진 교수님을 아십니까?"

김웅진. 응급의학과 과장 이름을 친근하게 부르는 준기를 강우가 의아하게 쳐다보았다. 그제야 준기가 묘한 미소를 지으면서 설명했다.

"대학 동기지. 저번 학회 때 보고 한참 못 봤는데."

유약한 이미지의 웅진과 풍채 당당한 준기는 어울릴 듯 어울리지 않는 친구였다. 물론 강우는 별 내색 없이 고개를 끄덕였다.

"네, 잘 계세요."

"잘됐군. 본론으로 바로 들어가자면, 이번에 우리 조카가 거기 EM 지원을 해서 말인데 부탁 좀 해도 될까?"

강우는 바로 대답하지 않았다. 대충 무슨 부탁일지 알 것 같았다. 대형 병원 이사장의 외손녀, 삼촌들은 한자리하고 있는 존경받는 의과 대학 교수, 사촌 오빠들도 그 병원에서 스태프로 줄줄이 있으니 신채린은 병원 내에서 공주님이나 다름없었을 것이다.

바쁜 대형 병원 교수가 왜 일개 전공의를 만나러 여기까지 왔을까? 아무리 1년 차 전공의들의 주된 임무가 실수와 욕먹기라고는 해도 가감 없이 신채린을 태웠다가는 후폭풍이 장난이 아닐 게 뻔했다. 이대로라면 여자에게 다정해 본 적 없고, 칭찬보다 쓴소리를 주로 해 온 백강우가 이젠 공주님 육아까지 하게 생겼다.

"엄청나게 무리한 부탁은 아니라고 생각하는데."

한참 동안 강우가 말을 않자, 준기가 어색하니 친절한 미소를 지어 보였다. 강우가 한숨을 삼키고 마음을 정리해서 대답했다.

"제가 최대한 백업을 해 줄 수는 있지만, 아무리 은수의 사촌 동생이라고 해도 저는 그 친구를 다른 1년 차들처럼 대할 수밖에 없습니다. 죄송합니다."

의사는 환자의 생명과 직결된 직업이었다. 특히 응급실을 지키는 응급의학과 전공의는 더욱 그러했다. 아무리 공주님이라고 해도 기본 이상은 해야 하는 법이다.

그러나 웬걸? 눈을 동그랗게 뜨고 있던 준기가 허탈하게 웃으며 손을 내저었다.

"잉? 아니, 그런…… 부탁이 아닌데."

"예?"

강우가 반문하자마자 준기가 덥석 강우의 손을 붙잡았다. 깜짝 놀란 강우가 손을 빼려고 했으나 준기는 손에 힘을 주면서 간절히 말했다.

"채린이 좀 많이 괴롭혀 줘."

"예에?"

황당한 부탁을 들은 강우는 준기의 손아귀에서 벗어나려던 몸부림을 그만두었다. 준기가 마른침을 삼키고 나서 말을 이었다.

"가능하면 전문의를 포기할 수 있도록."

"저, 지금 무슨 말씀을 하시는 건지 잘 모르겠습니다만?"

"태워 달라는 뜻인데, 자네 그런 거 잘하지 않나?"

물론 이성을 가진 백강우는 여기서 '네, 태우기가 제 특기이긴 합니다만'이라고 대꾸할 수는 없었다. 강우가 긍정을 담은 불편한 침묵을 지킬 즈음, 준기가 드디어 강우의 손을 풀어 주고는 한탄했다.

"아버지께서 워낙 강경하셔서…… 여자가 무슨 의사냐고."

강우의 눈가가 일그러졌다. 이 상황이 이제 이해가 가기 시작했다. 의과 대학 진학 때부터 조 이사장이 손녀의 앞길을 막던 것을 강우는 이미 알고 있었다. 할아버지의 힘이 닿지 않을 타 병원으로 지원한 신채린이 불쌍하다 싶어서 강우는 심란해졌다.

"뭐…… 집에 좀 마찰이 있다고 하면 될까?"

말을 마친 준기가 허탈하게 웃었다. 의과 대학 진학생의 절반이 여성인 요즘 세상에 얼마나 시대착오적인 소리인가. 의사로서 존경받는 아버지가 집안에서는 저런 꼰대 같은 소리를 한다고 차마 남들에게는 말할 수 없었다. 창피하기 그지없는 일이었다.

"하다못해 응급의학과 포기하고 다른 과로 갈 수 있게라도 해 주면 고맙겠는데."

손녀가 워낙 굽히고 들어오지 않자, 전공의 지원 과정에 손을 쓰지 않겠다며 조대식 이사장은 한 걸음 물러나는 척을 했다. 그 대신 조 이사장은 다른 방법을 선택했다. 제 발로 나가게 만들면 되는 것이라고 말이다. 응급의학과뿐만이 아니라 어딜 가든 신채린은 고통받을 운명이 되었다.

"채린이 그게, 애가 좀 자존심도 세고, 승부욕이 있어서 말이야. 우리가 봐도 채린이는 ER(Emergency room, 응급실)에 있을 애가 못돼. 몸도 약하고 체력도 없는 주제에 자존심은 엄청 세서 인턴 때도 환자하고 시비가 붙을 뻔한 게 몇 번인지 몰라. 그런데도 아득바득 우겨서 거길 간다고 원서 넣고……."

준기가 고개를 절레절레 저으며 가슴에 쌓아 둔 이야기를 풀어냈다. 하긴, 눈앞에 있는 조준기가 그 병원 응급의료센터장이었다. 준기의 말대로라면 당시 응급실 분위기가 어땠을지 대충 알만 했다. 게다가 공주님은 이사장 손녀, 센터장 조카라는 이유로 주의 몇 번만 받고 끝났을 것이다.

강우가 한숨을 내쉬고 나서 말했다.

"사정은 이해했습니다. 어차피 1년 차 때는 시도 때도 없이 혼나는 건 당연한 일이니까 다른 1년 차들하고 똑같이 대하면 그만입니다만, 저나 김 교수님, 혹은 다른 전공의 선생님들한테 피해가 오지 않으리라는 보장이 없다고 생각합니다."

대형 병원 이사장이자 많은 후배들이 존경하는 외과 의사 조대식 선생은 웬만해서 모르기 힘든 인사였다. 지금 준기의 말만 믿고 신채린을 가혹하게 굴렸다가 손녀의 눈물 바람에 조대식 선생이 미치는 영향력이 어디까지인지 절감하게 될 수도 있었다.

생각지도 못한 점을 지적한 강우를 준기가 놀랍다는 표정으로 보며 장난스럽게 제안했다.

"각서라도 써 달라면 써 줄까? 절대 문제없게 하겠다고."

"예, 그럼 써서 은수 편으로 보내 주세요."

농담처럼 해 본 소린데 진짜 각서를 써야 하는 거냐고 되물으며 준기가 미간을 찡그렸으나 강우는 모르는 척 시선을 돌려 버렸다. 철저한 백강우가 이런 위험한 부탁을 들어주려면, 문서는 필수나 다름없었다.

이제 전공의 4년 차가 되는 주제에 까마득한 선배 앞에서 주눅도 들지 않는 강우를 보자 준기는 괘씸하기보다 왠지 모르게 마음이 놓였다. 이만한 놈이면 신채린 쫓아내기는 성공할 것 같았다.

　　　　　　　*　　　*　　　*

　　인턴 근무도 끝물인 터라 채린은 집에서 초조하게 합격 통보를
기다렸다. 오늘이 바로 전공의 추가 모집 합격 통보가 오는 날이어
서 그녀는 무척 신경이 쓰였다. 평소의 자신이었다면 떨어질 거라
는 불안은 갖지 않았을 것이다. 실패의 기억이 거의 없는 신채린에
게 합격 발표일은 그저 사실을 '확인'하는 날에 불과했으니까.

　　문제는 한 번 할아버지에게 뒤통수를 맞아서 괜히 가슴이 졸아든
다는 데 있었다.

　　"왜 이렇게 늦어?"

　　추가 모집일에 같이 면접을 봤던 인턴은 자신까지 합쳐 네 명이
나 되었다. 서울 시내에 있는 좋은 병원에다가 요즘 뜨고 있는 응급
의학과에 추가로 TO가 났으니, 지원자가 눈치껏 몰리는 것은 당연
했다.

　　개인별로 연락을 준다고 해서 채린은 손에서 휴대폰을 놓질 못했
다. 이번에 합격하지 못하면 1년을 생으로 날리는 셈이었다. 신채린
인생에 떨턴(전공의가 되지 못한 인턴)이라니! 그럴 수는 없었다. 그
녀가 휴대폰 액정을 마구 문지를 때였다. 휴대폰이 큰 소리로 울기
시작했다. 예상대로 병원 번호였다.

　　두근두근, 심장이 내달렸다.

　　"여보세요?"

　　―안녕하세요. 미강 병원 교육수련부입니다.

"네……."

입술이 바짝 말라가고 심장은 더할 나위 없이 빠르게 뛰었다. 채린의 떨리는 마음과는 반대로 병원 직원은 아주 느긋하게 신채린의 합격을 통보했다.

―이번 응급의학과 전공의 추가 모집에 합격하셨구요, 메일로 몇 가지 주의 사항과 서식 파일을 보내 드렸으니 확인하셔서 저희 부서로 다음 주 월요일까지 제출해 주세요.

"알겠습니다."

전화를 끊고 나자 뒤늦게 안도의 한숨이 터졌다. 다행히 떨턴이라는 실패의 오명을 덮어쓸 일은 없었다. 지친 채린이 침대에 벌렁 드러누울 찰나, 휴대폰이 맑은 종소리를 냈다. 문자 메시지가 온 모양이었다.

"응?"

미강 병원 응급의학과 추가 모집 최종 합격을 축하드립니다. 2월 23일 17시, 응급의학과 의국에서 소개와 함께 저녁 식사 자리가 마련되어 있으니 오리엔테이션에 꼭 참석해 주시면 감사하겠습니다. ―응급의학과 의국장 백강우

"……백강우?"

긴 메시지를 읽던 채린이 눈을 동그랗게 떴다. 아는 이름이었다. 침대에 누우려던 그녀가 벌떡 일어나 드레스 룸으로 달려갔다. 드레스 룸 구석, 잘 입지 않는 옷들을 헤치며 채린은 곱게 개어 둔 가

운을 찾았다.

벌써 7년이 넘게 가지고 있던 가운이지만 관리를 잘해 두어서 많이 낡지는 않았다. 이 가운은 신채린의 부적과도 같았다. 이 가운이 아니었다면 의사가 될 수 없었다고, 그녀는 내심 믿고 있었다.

"진짜 이 사람인가?"

파란색 실로 수놓아진 강우의 이름을 그녀가 손가락으로 쓱 쓸어 보았다. 문자 메시지의 끝에 남은 이름과 가운 위에 수놓아진 이름은 동일했다. 백강우. 흔한 이름도 아닐 뿐더러, 나이까지 딱 맞았다. 채린이 아는 '강우 오빠'의 나이는 그녀보다 세 살이 많았다. 이번에 전공의 1년 차가 될 신채린과 전공의 4년 차인 백강우 역시 특별한 일이 없었다면 세 살 차이일 것이다.

아까 합격 전화를 받을 때와는 조금 다른 감정으로 가슴이 두근거렸다. 채린은 확인을 위해 들고 온 휴대폰으로 전화를 걸었다. 전화 상대는 사촌 오빠인 조은수였다. 조은수는 백강우와 의대 동기였으니까 백강우가 어디에서 근무하는지 잘 알고 있을 터였다.

"오빠, 난데."

―으으…… 왜?

반쯤 쉬어서는 다 죽어 가는 목소리가 흘러나왔다. 이제 일반외과 4년 차 전공의가 되는 은수는 아무래도 자다 깬 모양이었다.

"자? 목소리가 왜 그렇게 후져?"

―야! 나 어제 당직이었다고! 이게 말턴이라고 빠져 가지고…….

투덜거리는 사촌 오빠의 불평을 채린은 듣는 척도 하지 않았다. 그녀는 곧장 용건으로 들어갔다.

"나 미강에 지원했잖아. 합격했거든?"

―으으…… 넌 죽었다.

어째 축하한다는 말 한 마디가 없었다. 오히려 저주라면 저주를 내리는 사촌 오빠가 못마땅해서 채린이 인상을 찌푸렸다. 외삼촌인 조준기와 백강우 사이의 거래를 알 리 없는 채린은 은수의 말을 귀 담아 듣지 않았다.

"뭐라는 거야? 하여튼 거기 치프 선생님이 백강우 선생님이라는데."

―그렇지. 백강우.

"오빠 동기?"

―으응…….

은수가 비몽사몽 간에 긍정했다. 그 순간, 채린의 입가가 활짝 벌 어졌다. 설마설마했는데, 진짜 백강우였다. 그 많은 과 중에서도 응 급의학과를 선택해서 차근차근 수련을 거듭해 벌써 4년 차라니! 우 연도 이런 우연이 없었다.

"알았어. 끊어. 잘 자."

전화를 끊은 채린은 흐뭇하게 가운을 내려다보다가 메시지로 시 선을 돌렸다.

언젠가 전문의가 되어서 그를 스쳐 가듯 만날 수는 있겠지, 싶었 다. 그때가 오면 꼭 고맙다고 인사를 하려고 했는데 생각보다 빠르 게 백강우와 만나게 되었다.

기분이 좋아진 채린은 콧노래를 흥얼거리면서 오랜만에 가운을 입어 보았다. 건장한 남성용 가운이라 손끝까지 소매가 덮였다. 그 녀는 가운 주머니에 있는 이름을 다시금 매만졌다.

백강우.

"이름도 잘생겼어."

채린은 기억 속에 남은 강우의 얼굴을 떠올렸다. 이름만큼이나 그는 미남이었던 것 같다. 사촌 오빠인 조은수 따위와는 비교도 되지 않을 만큼 잘생긴 남자라서 이런 남자도 의대에 가는구나, 하고 내심 실례되는 생각도 했었다.

물론 특별히 잘해 볼 생각 같은 건 없었다. 4년 동안 수련해야 할 병원에서 연애할 시간은 없었다. 신채린의 목적은 응급의학과 전문의가 되는 거지, 백강우와 특별한 사이가 되는 건 아니었으니까!

그런데 심장이 두근두근 뛰었다. 하필이면 심장이 있을 왼쪽 가슴에 강우의 이름이 수놓아져 있었다.

'당연한 거지, 뭐.'

따지자면, 백강우는 신채린의 첫사랑이나 마찬가지였다.

고개를 위로 꺾어야 할 만큼 키가 크고 훤칠하니 잘생겼던 대학생. 칼바람이 부는데도 가만히 앉아 담배를 꺼내 입에 물던 여유로운 모습까지…… 고등학생이었던 채린에게 백강우의 이미지는 '멋있는 어른 남자'였다.

의과 대학에 진학한 뒤로는 눈코 뜰 새 없이 바빠서 깜빡 잊었지만, 다시 그를 떠올리자 어렸을 적 설레던 마음이 살아나는 것만 같았다.

23일, 미강 병원 응급의학과 의국은 분주했다. 12월 말부터 의국장 감투를 쓰게 된 강우는 귀찮은 표정을 지우지 않고 앉아 있었다. 앞으로 2년 차가 될 후배 셋을 쪼르르 앉혀 놓고 그는 오늘의 일정을 설명했다.

새로 들어오는 전공의들과 가장 많이 부딪칠 사람이 바로 위의 2년 차 전공의들이었다. 가장 오랜 시간 근무하는 저년 차 전공의들끼리 사이가 나빠지면, 응급실 전체 업무 효율이 떨어지는 터라 오늘의 인사 자리에 2년 차들은 필히 참석이었다.

"……여기서 간단히 저녁 먹고 알아서 들어가면 돼."

"전 삼겹살 말고 탕수육 먹고 싶은데요."

1년 차, 아니 이제는 2년 차가 되는 찬형이 손을 들고 변죽 좋게 말했다. 동시에 찬형의 동기들이 그를 쏘아보았다. 백강우 치프한테 토를 달다니, 제정신이냐는 그 눈빛에 찬형이 입을 덥석 다물었다. 강우가 코웃음을 쳤다.

"네가 먹고 싶은 거 말고. 김찬형, 후배 들어온다고 기가 살았네?"

"저희 때는 중국집 갔잖아요."

찬형이 뒷머리를 긁적이며 기어들어 가는 목소리로 대꾸했다. 강우의 서늘한 시선에 후배 전공의들이 흠칫거렸다. 하지만 오늘 같은 날, 강우는 후배들에게 큰소리를 내고 싶지 않았다.

"이제 2년 차 될 세 사람은 필수 참석이니까 좀 씻고 나와."

"……네."

오랜 시간 근무하는 최하위 계층, 전공의 1년 차들은 제대로 씻지도 못하고 겨우 눈곱이나 떼고 다녔다. 그래도 인사 자리인데 지저

분한 모습을 보이는 건 예의가 아니었다. 그때, 얌전히 앉아 있던 민석이 살짝 손을 들고 물었다.

"선생님, 이번에 로열 들어온다면서요?"

민석의 말에 찬형이 눈을 크게 떴다. 로열은 교수의 자식이라든가, 병원 고위직에 있는 일명 높으신 분들의 자제를 의미했다. 앞으로 탄탄대로가 펼쳐진 사람을 일컫는 단어에 찬형이 눈을 휘둥그레 떴다.

"진짜?"

"소문 자자하던데? 팽돌이 대신 추가 모집으로 들어온다고."

팽돌이는 갑자기 신 내림을 받고 의사의 길을 떠난 인턴의 별명이었다. 가끔 병원 구석에서 귀신을 보았다고 의국원들을 겁에 질리게 만들었던 인턴이지만 착하기는 했는데…….

"헐…… 누구?"

"수도중앙 병원 이사장 손녀라고."

"엥? 근데 왜 여기로 와?"

수도중앙 병원 이사장, 조대식은 외과의 원로로 유명한 사람이었다. 심지어 병원장은 이사장의 장남이었다. 그런 이사장의 손녀라면 순혈도 이런 순혈이 없는데, 그 전공의가 왜 다른 병원을 택했는지 찬형은 이해가 가지 않았다.

"진짜예요?"

입을 다물고 있던 다정도 놀란 듯 물었다. 웬만해서는 감정을 잘 드러내지 않는 후배마저 의아해하자 강우가 고개를 끄덕였다. 후배 셋 모두 혀를 내둘렀으나, 강우는 괜한 말을 흘리지는 않았다. 이 무거운 짐을 후배들에게까지 지워 주고 싶지 않아서였다.

"그렇다고 봐주면 안 돼."

"어, 어떻게 안 봐줍니까?"

찬형이 울상을 지었다. 그런 어마어마한 공주님에게 욕이라도 한마디 했다가는 목이 뎅겅 날아갈 것이 뻔했다. 결국 후배를 부리려던 원대한 꿈은 하늘로 날아간 셈이었다. 후배를 부리는 게 아니라 모시고 살게 생겼다. 그것도 하필 바로 아래 기수라, 남은 시간 내내 말이다.

"후배 들어온대서 좀 신났는데……."

"그냥 평범한 1년 차 대하듯 대해."

"알겠습니다."

아무 말도 못 하는 찬형과 민석 대신 다정이 대답했다. 강우가 왜소한 체격의 후배를 쳐다보았다. 애초에 병원에 남을 생각이 없는 터라 이것저것 따질 것 없는 안다정이 가장 상황 파악이 빨랐다. 제일 덤덤해 보이는 다정을 힐끔거리며 민석이 말했다.

"완전 공주네. 여자면 안다정이 백업하면 되겠지?"

"먼저 나가 보겠습니다."

누가 후배로 들어오든 상관이 없는지 그녀는 휑하니 나가 버렸고, 주춤주춤 강우의 눈치를 살피다가 남은 두 사람도 의국을 나갔다.

홀로 남은 강우는 오늘의 일정이 담긴 스케줄 표를 작성해 인원수대로 출력했다. 그때, 가운 주머니에 넣어 둔 휴대폰이 울렸다. 조은수였다.

"왜?"

—야! 너 오늘 신채린 본다며?

"음……."

조은수가 또 무슨 말도 안 되는 부탁을 할까 싶어 강우는 미간을 좁혔다. 사실, 조준기 교수와 만난 날부터 강우는 마음이 무척 불편했다. 합격에 비리가 있는 것도 아닌데 멀쩡하게 시험 쳐서 들어온 신채린을 내쫓아야 한다니. 다른 1년 차들보다는 엄하게 대하겠지만, 그뿐이다. 억지로 괴롭히기 위해 인격 모독까지 하고 싶지는 않았다. 그렇게 1년을 버티면 신채린의 승리였다. 백강우의 전공의 수련 기간이 끝나 그는 병원을 떠나고 없을 테니까.

그러나 은수는 쓸데없는 소리나 뱉었다.

—보고 또 홀딱 반해 가지고 봐주지 말고, 알지?

"넌 날 뭐로 보는 거냐?"

강우는 기가 막혔다.

—신채린한테 반한 놈이 한둘이어야지.

은수의 음성에서 짙은 현실감이 느껴졌다.

의과 대학을 졸업하고 인턴으로 들어오자마자 신채린은 병원 내에서 유명 인사가 되었다. 훌륭한 집안보다 영화배우 같은 분위기 있는 미모 덕분이었다. 매달 각 과를 돌아가면서 수련을 하는 인턴이라 그녀는 병원을 한 바퀴 돌았고, 몰래몰래 그녀를 짝사랑하던 전공의들은 늘어만 갔다.

하지만 감히 공주님에게 추파를 던지거나 고백을 하는 용감한 자는 없었다. 신채린 위로 사촌 오빠들이 줄줄이 있었고, 이사장과 병원장이 두 눈을 시퍼렇게 뜨고 있으니 파리 목숨을 가진 전공의들이 용기를 낼 수는 없었을 것이다.

─너도 남자니까.

건성으로 은수의 말을 들으며 프린트 장 수를 세던 강우는 코웃음도 치지 않았다. 전공의는 전공의일 뿐, 성별 따위는 중요하지 않았다.

"그럴 일 없어. 끊어."

─널 위해서 하는 소리야. 걘 짐승 같은 애니까. 한 번 물면 절대 안 놓는…….

의미심장한 말을 남기고 은수가 전화를 끊었다.

"짐승?"

하긴, 그 저택에서 신채린은 말괄량이 같았다. 사촌 오빠의 이름을 턱턱 부르면서 은수의 등에 매달려 떼를 쓰던 소녀를 떠올리다 강우는 멈칫, 움직임을 멈추었다.

"아, 이런……."

지금까지 센 프린트가 몇 장인지 잊고 말았다. 그가 눈가를 찡그렸다.

인턴 근무를 미강 병원에서 한 다른 합격자들이 어색한 정장 정도나 갖춰 입은 것과 다르게, 채린은 멋들어진 코트를 걸치고 옅게나마 화장까지 했다. 사람의 첫인상은 무척 중요했다. 후줄근하니 비루한 모습보다는 깔끔하고 이지적인 모습이 서로 좋았다.

게다가 백강우를 다시 만나는 자리였다. 추가 모집 합격 발표가 나고 시간이 어떻게 지나갔는지 채린은 떠올릴 수가 없었다. 교재를 보고 공부를 하다가도 문득문득 강우와의 재회를 떠올릴 때면 슬그머니 미소가 지어졌다.

백강우는 신채린을 보면 어떤 표정을 지을까? 역시 놀랄까? 아니면 뿌듯해할까? 그 상상만으로도 가슴이 설레서 그녀는 종종 공부를 뒷전으로 미루곤 했다.

매력적이면서도 틈을 보이지 않는 모습의 채린이 들어오자 의국안에 찬물이라도 끼얹어진 양 조용해졌다. 직속 선배나 다름없는 1년 차 전공의들은 공주님의 출현에 마른침만 꿀꺽 삼켰다.

"죄송합니다. 주차 때문에 늦었습니다."

응급실 건물은 후문과 가까워서 후문 주차장에 차를 세우려는데 하필이면 오늘, 후문 쪽 주차장은 만석이었다. 어쩔 수 없이 다른 주차장을 찾아 헤매느라 다른 동기들보다 늦었다. 겸손한 채린의 태도에 호감이 생겼는지 응급의학과 스태프 중 한 명이 생긋 웃어 주었다.

"괜찮아요. 행사 시간에 늦은 건 아니니까."

채린은 제 자리를 찾아가 앉으면서 주변을 끊임없이 곁눈질했다. 이번에 1년 차가 될 합격자들과 3월부터 2년 차가 될 선배들, 멀리 보이는 스태프들과 교수 사이에서 그녀는 백강우를 열심히 찾아보았다. 의국장이면 거의 행사 진행을 맡다시피 해야 할 텐데 이상하게도 그가 눈에 띄지 않았다.

'먼저 인사하고 싶었는데.'

아쉬운 마음이 들 찰나, 하얀 가운을 걸친 강우가 들어왔다. 채린은 멍하니 강우를 쳐다보았다. 여느 전공의와 다름없이 피로한 모습이지만 여전히 얼굴이 훤히 빛났다. 소년처럼 앳된 모습이 남아 있던 대학생 때와 다르게 서른 살에 접어들면서 그는 한층 더 성숙해져 있었다. 만일 이곳에 다른 사람들이 없었다면 신채린은 침이 흐를 정도로 입을 벌리고 있었을 터였다.

"죄송합니다."

"아니야, 환자는?"

"바이털(Vital sign, 활력 징후)이 조금 불안정한데, NS(Neurosurgery, 신경외과)에 콜 하고 왔습니다."

심지어 나직한 목소리까지, 백강우는 여심을 흔들기 충분했다. 강우가 응급의학과 과장과 이야기를 나누는 광경을 보는 것만으로도 신채린의 얼굴이 붉어지려는 건, 의국 안이 너무 덥기 때문일 것이다. 채린은 양손으로 뺨을 살짝 매만졌다. 이럴 때는 손발이 차가운 편이라 다행이었다.

흘끔흘끔 강우를 살피던 채린은 그와 눈이 마주치자 깜짝 놀라 시선을 떨구었다. 너무 노골적으로 바라보았나 보다. 그와 눈이 마주치면 여유롭게 웃어 주려고 했는데 첫 단추부터 잘못 끼웠다. 그녀가 슬그머니 다시금 강우를 응시했다. 하지만 그는 신채린을 본 척도 하지 않았다.

옆에 앉아 있는 동기들은 물론, 선배가 될 남자들은 채린의 얼굴이 따가울 정도로 신채린에게서 시선을 떼지 못하는데, 백강우는 아무렇지도 않게 그녀를 무시했다.

채린은 문득 불안한 기분이 들었다. 이 병원 응급실에 그는 벌써 4년이나 있었다. 저렇게 훤칠하니 멋있고 능력 있는 남자에게 그동안 여자가 하나도 달라붙지 않았을까?

'설마 여자 친구 있는 거 아니야?'

채린은 저도 모르게 어금니를 꽉 물었다가 퍼뜩 정신을 차렸다.

'아니, 여자 친구가 있든 말든 내가 무슨 상관인데?'

그렇다. 자신이 이 병원에 온 건 수련하기 위해서지 연애하기 위해서가 아니었다. 백강우에게 여자가 있든 말든 신채린하고는 아무 상관이 없었다. 그런데 왠지 마음 한구석이 가라앉는 기분이었다.

간단하게 병원과 응급의학과 사람들 소개가 끝나고 저녁 식사 자리로 이동하는 길이었다. 호시탐탐 강우에게 말을 붙여 보려던 채린이 기회를 포착하고 그에게 훌쩍 다가가 물었다.

"저기…… 선생님, 혹시 저 기억하세요?"

세상에서 가장 예쁜 웃음을 지어 보이는 채린에게 강우는 슬프게도 대답 대신 무덤덤한 시선만 주었다. 채린은 내심 서운했다. 만나자마자 기억을 하고 반갑게 맞아 줄 줄 알았는데 길거리 돌멩이를 보는 듯, 강우의 태도는 무심하기만 했다. 화려한 외모 덕에 채린을 한 번이라도 본 사람들은 그녀를 쉬이 잊지 못했다. 근데 백강우에게는 통하지 않았나 보다. 하필이면 백강우한테…….

채린은 어깨에 메고 있는 가방끈을 꼭 쥐고 아무렇지 않은 척 말했다.

"조은수 선생님 사촌 동생인데……."

"압니다."

강우가 차가운 목소리로 채린의 말을 도중에 끊었다. 아직 1년 차가 아닌 채린에게 강우는 일부러 존댓말을 했다. 아직 자신의 후배로 여기지 않는다는 뜻이었다.

내심 강우는 채린이 어렵기도 했다. 순진한 눈빛으로 예쁘게 웃고 있는 그녀를 3월부터 괴롭혀야 한다니, 양심의 가책도 느껴졌다. 신채린은 자신의 앞날이 흐리다는 걸 알고나 있을까? 하긴, 안다면 저토록 맑은 미소를 지을 리가 없었다.

"아, 네……."

신채린은 오랜만에 의기소침해졌다. 백강우가 멀게 느껴졌다. 오래전, 그는 그녀를 친한 동생처럼 대해 주었는데 그때와 지금은 입장이 달라서 그런가 보다. 채린이 할 말을 잃고 고개를 수그리자 강우가 뒤를 돌아보고는 후배를 불렀다.

"안다정, 어디 있어?"

"여기 있습니다."

"같은 여자끼리니까 네가 안내해 줘."

후배의 대답을 듣지도 않고 강우는 채린의 근처에서 훌쩍 떠나 버렸다. 채린의 눈길이 그의 등 뒤로 물끄러미 박혔다. 하긴, 백강우에게 있어서 신채린은 스쳐 지나가는 어린애일 뿐이었다. 신채린 혼자 백강우의 가운을 소중히 간직하고 있었을 뿐, 생각해 보면 특별한 사이도 아니었다.

그때, 선배가 될 다정이 채린에게 말을 붙였다.

"궁금한 거 있어요?"

채린은 자신보다 눈높이가 반 뼘 정도 작은 다정을 바라보았다. 다정은 마치 이런 자리에 끌려 나오고 싶지 않았다는 듯 귀찮은 눈빛을 내비칠 뿐이었다. 여기서 질문을 하면 안 되겠지. 채린은 눈치껏 고개를 저었다.

"아뇨, 없습니다."

"궁금한 거 생기면 물어봐요."

"네."

두 사람의 대화는 그걸로 끝이었다.

다정은 피곤한 안색을 애써 숨기면서 행렬을 따라 걸었고, 채린은 직속 선배나 다름없는 다정의 눈치를 보면서 다리를 움직였다. 남자보다는 여자가 편하긴 한데…… 채린은 부디 이 선배가 깐깐한 성격이 아니기를 바랐다.

신채린의 '출신 성분' 때문인지 이번에 합격한 동기들은 그녀에게 가까이 다가오지 못했다. 그럴 만도 한 것이 친하게 지냈던 인턴 동기는 갑작스럽게 병원을 떠난 데다가, 그 자리를 메운 사람은 심지어 로열 계층 공주님. 그것도 흔히 보기 힘든 미인이니 말 붙이기가 쉽지 않은 건 당연했다.

"팽돌이, 진짜 무당 되고 연락 끊겼어?"

"아예 전화 연결이 안 돼."

두 사람은 채린을 배제하고 자기들끼리 아는 이야기만 했다. 채린이 지루한 기분으로 꿔다 놓은 보릿자루처럼 앉아 있을 때였다. 등 뒤에서 장난기 가득한 목소리가 들렸다.

"재희랑 충직이, 너희들끼리만 놀 거야?"

구재희와 오충직은 곰 같은 선배의 등장에 깜짝 놀랐다. 키가 거의 190센티미터에 다다르는 김찬형은 불편한 분위기를 절대 참지 못했다. 점점 채린의 안색이 어두워지는 것을 보다 못한 찬형이 나서서 분위기를 전환시켰다.

"이쪽도 동기인데 끼워 줘."

"네……."

재희가 우물쭈물 대답하며 끄덕였다. 채린이 찬형에게 고맙다는 듯 고개를 살짝 숙여 보이자, 뒷머리를 긁적이며 찬형은 자리에서 빠져 주었다. 미인의 미소에 부끄러워하지 않을 남자는 없었다.

"구재희입니다."

"오충직이에요."

신채린의 이름을 말할 필요는 없었다. 이미 모든 사람들이 채린의 존재에 촉각을 곤두세우고 있었으니까. 마음이 조금 풀어진 채린이 웃는 낯으로 물었다.

"두 분 다 미강에서 인턴하셨어요?"

"네, 뭐…… 당연히……."

충직이 떨떠름하게 긍정했다. 떨떠름한 이유는 신채린이 싫어서가 아니라 그녀가 부담스럽고 무서워서였다. 혹여 실수라도 할까 봐 충직은 우물쭈물거리고 있었다. 심지어 얼굴까지 벌겋게 물들인 것이 미인을 똑바로 쳐다보는 게 힘든 모양이었다. 채린은 충직의 기분을 배려해서 재희에게로 시선을 돌려주었다.

"저 궁금한 게 있는데 어쩌다가 자리가 빈 거예요?"

"팽돌이가…… 그러니까 팽두진이라고, 원래 지원하려던 친구가 있었는데 갑자기 신 내림을 받았다고 해서요."

재희는 충직과 달리 채린에게 주눅 들지는 않았지만, 그의 입에서 나온 말은 무척 황당했다. 이번에는 채린이 당황했다.

"네에?"

"장군님인가 무슨 할아버지인가가 의사는 절대 하면 안 된대서 수련 포기했대요. 병원에 귀신도 많다고 해서 맨날 그만두고 싶어 했고요. 걘 바로 군대 갈 걸요?"

비과학적인 이야기에 채린의 미간이 일그러졌다. 신 내림이니, 장군님이니 하는 것보다 병원에 귀신이 있다는 말이 유난히 가슴에 걸렸다.

'귀신이라고?'

각 병원마다 괴담이 존재하기는 했지만, 이렇게 첫날부터 생생한 이야기를 듣게 될 줄은 몰랐다. 게다가 1년 차는 3월 한 달간 응급실에서 먹고 자는 일명 풀당(한 달 동안 당직)의 기간을 보내야 하는데……

'귀신? 진짜? 병원에?'

이 세상에서 신채린이 무서워하는 건 극히 드물었으나, 딱 하나 귀신이나 유령만큼은 도저히 참을 수가 없었다. 이는 과학적인 신뢰와는 별개였다. 가끔 무서운 꿈을 꾸면 침실을 환하게 밝히고 잠들어야 할 정도로 신채린은 오컬트 관련한 이야기를 무척 싫어했다.

"어쩔 수 없죠. 자기가 안 하겠다는데."

"네……"

채린이 뻣뻣하게 고개를 끄덕였다. 재희가 흘긋 그녀를 보고는 미소를 지었다.

"채린 씨는…… 채린 씨라고 불러도 되죠?"

"그러세요."

"채린 씨는 왜 미강에 지원했어요? 듣기로 인턴 했던 병원에 가족

분들이 많다던데.”

보통은 인턴 수련을 한 병원에서 계속 전공의 수련까지 하기 마련이었다. 그렇지 않은 경우는 더 유명한 병원에서 수련을 하기 위해 떠나거나, 지방을 떠나 수도권으로 올라오는 경우 등이라 도중에 수련할 병원을 옮기는 것은 흔하지 않았다. 하지만 신채린은 서울에 있는 꽤 괜찮은 병원에서 인턴 수련을 했음에도 뜬금없이 가족들이 포진한 병원이 아니라 전혀 연고 없는 미강 병원에 지원을 했다.

“아…….”

채린은 난처해졌다. 아직도 이상한 남녀 차별을 고수하는 할아버지에 대해 말하고 싶지 않아서였다. 그녀는 어쩔 수 없이 에둘러 대답했다.

“ER(응급실) 근무가 힘들 거라고 반대하셔서요.”

“하긴, 힘들긴 하죠. 그래도 NS(신경외과)나 CS(Cardiothoracic Surgery, 흉부외과)보다는 나으니…….”

재희가 고개를 끄덕이면서 대답할 무렵이었다. 아까 찬형이 나타났을 때처럼 웬 낯선 남자가 그들의 뒤로 다가오더니 뒤에서 재희와 충직의 어깨를 감싸고 떠들었다.

“동기끼리 왜 그렇게 내외하고 앉아 있어?”

“엇! 치프 선생님! 안녕하세요!”

충직과 재희가 낯선 남자를 보고 깜짝 놀라 일어났다. 치프라는 말에 채린도 눈을 동그랗게 뜨고 얼떨결에 인사를 했다. 2년 차가 될 세 선배와 백강우를 제외하고, 또 다른 선배는 처음 보았다. 치프라고 했으니 그는 이제 전공의로서는 최고참인 4년 차가 될 사람인가 보다.

"야, 나 이제 치프 아니야. 치프는 백강우지."

강우와 마찬가지로 3월부터 4년 차가 될 성준은 작년 9월부터 의국장을 맡았다. 매년 세 명의 전공의가 들어오는 응급의학과는 보통 4개월 전후로 의국장을 나눠 맡곤 했다. 조금 더 유능하고 부지런한 사람이 며칠 정도 더 고생하곤 해서 뺀질한 성격의 성준은 강우에게 일찌감치 감투를 넘겨주었다.

"백강우 어디 갔어?"

성준의 물음에 충직이 건너 테이블을 가리켰다. 채린에게 등을 보이고 앉아 있던 강우가 제 이름을 듣고 고개를 돌렸다. 채린은 그가 자신을 바라보는 줄 알고 흠칫 놀랐지만, 역시 냉정하기 짝이 없는 백강우는 성준에게나 관심을 보였다.

"왜?"

"너 전화는 왜 안 받아?"

그제야 강우가 주머니에서 휴대폰을 꺼냈다. 부재중 통화가 잔뜩 들어와 있었다. 응급의학과 스태프와 교수들이 있는 자리라 일부러 전화 벨소리를 진동으로 바꿔 두었더니, 이런 일이 생기고 말았다.

"시끄러워서 진동을 못 들었나 봐."

"지금 2년 차 애들 죽어 가고 있는데, 안 바쁘면 1년 차 애들 두 명만 들여보내. TA(Traffic Accident, 교통사고)로 지금 정신이 없다. 5중 추돌 사고래."

"심각해?"

"아니, 심각하면 내가 여길 나왔겠냐? 너 말고 교수님들께 연락했지. 갑자기 환자 수가 많아져서 애들 힘 딸려 가지고 그래."

평소에도 바쁘고 정신없는 응급실인데 5중 추돌 사고까지. 응급실은 지금 난리일 것이다. 강우가 눈살을 찌푸렸다. 마음 같아서는 자신이 들어갔으면 했지만, 이 자리의 책임자나 다름없는 상태라 고깃집에서 움직일 수는 없었다.

그 대신, 강우는 슬그머니 시선을 피하는 두 후배를 딱 지명했다.

"안다정은 여기 있어. 김찬형이랑 장민석 데리고 들어가."

울상을 지은 찬형과 민석은 고기를 씹으며 성준에게 끌려 돌아갔다. 다정은 질질 끌려가는 응급실 노예들을 지켜보다가 강우를 의아하게 쳐다보았다. 왜 자신만 남겨 두었냐는 다정의 말없는 눈빛에 강우가 대충 둘러대었다.

"너 아까 점심도 걸렀다며? 밥 먹어."

"제가요? 아닌데요?"

오늘 점심, 맛없는 구내식당을 다녀온 다정이 곧바로 부정하자 강우가 미간을 좁혔다. 그냥 넘어가면 좋으련만 안다정은 쓸데없이 칼 같았다.

사실 신채린 때문에 안다정만 남겨 놓았다. 혼자 겉돌고 있는 채린이 눈에 이질적으로 보여서 다정이 챙겨 주지 않을까 싶어서였다. 하지만 신채린 때문이라고 솔직하게 말할 수는 없었다.

백강우는 신채린을 괴롭혀야 하니까.

'그러게 그걸 왜 한다고 그래서는.'

……라고 생각하면서도 강우는 그 제안을 거절할 수 없었다. 신채린이 미워서라기보다는 백강우가 힘없는 전공의인 탓이었다.

"동기끼리 어려워하지 말고."

후배가 될 충직과 재희를 쳐다보며 말한 뒤 강우는 일부러 채린에게 시선도 주지 않고 돌아섰다. 순진한 눈빛을 받으면 마음이 약해지기 때문이었다.

강우가 다시 자신의 자리로 돌아가 앉았다. 채린은 그에게 무시당하는 기분이 썩 달갑지 않아 우울해졌다. 그때, 얼떨결에 홀로 남은 다정이 채린의 옆에 털썩 주저앉았다. 채린은 다정을 흘끔거렸다.

사람들에게 친절하지 않은 백강우가 왜 이 여자 선배에게는 끼니까지 챙겨 줄 정도로 친절한 걸까? 채린은 백강우 저리가라 할 만큼 무심하고 차가워 보이는 다정을 살펴보았다.

설마 백강우가 이 선배에게 마음이 있는 걸까? 그렇게 생각하자 왠지 아귀가 맞아 떨어졌다. 평범해 보이는 이 선배에게 호감이 있다면 일부러 다른 여자, 그러니까 신채린에게 냉정하게 대하는 것도 이해가 갔다.

'흥! 둘이 그러든 말든 나랑 무슨 상관이람.'

괜스레 울적해졌지만 채린은 애서 내색하지 않았다. 자신은 이 병원에 연애가 아니라 수련을 하러 온 것이니까! 겨우 자신의 마음을 단속한 후, 채린은 다정에게 살갑게 물었다.

"선생님, 여자 전공의 숙소는 어떤가요?"

"그저 그런데……."

별 다를 것 없는 숙소를 다정이 무심하게 표현했다. 백강우나 안다정이나 사람들이 무뚝뚝하기 그지없었다. 그래도 채린은 최선을 다했다. 직속 선배와의 사이가 틀어지면 4년 차가 될 때까지 수련이 무척 힘들 테니 말이다.

"보통 과별로 쓰잖아요? 4인 1실인가요?"

"여자 숙소는 2인 1실입니다."

"의국에 선생님하고 저만 여자 아니에요?"

다정이 고개를 끄덕였다. 남탕이나 다름없는 응급의학과에 들어온 첫 여자 전공의가 안다정이었다. 그 뒤로 신채린이 들어와서 드디어 여자 전공의가 두 명이 되었다. 채린은 최선을 다해 미소를 지었다.

"그럼 같은 방을 쓸 수도 있겠네요."

"……여름 지나고 나는 나갈 생각이라."

"아, 네……."

선배의 무뚝뚝한 대답에 채린의 눈앞이 막막해졌다. 여기서 4년을 잘 버틸 수 있을까? 채린은 생전 한 번도 당해 보지 않은 따돌림을 당하는 느낌이었다. 의국장인 백강우도, 직속 선배인 안다정도 신채린에게는 너무 버거웠다.

술잔이 몇 번 오고 갔다. 소문으로는 술을 강요하는 과도 있다고 하는데, 응급의학과는 그렇지 않은 모양이었다. 이미 교수와 스태프들은 저녁을 다 먹었다고 자리를 떴고, 직속 선배인 안다정도 슬그머니 응급실로 돌아갔다. 채린이 앉은 테이블에는 그녀와 동기가 될 재희와 충직만 남아 있었다.

"그럼 이제 편하게 부르자. 다 동갑이니까."

재희의 말에 채린이 기다렸다는 듯 고개를 끄덕였다. 알코올이 이럴 때는 좋다. 다행히 동기들은 다들 성격이 무난해 보였다. 아직

충직이 채린을 조금 어려워했지만, 그래도 눈빛에는 호감이 담겨 있었다.

"그, 귀신 본다는 인턴 선생님 말이야……."

"팽돌이?"

호칭이 뭐든 간에 상관없는 채린이 고개를 끄덕였다. 중요한 건 병원 어디에 귀신이 있느냐, 그뿐이었다. 채린이 조심스럽게 물었다.

"어디서 귀신을 봤대?"

"너스 스테이션(Nurse station)에 간호사 복장을 한 여자 하나 있고, 전공의 숙소로 들어가는 길에 공부하다 죽은 귀신이 있대."

"숙소 가는 길에?"

채린의 얼굴이 일그러졌다. 하필이면 숙소 가는 길에도 귀신이 있다니! 울고 싶은 심정이었다. 그런 그녀가 귀엽다는 듯 재희가 킥킥거렸다.

"귀신 믿어?"

"그런 건 아닌데 찝찝하잖아."

채린이 허세를 부려 보았으나, 재희는 물론 충직도 믿어 주지 않았다. 짓궂은 표정을 지은 재희가 계속 말을 이었다.

"진짜 있대. 트리아지(Triage, 환자분류소)에도 제때 치료 못 받고 죽은 할머니 있대."

"거짓말……."

채린은 정말 울고 싶은 심정이었다. 각 병원마다 괴담은 수십 개씩 있었다. 삶과 죽음이 교차하는 공간이기도 하지만, 이성적으로 생각하면 과도한 업무로 정신이 반쯤 나간 의료진들이 헛것을 보는 경우도 없지 않아 있어서였다.

자신이 인턴 수련을 했던 할아버지의 병원에도 귀신이 있다는 소문은 많았으나, 채린은 단 한 번도 귀신의 머리털 하나 본 적 없었다.

그런데 왠지 이 병원에서 끔찍한 경험을 할 것 같은 건…… 과한 걱정일까?

"지하로 연결되는 비상계단 있잖아. 거기에도 자기가 죽은 거 모르고 돌아다니는 아저씨가……."

"그만!"

채린이 만면에 인상을 쓰고 재희의 말을 잘랐다. 재희는 충직과 함께 히죽거렸다. 그제야 그녀는 그가 농담을 하고 있음을 알아챘다.

"거짓말이지?"

"비상계단하고 트리아지는 거짓말인데, 다른 건 진짜인가 봐. 팽돌이가 봤대."

재희는 순순히 시인했지만, 그렇다고 해서 채린의 마음이 편해지지는 않았다. 채린이 근심 가득한 표정을 지었다. 재희가 충직에게 말했다.

"왜 그때, 너스 스테이션에서 귀신 보고 팽돌이 신콥(Syncope, 실신)했잖아."

"아, 그게 그래서였어?"

재희가 충직과 주절주절 지난 일을 떠드는 바람에 채린은 더욱 불안해졌다. 차라리 모르고 있을 걸, 괜히 물어봤나 보다. 만약 귀신을 진짜 본다면 자신 역시 팽돌이라는 사람처럼 기절해 버릴 게 분명했다.

어두운 표정으로 고개를 돌린 채린은 계산대에서 음식값 결제를 하는 강우를 발견했다. 그러고 보니 자신이 앉아 있는 테이블을 제외하고 자리가 텅텅 비었다. 강우와 대화를 나누기에 지금이 적기인 것 같아 채린이 벌떡 일어났다.

"잠깐 화장실 좀."

말은 그렇게 했으나 화장실은커녕, 채린은 강우를 따라 음식점 바깥으로 나왔다. 백강우의 다리가 길어서인지 그의 보폭을 그녀는 따라잡을 수가 없었다. 결국 그녀는 그의 팔을 덥석 잡으며 입을 열었다.

"저기……."

그러나 채린의 말은 도중에 끊어졌다. 갑자기 붙잡힌 팔을 뿌리친 강우가 인상을 쓴 채 내려다보고 있어서였다. 그녀는 저도 모르게 마른침을 삼켰다. 백강우에게서는 신채린을 향한 호감이 단 한 자락도 없었다.

"제 손 안 더러운데."

채린이 차가워진 양손을 맞잡고 힘없이 말했다. 완강한 거부의 몸짓에 차마 강우의 얼굴을 쳐다볼 수가 없어서 채린은 난처한 시선을 바닥으로 떨구었다. 가슴 한쪽이 찌릿 아파 왔다. 눈앞이 흐려지기 전에 그녀는 눈을 길게 감았다가 뜨고 애써 미소를 지으며 다시 고개를 들었다.

"선생님 덕분에 여기까지 와서 감사하다고 꼭 인사드리고 싶었습니다."

진심을 담아 채린이 강우에게 감사 인사를 했다. 하지만 강우는 이해가 가지 않는 양 미간을 좁히고 말했다.

"그게 왜 내 덕분인지 모르겠네."

강우에게는 뜬금없는 소리였다. 공부를 열심히 해서 의과 대학에 합격한 것도, 할아버지의 방해 공작에도 불구하고 열심히 6년간 공부한 것도, 1년간의 인턴 수련을 버티고 이 병원에 들어온 것도 다 신채린의 노력 덕분이었다. 백강우와는 아무 상관없는 일이었다.

"계산은 끝냈으니 동기들끼리 알아서 마시고 들어가요."

그 말을 끝으로 강우는 싸늘하게 몸을 돌렸다. 채린은 강우의 차가운 뒷모습에 차마 그를 붙잡지 못했다. 그의 무심하다 못해 자신을 귀찮아하는 눈빛은 충격적이었다.

'내가 뭘…… 잘못했어?'

신채린은 지금까지 살아오면서 타인에게 호감을 얻지 못한 적이 없었다. 그건 대체로 미모 덕이기도 했고, 집안 덕이기도 했고, 그녀의 능력 덕분이기도 했다. 그렇다고 신채린이 오만방자하냐면 그렇지도 않았다. 세간에서의 막내딸 이미지와 달리 채린은 똑 부러지는 구석이 있었다. 누군가에게 애교를 피우며 위기를 모면하기보다는 스스로 극복하려고 노력을 했고, 그건 곧 다른 사람들의 인정과 감탄을 자아냈다.

그런데 백강우는 예상과 너무 달랐다. 상상 속의 백강우는 신채린을 보고 따뜻하게 웃어 주면서 수고했다는 말이라도 건네는데, 현실의 백강우는 찬바람만 쌩쌩 휘날렸다. 일부러 거리를 두는 걸까? 다른 사람을 좋아해서 오해받지 않으려고? 아니면 타 병원에서 온 신채린을 경계라도 하는 걸까?

'어떡하지?'

채린은 문득 앞으로 백강우와 보내야 할 1년이 암담해졌다.

한편, 채린이 충격을 받았을 줄은 꿈에도 생각지 못하고 응급실로 돌아가는 길에 강우는 한숨을 길게 내쉬었다. 의대 동기인 조은수가 떠들었던 말이 떠올랐다.

"신채린한테 반한 놈이 한둘이어야지."

은수의 말은 옳았다. 오늘 신채린을 바라보는 남자들의 시선은 유난했다. 그녀가 일명 '로열'이기 때문만은 아니었다. 여자 손 한 번 잡아 본 적 없는 숙맥, 김찬형이 얼굴을 붉혔고, 채린의 동기들은 그녀에게서 눈을 떼지 못했다. 게다가 병원에 들어간 동기 성준도 채린에 대한 메시지를 길게 보냈다.

> 공주님 완전 예쁘던데? 공주님 남친 있어? 없지? 한 번
> 대시해 볼까? 어떻게 생각하냐? 근데 넌 안됐다. 공주님
> 활활 태워야 하잖아.

그 메시지를 보는 순간 기분이 나빠진 강우는 미련 없이 동기의 메시지를 삭제해 버렸다.

그뿐만이 아니었다. 열아홉 살의 신채린을 보았을 때와 스물일곱 살의 신채린을 볼 때 백강우의 기분도 달랐다.

고등학교 3학년인 신채린은 귀여운 동생 같았지만, 전공의 1년 차가 될 신채린은……

"어후……."

강우의 입에서 저절로 한숨이 흘러나왔다.

정말 3월부터 파란만장하겠구나. 같은 하늘 아래 두 남녀는 똑같은 생각을 하고 있었다.

대처 방법 2.
걱정 숨기기

주말 응급실은 인산인해였다. 멀뚱멀뚱 서 있는 사람들 사이로 몇몇 의료진만이 분주히 움직이고 있었다. 끙끙 앓는 소리, 다 죽게 생겼다는 비명 소리가 들렸지만, 그래도 비명을 지르는 환자는 긴급 환자가 아니라는 것쯤은 누구나 알고 있었다.

"그만해요! 아프다고요!"

침상에 누워 있는 환자는 눈앞이 가물가물한데도 인상을 팍 찌푸렸다. 3월. 새로 업무에 투입된 신입 간호사는 정맥 라인을 잡지 못해 몇 분째 발만 동동 굴렀다. 벌써 정맥 주사를 네 번이나 시도했으나 계속 실패였다. 여자의 핏줄이 통 드러나지 않는 탓이었다.

"죄송합니다. 다시……."

"됐고, 다른 간호사 불러 와요. 그쪽이 하지 말고."

비쩍 마른 환자가 신경질을 냈다. 거의 울기 일보 직전인 신규 간호사는 발작이 일어날 지경이었다. 얼굴이 이미 허옇게 질린 게, 누워 있는 환자보다 간호사가 더욱 병색이 완연했다. 이쯤 되니 주사 놓는 방법도 까먹을 것 같았다.

그때였다.

"무슨 일이에요?"

"선생님!"

1년 차 전공의 신채린 선생이 다가오자 신규 간호사, 선미가 눈물을 글썽였다. 응급실에 들어오자마자 실수한 전적이 거의 제로에 수렴하는 채린이라면 적어도 선미 자신보다는 정맥 주사를 잘 놓을 것이다.

선미가 채린의 귓가에 속삭였다.

"하이포글리세미아(Hypoglycemia, 저혈당증) 환자시고요, 포도당 50%짜리는 오면서 맞으셨는데요."

"그런데 왜 라인 다시 잡아요?"

"환자분이 이물감 심하다고 하셔서요. 안다정 선생님이 좀 더 지켜봐야겠다고 10%짜리 IV(Intravenous injection, 정맥 주사) 하라고 하셨는데 제가 자꾸 실수를……."

선미의 설명을 들은 채린은 2년 차 전공의인 안다정이 어디 있는지 고개를 돌려 찾았다. 그러나 워낙 사람이 많아 다정의 모습은 근처에 보이지 않았다. 차트를 보고 나서 알았다는 듯 고개를 끄덕인 채린은 선미에게 주삿바늘을 받아 들고 그녀에게 다른 곳으로 가고 부드럽게 말해 주었다.

"많이 불편하셨죠?"

간호사가 아니라 의사가 다가오자 환자의 짜증스러운 안색이 조금 나아졌다. 이미 팔뚝 여기저기 바늘 자국이 있는 게 안타까웠다. 신규 간호사와 다르게 채린은 단번에 정맥을 잡았다. 저혈당증 때문에 힘들어하는 환자는 이미 당뇨로 내원 기록도 있었다. 계속되는 실수에 짜증이 나지 않을 리가 없었다.

"조금 누워 계세요."

"고맙습니다."

신규 간호사에게 성내던 환자는 채린의 말을 고분고분 들었다. 채린은 구석에 힘없이 서 있는 선미에게 다가갔다.

"우선미 선생님, 괜찮아요?"

"네……."

시무룩하게 대답한 선미가 눈가를 슬쩍 닦았다. 채린은 기운 내라는 듯 선미의 어깨를 가볍게 누르고 돌아섰다. 채린의 뒷모습을 보는 선미의 눈동자에 호감이 어렸다.

전공의 1년 차 신채린. 1년 차임에도 전전긍긍하는 모습 없이 여유롭고 실수도 적은 그녀에게 호감을 갖지 않은 실무진은 없었다. 한 달간의 풀당 중임에도 다른 전공의들처럼 꾀죄죄하지 않은 채린은 외모도 준수했고 성격도 담대했다.

처음에는 그녀가 수도중앙 병원 이사장의 외손녀라는 소식에 모두가 긴장을 했었다. 공주님 한 분이 응급실 물을 얼마나 흐릴까 2년 차 이상 전공의들은 색안경까지 쓰고 있었으나 보름간 지켜본 결과 신채린은 무례하지도 않았고 무능하지도 않았다.

1년 차 전공의들은 중한 환자보다는 경한 환자에게 배치가 되는 편이었다. 채린은 넘어져서 열상이 생긴 어린아이의 눈가를 소독하고 있었다. 눈가라 생각보다 출혈이 많아서 놀란 어머니가 응급실을 찾아왔다.

"선생님, 우리 애기 괜찮아요? 피가 너무 많이 나서요."

"걱정하지 마세요. 상처가 많이 크진 않은데, 눈가가 원래 출혈이 많아요. 엑스레이 결과 뼈에 문제없으니까요, 성형외과 선생님 불러드릴게요. 너무 불안해하지 마시고요."

환부가 얼굴이라 섬세한 봉합이 필요했다. 아이 어머니는 채린의 힘 있는 목소리에 안정을 찾아가고 있었다. 처치를 마치고 나서 채린이 막 성형외과에 콜을 보낼 때였다.

"CPR(Cardiopulmonary resuscitation, 심폐 소생술) 환자요!"

응급실 안으로 구급대의 이동 침대가 재빠르게 들어왔다. 응급실 내 모두의 이목이 한곳으로 쏠렸다. 구급대원 하나가 환자의 가슴을 마사지하고 있었다. 환자 목숨이 위중한 현재, 의료진의 행동이 빨라졌다.

"멘탈(Mental, 의식)은요?"

아직 오전인데도 오늘만 벌써 세 건의 CPR 환자를 겪었던 4년 차 백강우가 긴 다리로 제일 먼저 뛰쳐나갔다. 바로 소생실에 마련된 응급실 베드에 환자가 옮겨졌다. 날이 추웠다가 풀리기를 반복하는 계절이라 심정지 환자가 늘었다.

"멘탈은 없고요, 환자가 쓰러진 걸 보호자가 뒤늦게 발견했다고 합니다. EKG(Electrocardiography, 심전도) 상에 펄스(Pulse, 맥박)

미약하게 있었고요."

"얼마나 늦게요?"

"그건 잘……."

차마 말을 끝까지 잇지 못하는 구급대원의 설명에 강우의 미간이 찡그려졌다. 불길했다.

실려 온 환자는 70대 정도의 남성이었다. 환자의 가슴에 심전도계가 달리고 2년 차 전공의 김찬형이 구급대원 대신 바통을 이어 받아 가슴 압박을 했다.

"에피(Epinephrine, 에피네프린·강심제) 슈팅해 주시고, 튜브 좀 주세요."

옆에 있던 베테랑 간호사는 강우와 손발이 척척 맞았다. 기관내 삽관용 튜브를 건넨 후 간호사는 바로 환자의 정맥 루트를 찾아 바늘을 꽂고 에피네프린 1mg을 투여했다. 2년 차 전공의 다정이 환자의 구강 내에 석션을 마침과 동시에 강우는 환자의 숨길을 확보하기 위해 기관내 삽관을 시작했다.

환자의 몸 상태는 겉보기에 깨끗해서 기관내 삽관에 크게 문제가 될 정도는 아니었다. 빠르게 기관내 삽관을 마친 강우가 고개를 들며 물었다.

"됐다. 펄스는 어때?"

"없습니다."

심전도를 보고 있던 다정이 대답했다. 일자 선을 그리고 있는 심전도 모니터를 돌아본 강우가 눈을 질끈 감았다 떴다. 강심제도 듣지 않는다는 건, CPR 환자로는 최악이다 싶은 무수축(심장 근육이 움직이지 않는 것)이었다. 제세동기 사용도 소용없고 해 줄 수 있는 건 오로지 흉부 압박뿐. 환자는 삶보다는 죽음과 가까웠다.

"에이시스톨(Asystole, 무수축)인데……."

환자에게 산소 공급을 위해 암부백(AMBU-bag, 수동 인공호흡기)을 누르고 있던 간호사가 힐끔 강우의 눈치를 살폈다. 시간이 지나도 심전도계 모니터는 변함이 없어서였다.

"일단 에피 한 번만 더 넣어 주세요."

티끌만 한 가망을 가지고 강우가 한 번 더 강심제 투여 지시를 했다. 간호사 대신 강우의 손에 암부백이 들려졌다. 강우는 땀을 뻘뻘 흘리고 있는 찬형을 보고 무겁게 말했다.

"찬형이 컴프레션(Compression, 흉부 압박) 그만하고 다정이가 해."

"알겠습니다."

흉부 압박은 에너지를 많이 쏟아야 하는 일이라 적당한 시간마다 돌아가면서 하는 편이 좋았다. 강심제가 투여되었는데도 모니터는 무수축 리듬만 내보였다. 심장이 죽어 버린 것이다. 이미 심정지가 이루어진 지 오래되었다는 것을 알면서도 심폐 소생술을 멈출 수는 없었다. 찬형을 대신해 죽은 자를 되살리고자 다정이 온갖 애를 썼다.

하지만 막 이동 침대가 들어왔을 때와 지금 의료진의 분위기는 달랐다. 희망의 빛이 너무 적어서 환자를 바라보는 그들의 눈빛이 어두워졌다.

환자 하나에 전부 매달려 있을 수는 없지만 살릴 수 있다면 최선을 다해야 했다. 지친 찬형이 구석에 힘없이 섰고, 강우는 심전도 모니터를 초조하게 응시하고 있었으며, 다정은 계속 흉부 압박을 했다. 환자의 심장이 전혀 움직이지 않는 지금으로선 더 이상 해 줄 것이 없어 강우가 피곤한 눈가를 손등으로 비비다가 커튼 사이로 바깥을 곁눈질했다.

그때였다. 강우는 커튼 너머에서 자신을 바라보고 있는 채린과 눈이 딱 마주쳤다. 혈색 없는 창백한 얼굴에 크고 둥근 눈동자가 그를 향해 있었다. 그러나 그녀는 금세 시선을 내리고 걸음을 옮겨 사라졌다.

'뭐지?'

환자의 심장이 멈춰 있다는 듣기 싫은 고음에 잠깐 신채린에게 정신이 팔렸던 강우가 정신을 찾고 도로 고개를 돌렸다. 심전도 모니터는 여전히 무수축 리듬을 그리고 있었다.

"에피 한 번만 더요."

지시를 내린 후 강우가 다정의 팔을 밀었다. 흉부 압박은 건장한 남자도 지칠 만큼 힘든 일이었다. 얌전히 내려온 다정 대신 강우가 흉부 압박을 시작했다. 체중을 실어 누르는 강한 힘에 환자의 갈비뼈까지 충격이 가해졌다.

외부의 충격으로 심장은 피를 뿜어 댔지만, 전기 신호를 만들지는 못했다. 초조하고 절망적인 시간이 흘러갔다.

"이제 제가 하겠습니다."

찬형이 팔을 털며 강우에게 말을 붙였다. 그러고 보니 필사적으로 CPR에 신경 쓰느라 인지하지 못했는데, 얼굴이고 목이고 등이고 땀으로 잔뜩 젖었다. 강우가 가운 목깃을 흔들어 미적지근한 바람을 만들었다.

모니터에는 변함없이 일자 선을 그리는 무수축 리듬만 떠올라 있었다.

"돌아오기만 하면 되는데, 돌아오기만⋯⋯."

수십, 수백 번을 했을 부질없는 말을 뱉으며 강우가 한숨을 내쉬었다. 그러나 다년간의 경험으로 그는 이 상황을 잘 알고 있었다.

"CPR하고 얼마나 지났지?"

"30분이요."

옆에 서 있던 다정이 지친 목소리로 답했다. 말이 30분이지, 구급차에서 베드에 눕히는 시간까지 더하면 훨씬 지났다.

심장이 멎은 채로 10분이 넘어가면 뇌손상이 심각해진다. 흉부압박을 해서 억지로 피가 돌게 만들었으나, 언제까지 그럴 수도 없었다. 자발적인 호흡은커녕 심장조차 뛰지 않는 환자는 절망적이었다.

심근이 조금이라도 움직인다면 제세동기 사용이든 무엇이든 해볼 텐데 환자의 심장은 무수축이 온 지 오래였다. 무수축이 온 뒤로 30분이면 끝장이다. 구급대원이 환자에게 맥박이 있었다고 해서 기대를 했었는데, 응급실 도착 이후 환자는 사실상 사망 상태였다.

30분. 생사가 갈리기에 충분한 시간이었다.

"컴프레션 그만하자."

강우의 말 한마디에 찬형의 움직임이 멎었다. 강우가 간호사를 돌아보면서 씁쓸하게 말했다.

"정리 부탁합니다."

환자가 생의 끈을 놓았음을 보호자에게도 알려야 했다. 쓸쓸한 그의 음성만이 공기 중에 울려 퍼졌다.

한차례 쓰나미처럼 밀고 들어왔던 환자들이 조금 뜸해졌다 싶을 때였다. 이럴 때가 잠깐 숨을 돌릴 수 있는 시간이었다.

"신채린."

다리가 부러져서 내원한 어린 환자 때문에 정형외과에 콜을 보낸 채린은 자신을 호명하는 소리에 전화를 끊고 몸을 돌렸다. 하늘 같은 4년 차 선배의 모습에 그녀의 눈이 동그래졌다.

"무슨 일이세요?"

"할 일이 별로 없어?"

무표정하게 묻는 강우를 채린이 의아하게 응시했다. 지금도 당장 정형외과에 콜을 보냈건만, 할 일이 없어 보이나? 중증 환자는 없어도 경증 환자는 아직 많이 남아 있었다.

"아뇨, 많습니다."

"그런데 왜 우두커니 서서 남들 일하는 거나 구경하고 있어?"

"제가요? 언제요?"

보통 윗년 차, 그것도 4년 차쯤 되는 선배에게 혼이 나면 이유를 몰라도 고개를 숙이고 죄송합니다, 사과하는 법인데 채린은 정말 모르겠다는 듯 당당하게 되물었다. 눈가를 찡그린 강우가 턱짓으로 소생실을 가리켰다.

"CPR 환자 있을 때."

"아……."

채린의 어깨가 움찔했다. 아까 커튼 사이로 백강우와 눈이 마주쳤을 때가 번뜩 떠오르자 그녀의 얼굴이 조금 붉어졌다. 걸음을 재촉하며 바삐 움직여야 하는 상황에서도 그녀는 기관내 삽관을 하던 그의 모습을 홀린 듯이 바라보았었다. 왜 그랬을까.

채린이 아는 내색을 비추자 강우가 무감정하게 물었다.

"언제부터 그러고 있었어?"

"네?"

"언제부터 보고 있었냐고."

"인투베이션(Intubation, 기관내 삽관) 때부터 보고 있었습니다."

기가 막힌 대답에 강우는 잠깐 할 말을 잃었다. 사람들이 뛰어다니는 응급실에서 1년 차 전공의 주제에 오랫동안 가만히 서 있었다? 툭하면 1년 차가 여유롭고 담대하다고 칭찬하는 선배들에게 물들어서 신채린도 과하게 여유를 부렸던 건가 싶을 정도였다. 그의 표정이 일그러지자 그녀의 어깨가 긴장했다.

"미쳤어?"

"죄송합니다."

채린이 고개를 꾸벅 숙였다. 사실, 백강우가 기관내 삽관을 빠르고 쉽게 해내는 것을 볼 때마다 그녀는 이유 모를 희열 같은 것도 느끼고 있었다. 그렇게까지 복잡한 술기도 아니지만 이상하게도 그의 모든 것이 배우고 싶었고 존경스럽기까지 했다. 문제는 기관내 삽관술만 잠깐 본다는 것을 백강우에게 홀려서 한참 서 있었다가 딱 들키고 말았다는 것이었다.

"정신 좀 차려."

강우가 차갑게 말을 남기고 채린을 지나쳤다. 채린은 강우의 뒷모습을 야속하게 보다가 돌아섰다. 그때, 근처에 있던 선미가 채린을 대신해서 투덜거렸다.

"백강우 선생님은 선생님한테만 유난하시네요. 그럴 수도 있지."

"아니에요. 정신 빼고 있던 제가 잘못한 건데요, 뭘."

채린이 생긋 웃으면서 선미의 불평을 막았다. 하지만 선미는 채린의 말에 동의할 수가 없었다. 채린을 대하는 강우의 태도는 다른 1년 차 전공의들을 다루는 태도와도 달랐다. 보통 윗년 차 선배가 후배의 백업을 해 주는 건 당연한 일인데도 강우는 채린에게만큼은 차갑게 굴었다. 그 덕에 응급의학과 전공의나 응급실 간호사들은 너 나 할 것 없이 채린에게 동정심을 갖고 있었다.

자신이 맡은 환자의 CT(Computed tomography, 컴퓨터 단층 촬영) 결과가 나왔다는 소식에 채린이 걸음을 빨리하며 강우를 스쳐 지나갔다. 백상우에게 신경이 쓰이는 자신과 달리 그는 신채린에게 시선 한 자락 주지도 않았다. 채린은 강우에게 향하려는 눈길을 억지로 돌렸다.

'너무하잖아.'

백강우는 처음 인사 자리에서부터 신채린을 껄끄럽게 여겼다.

단번에 강우의 얼굴을 알아본 채린은 그가 내심 반가웠다. 고등학교 3학년 때, 강우의 조언이 아니었더라면 의과 대학 문턱도 밟지 못할 뻔했던 터라 그녀는 그에게 강한 호감을 가지고 있었다. 아직까지도 옷장 한구석에 백강우의 실험 가운을 지니고 있을 정도로 말이다.

그런데 백강우는 그렇지 않은 모양이었다. 신채린을 바라보는 그의 눈동자에는 호감의 빛이 한 자락도 없었다. 오히려 그는 사무적이고 감정 없는 눈빛만 내보였다. 다른 선배들이나 동기와는 대화를 나누며 서로 마음을 열기 쉬웠는데, 백강우는 철옹성이었다.

가장 상처를 받았던 건 2월 말, 신입 전공의들과 선배들이 인사하는 자리였다. 채린은 강우를 보고 저도 모르게 그의 팔을 붙들었다. 그를 다시 만나면 따로 꼭 인사를 하고 싶었다. 덕분에 의사가 될 수 있었다고, 감사하다는 말을 꼭 해 주고 싶었는데 그는 마치 벌레를 떼어 내듯 그녀의 손을 털었다.

'그땐 정말 너무했어.'

백강우도 그날을 기억할까? 지금까지 살면서 백강우만큼 신채린에게 냉정한 남자는 없었다. 그래서인지 채린은 강우의 눈치를 유난히 보고 있었다. 모든 신경이 그에게 쏠리고, 그의 행동에 민감해졌다.

결국 백강우 앞에서 신채린은 한없이 작아졌다. 그녀는 제 할 말도 제대로 못 하고, 평소와 달리 소심하게 행동했다. 성질 불같고 괄괄한 신채린이 현명하고 말 잘 듣는 모범생인 척 자신을 가장하고 있었다.

"신채린, 컵라면 콜?"

1년 차 동기 구재희가 팔꿈치로 채린을 툭 치면서 말을 붙였다. 유명 의료 기기 회사 오너의 아들이라는 재희는 붙임성이 좋았다.

재희는 처음 만난 날부터 채린에게 주눅 들지 않은 사람들 중 하나였다.

"그래. 난 김치 라면."

재희는 다른 1년 차 전공의 오충직과 지금 매점에 가려는 모양이었다. 음식을 가리지 않는 채린은 고개를 끄덕였다. 시간이 없어서 저녁을 거른 탓에 배가 고픈 전공의들은 환자가 적어진 틈을 타서 컵라면을 종종 먹곤 했다. 그런데 재희가 화이트보드에 있는 의료진 명단을 보더니 갑자기 걸음을 멈추었다.

"어? 야, 근데 오늘 당직 백강우 선생님이다. 괜히 눈에 거슬리는 짓하지 마."

"⋯⋯그래?"

강우의 이름을 듣자 채린은 단숨에 시무룩해졌다. 강우가 유난히 채린을 잡아먹지 못해 안달인 걸 알기에 재희는 그녀의 어깨를 툭툭 쳐 주었다.

"눈치 봐서 쿠키 먹어. 쿠키 사다 줄게."

재희가 히죽 웃으며 매점으로 훌쩍 떠나 버렸다. 스테이션에 서서 차트 정리를 하던 채린이 한숨을 내쉬었다.

신채린은 미움을 받아 본 적이 극히 드물었다. 외할아버지, 외할머니, 외삼촌들에 다른 가족들 모두 부모를 일찍 여읜 어린 채린을 가엾게 여기면서 예뻐해 주었다. 무리한 요구를 해도 웬만한 일은 채린의 뜻대로 이루어졌다.

'전문의 되는 길 빼고.'

물론 집안의 실세인 할아버지가 반대하는 탓에 하마터면 의사의 꿈을 접을 뻔했지만, 어쨌든 할머니의 지지나 백강우의 묘책, 말없이 조용히 도와주던 삼촌들 덕분에 아직까지는 이 길을 걸을 수 있었다.

타인의 눈치를 볼 것 없이 채린은 자신에게 주어진 일에 최선을 다하면서 살아왔다. 할아버지 병원에서 인턴 과정을 거칠 적에도 자신의 평가는 좋은 편이었다. 처음에 큰 병원 이사장 손녀라는 이유로 채린에게 곱지 않은 시선을 보내던 사람들도 마음을 열고 나면 그녀를 기꺼이 받아들였다.

그런데 백강우는 달랐다. 오히려 그는 예전이 더욱 다정했던 것 같다. 처음 만난 소녀에게 가운을 주던 때 말이다. 채린은 강우의 뒷모습을 흘끔거렸다.

'내가 싫은가?'

아니면 부담스러울지도.

학생일 때, 웬만한 여배우처럼 예쁘고 청순한 채린은 할아버지의 방해 공작을 이기기 위해 공부도 열심히 했다. 그 와중에도 젊다 보니 잠깐 마음이 끌리던 동기가 있었다.

그러나 짧은 방학을 앞두고 만들어진 술자리에서 그 동기는 채린에 대한 평가를 부담스럽다고 내렸다. 집안 좋고, 본인 능력도 좋고, 외모까지 빼어난 그녀에게 자신처럼 평범한 남자는 어울리지 않는다고 말이다.

'백강우 선생님도 그럴까…….'

우울한 상념이 채린의 머릿속을 가득 채웠다. 아니, 이러면 안 된다. 채린은 고개를 저었다. 자신은 전문의가 되기 위해 수련하러 병원에 온 것이다. 백강우를 보러 온 것이 아니라!

그때 응급실 앞으로 구급차가 들어왔다. 출입문과 가장 가까이 있던 채린이 먼저 움직였다. 구급대원에게 이끌려 내린 환자는 40대 정도의 중년 남성이었다. 환자를 보자마자 채린이 어금니를 꾹 깨물었다.

'주취자.'

그녀는 제발 주취자가 난폭한 사람이 아니기를 빌었다. 술에 잔뜩 취해서 응급실에 내원한 환자는 얼굴과 손바닥 이곳저곳에 긁힌 상처가 있었다. 가운을 입고 있는 채린을 보고 구급대원이 설명했다.

"길가에 쓰러져 있었대요. 보니까 넘어져서 생긴 상처 같아요. 그래도 일단 쓰러져 계셔서요."

밤이 되면 응급실에는 종종 만취자들이 실려 오곤 했다. 그들은 정신을 잃을 정도로 술을 마셔서 넘어지다가 머리나 얼굴을 다치는 일이 허다했다. 심각하겠다 싶을 경우 머리 CT 촬영을 해야 했지만 이 환자는 의식도 있었다.

"으어어……."

"환자분, 제 말 들리세요?"

가까이 다가간 채린이 펜 라이트로 환자의 동공을 살폈다. 동공 반응은 정상적이었다. 강한 불빛에 기분이 나빠졌는지 환자가 채린의 팔을 홱 쳐 버렸다.

"너 뭐야?"

"여기 병원이에요. 응급실이요."

병원 응급실이라는 소리에 환자가 움찔했다. 그래도 환자가 대형 병원 권위에 눌리는 사람인가 보다. 채린이 환자의 얼굴 상처를 소독하려고 드레싱 카트 쪽으로 몸을 돌릴 찰나였다. 환자가 난동을 피웠다.

"야! 무슨 짓을 하려는 거야?"

"진정하세요!"

환자의 손에 밀쳐진 의료 기구들이 요란한 소리를 내며 바닥으로 떨어졌다. 카트도 환자의 발에 채여 나뒹굴어졌다. 고요한 응급실 안에 파란이 요란하게 일고 사람들의 이목이 채린에게로 모였다.

환자가 상체를 번쩍 일으키더니 아무거나 잡히는 걸 들고 채린을 공격하기 시작했다.

"야, 이년아! 없는 사람 돈 뜯어 가려고 응급실에 끌고 와?"

환자는 스테인리스로 된 드레싱 트레이를 채린에게 내리쳤다. 머리고 어깨고 얼굴이고 사정없이 때리는 환자 때문에 근처에 있던 간호사가 보안 요원을 부르러 뛰쳐나갔다.

의사가 환자를 공격할 수도 없으니 채린은 팔을 들어 막는 것 말고는 아무것도 하지 못했다. 그때, 누군가가 그녀의 어깨를 잡아 뒤로 물러나게 만들었다.

"신채린, 정신 차려."

익숙한 목소리가 들리자 채린이 스르르 팔을 내렸다.

"괜찮아?"

환자를 등진 강우가 채린을 보호하듯 품에 안았다. 강우의 등을 본 환자는 끼어든 사람이 만만한 여자가 아닌 키가 큰 남자 의사인 것을 깨닫고 난동을 뚝 멈추었다.

자신의 어깨를 쥐고 있는 사람을 채린이 힘없이 올려다보았다. 잔뜩 굳어진 얼굴로 그가 그녀를 내려다보고 있었다. 채린은 참고 있던 숨을 길게 내쉬었다. 그가 재차 물었다.

"괜찮으냐고 묻잖아."

"아…… 네."

평소에도 희멀건 하니 창백하던 채린의 얼굴이 예상치 못한 상황에 더욱 표백된 듯 더 하얘졌다.

"따라와."

입술까지 하얗게 질린 그녀를 보다 못해서 강우가 응급실 스테이션 쪽으로 그녀를 이끌었다.

"앉아."

멍하니 서 있던 채린이 정신을 차리고 의자에 앉았다. 강우는 그녀를 다시 살펴보고는 환자를 감시하고자 스테이션 밖으로 나갔다. 당직 간호사가 호들갑을 떨었다.

"선생님, 괜찮으세요? 어떡해, 얼굴에 멍들겠다."

하지만 분노로 이성을 잃기 직전인 채린은 간호사의 말이 잘 들리지 않았다. 머리끝까지 화가 났어도 이 병원에서 폭발할 수는 없는 법. 그녀는 이를 꽉 물고 간호사에게 말했다.

"선생님, 저 물…… 냉수 좀 부탁드려요."

"어머, 네!"

새파랗게 질린 채린의 얼굴을 보고 그녀의 감정을 오해한 간호사가 후다닥 물을 가지러 갔다. 의자에 앉은 채 몸을 웅크린 채린은 심호흡을 했다.

'진정하자. 빡 돌아서 싸우면 안 돼. 여긴 할아버지의 병원이 아니 잖아. 응급의료센터장도 막내 삼촌이 아니고!'

또 하나. 여기에는 백강우가 있었다. 가뜩이나 신채린을 마뜩잖 게 여기는 백강우 앞에서 막 나가는 모습을 보여 줄 수는 없는 법이 었다. 근무 시작부터 신채린은 내숭을 떨고 있었다. 그래야만 하기 도 했고.

이내 돌아온 간호사가 그녀에게 종이컵을 건넸다. 끓어오르는 속 에 냉수가 부어지자 조금 정신이 들었다.

한편, 스테이션 밖에서는 보안 요원이 환자의 양팔을 잡아 행동 을 저지시켰다. 강한 힘에 붙잡히자 환자는 언제 그랬냐는 듯 조용 해졌다. 잠시 자리를 비워 이 소란을 이해하지 못한 충직과 재희가 멀뚱거리면서 주변을 둘러볼 즈음, 재희의 목덜미가 덥석 잡혔다.

"구재희, 오충직. 어디 갔다 와?"

강우는 느지막하게 나타난 1년 차 전공의 둘을 보고 잇새로 무섭 게 다그쳤다. 몰래 컵라면을 하나 먹고 온 재희와 충직이 침을 꿀꺽 삼켰다. 또한 가운 주머니 안에는 채린에게 줄 쿠키가 있었다. 걸리 면 신채린이 또 백강우에게 혼나게 된다. 들키면 큰일이다.

"누가 마음대로 자리 비우래?"

"죄, 죄송합니다…….”

"죄송합니다."

웬일로 주말 저녁인데도 응급실이 한산했다. 재희와 충직은 채 린이 있으니까 괜찮겠거니, 멋대로 판단하고 매점에서 10분을 보냈다. 그 10분이 문제였다.

강우가 저녁도 거른 후배들의 마음을 모르는 건 아니었다. 자신도 1년 차 때는 툭하면 굶고, 피곤에 시달리면서 지냈으니 말이다. 그러나 이 자리에 재희나 충직이 있었더라면 아까 그 주취자가 채린에게 난동을 피우지는 않았을 것이다.

강자에게 약하고, 약자에게 강한 비열한 사람들은 젊은 여의사를 우습게 보곤 했다. 아까도 남자인 자신이 끼어들자마자 환자의 난동이 멎지 않았던가. 채린이 아니라 다른 남자 의사가 맡았더라면, 아니 적어도 강우 자신이 먼저 환자를 보았더라면 이런 일은 없었을 텐데.

"저 환자, 구재희, 네가 봐."

"네."

굳이 두 사람에게 더 화를 낼 필요를 느끼지 못한 강우가 몸을 돌렸다. 다시 스테이션으로 향하는 그의 걸음이 무거웠다.

강우는 지친 듯 앉아 있는 채린에게 다가갔다. 곱게 하나로 묶었던 머리가 엉망이 되어 있었다.

"신채린, 괜찮아?"

"……네."

바짝 말라 버린 입술 사이로 가느다란 대답이 나왔다. 허리를 살짝 굽힌 강우가 채린의 턱을 잡고 들어 올렸다. 깜짝 놀란 그녀와 달리, 그는 인상을 쓰고 있었다. 피부가 얇은 이마와 눈가에는 벌써 멍이 들기 시작했다.

"컨투전(Contusion, 타박상) 같은데 이마 안 아파? 조금 있으면 붓

겠는데."

"아…… 잘 모르겠어요."

혹시라도 머리나 목 등 취약한 부분을 다쳤을까 걱정하며 그가 그녀를 다시금 살폈다. 그러고 보니 왼쪽 입술 끄트머리가 살짝 터져 있었다. 그녀의 턱을 들어 올린 채 그가 핀셋으로 소독용 알콜 솜을 집어 그녀의 입가를 닦아 주었다. 따가운지 그녀의 눈가가 살짝 일그러졌다.

"응급실, 이런 덴 줄 알고 온 거 맞지?"

강우의 목소리에는 특별한 감정이 실려 있지 않았다. 그녀가 아무 대답을 않자, 그가 계속 말을 이었다.

"머리채 잡는 사람, 주먹질하는 사람, 발로 차고 뺨 때리는 사람도 있어. 환자들이 욕하는 건 일상다반사고."

"네, 압니다."

채린이 강우를 물끄러미 응시하며 답했다. 무감정한 음성이었으나 평소보다 그가 다정하다는 생각이 들었다.

"그래, 알면 됐어."

은수의 아버지이자 채린의 막내 외삼촌인 준기는 강우가 그녀를 얼른 응급실에서 내쫓아 주길 바라고 있었다. 강우는 준기의 부탁을 응급의학과 과장과 교수들, 그리고 선배 전임의들과 4년 차 동기들에게만 말했다. 굳이 3년 차 이하 전공의들한테까지 짐을 지우고 싶지는 않았다. 그리고 사정을 아는 사람들 가운데 채린과 가장 자주 마주치는 사람은 역시 자신을 비롯한 4년 차 전공의들이었다.

채린에게 안쓰러운 마음이 없지는 않았지만, 1년 정도 버리더라도 정신없고 험한 응급의학과보다는 상대적으로 편한 영상의학과 같은 곳으로 전과하는 편이 나을 것이다.

준기의 부탁을 받은 이상, 백강우에게 신채린은 귀찮고 신경 쓰이는 존재였다. 핀셋을 내려놓은 그가 툭 내뱉었다.

"그만둘 거면 빨리 그만둬."

"포기 안 할 거예요."

꼭 예전처럼 그녀의 눈이 굳은 의지로 반짝 빛났다.

"안 할 거면 말고."

말을 마치며 강우가 채린의 턱을 놓아주었다. 그의 손이 떼어졌는데도 그녀는 그를 계속 올려다보았다. 왠지 앞에 있는 백강우가 전에 자신에게 조언을 주던 백강우 같아서 그녀의 눈동자가 반짝거렸다. 어느새 주취자에게 맞은 일은 이미 기억 저편으로 넘어가 흐려졌다. 그녀는 몸에 맞지도 않는 가운을 입고 설레어 하던 열아홉 살 소녀가 된 기분이 들었다. 심장 박동 소리가 귀에서도 맴도는 듯해서 그녀는 무심하기 짝이 없는 그의 눈길이 왠지 부끄러워졌다.

일요일, 채린의 얼굴을 본 사람들은 다 같이 혀를 찼다. 왼쪽 눈가와 광대뼈 쪽에 울긋불긋하게 멍이 들어 있었다. 어깨에도 시퍼런 멍이 들었는데 옷 덕분에 어깨는 보이지 않아 그나마 다행이었다.

"선생님, 어제 주취자한테 맞았다면서요?"

당사자는 아무렇지 않은데 정작 선미가 울상이었다. 사람들이 놀라는 모습에 어쩔 수 없이 멍이 눈에 띄지 않도록 꼼꼼히 밴드를 붙인 채린은 담담하게 웃었다.

"신채린 선생님!"

"네!"

골절 환자 엑스레이 결과가 나와서 채린이 부리나케 달려갔다. 내원 환자는 여덟 살짜리 남자아이였는데 교회에서 친구랑 심하게 장난을 치다가 옆으로 넘어져 왼팔 아랫부분이 똑 부러지고 말았다. 엑스레이 결과 확인을 하고 채린은 정형외과로 콜을 했다.

"낙상으로 내원한 8세 남아고, 레프트 레이디어스(Left radius, 좌측 요골)에 엑스레이 결과 프랙쳐(Fracture, 골절) 있어서요."

─프랙쳐 부분은 어떤가요?

"깨끗한 편이에요."

─알겠습니다.

욱신욱신, 눈가가 점점 아파지는 것 같았다. 채린은 진통제 한 알을 먹고 나서 초조하게 기다리고 있는 보호자에게 돌아갔다.

"조금 기다리시면 정형외과 선생님 오실 거예요."

"아니, 얼마나 더 기다려야 돼요? 애가 이렇게 아파하는데?"

비응급 환자라서 대기도 오래 했는데, 또 기다려야 한다니 아이 어머니로서는 속이 탈 노릇이었다. 채린은 그 마음을 이해하면서도 한편으로는 다른 환자들이 보이지 않느냐 한마디 하고 싶은 심정이었다. 바로 옆에는 머리가 찢어져서 온 할아버지, 기도 폐쇄로 들어온 네 살배기 아이 등이 있는데 어머니에게는 자기 아이의 모습만 보이는 모양이었다.

채린의 답답한 마음이 드러났는지 보호자의 얼굴이 구겨졌다.

"선생님 바쁜 거 아는데요, 애가 계속 아프다잖아요. 저도 오늘이 일요일만 아니었어도 이런 데 안 와요. 누가 오고 싶어서 온 줄 아나."

"선생님 모시고 올게요."

보호자가 흥분하고 있으니 일단 자리를 뜨는 게 나았다. 스테이션에 잠깐 서 있는 동안 정형외과 전공의가 응급실로 내려왔다. 정형외과 전공의에게 뒤를 맡기고 채린은 다른 환자에게 향하다가 우뚝 멈추어 섰다. 어제 다친 쪽 머리에 편두통이 왔다. 지나가던 2년차 전공의 안다정이 갑자기 멈춘 채린을 발견하고 말을 붙였다.

"너무 힘들면 잠깐 쉬어."

"아, 아닙니다. 진통제 먹었어요."

이미 채린은 두통의 이유를 알고 있었다. 짜증이 나거나 신경이 쓰일 때 종종 편두통이 있었다. 다정이 채린을 가만히 지켜보다가 고개를 끄덕이고 제 갈 길을 갔다.

채린은 다정의 뒷모습을 물끄러미 바라보았다. 2월에는 4년 차 백강우가 2년 차 안다정을 좋아하나 의심스러웠는데, 요 며칠 살펴본 결과 두 사람 사이에는 아무런 감정이 없는 듯했다. 그저 선후배 사이 정도?

생각보다 직속 선배인 안다정의 성격이 차갑지 않아서 채린은 그녀가 마음에 들었다. 일부러 사람을 곯리거나 괴롭히지도 않고 자기 할 일만 제대로 하면 큰소리가 나지도 않았다. 그래서 채린은 백강우와 안다정 사이에 연애 감정이 없었으면, 하고 내심 바랐다.

"으……."

그때, 찌릿하고 두통이 밀려왔다. 채린은 눈살을 찌푸리면서 걸음을 옮겼다. 이 시간에 백강우는 집에서 쉬고 있겠지. 그 생각을 하자 채린은 괜히 그가 얄미워졌다.

'남은 고민하게 만들고 말이야.'

채린은 어제 저녁 주취자에게서 자신을 보호해 주던 강우의 품을 잊지 못했다. 심지어 쪽잠도 제대로 못 잘 정도였다. 잠에 들면 꿈에 나올까 봐 가슴이 떨렸다. 게다가 그는 그녀의 상처를 세심하게 살펴 주기까지 했다.

'날 싫어하는 게 아닐지도 몰라.'

강우가 냉정하게 손을 뿌리친 그날부터 채린은 그가 자신을 미워한다고 생각했다. 실제로 그는 다른 1년 차 전공의들보다 유난하게 그녀를 대하기도 했다. 하지만 어제의 그는 예상외로 따뜻했다. 적어도 신채린이 느끼기에는 그랬다.

"신채린, 뭐해? 가만히 서서?"

"어……."

그때 멍하니 서 있는 채린에게 재희가 말을 걸었다. 채린의 눈빛이 또렷해졌다.

"귀신이라도 봤어?"

"귀신은 무슨."

채린이 코끝을 찡그리고는 재희를 지나쳤다. 2월, 인사 자리에서 신채린의 약점이 귀신이라는 것을 알고 재희와 충직은 짓궂은 초등학생처럼 귀신을 들먹이며 채린을 놀리곤 했다.

"너, 안색 되게 나쁜데 약이라도 먹어."

채린의 뒤에 대고 그녀의 상태를 알아챈 재희가 걱정스레 말했다. 알았다는 듯 채린은 손만 살짝 들어 올렸다.

어제 당직을 서고 오늘 오전 열 시에 퇴근한 강우는 침대와 한 몸이 되었다. 밤에 있었던 주취자의 행패만 제외하면 토요일치고 꽤 조용했던 날이었다. 중증 외상 환자도 없었고 흔하게 밀려오던 심정지 환자도 없었다.

그리고 지금, 백강우는 침대에 누워서 귀찮은 표정으로 전화를 받고 있었다.

—오늘 오프라며?

신채린의 사촌 오빠 조은수가 점심때부터 전화질이었다. 두 시간밖에 못 잔 강우가 인상을 쓰고 비아냥거렸다.

"무슨 일이야? GS(General surgery, 일반외과) 널널한가 보다?"

—그럼, 환자 많으면 안 되지.

하여튼 말 하나는 잘하는 친구다. 강우는 대답 대신 혀만 쯧쯧 찼다.

—아버지가 물어볼 게 있…… 어우, 알았어요. 지금 물어보고 있잖아요.

전화기에서 멀어졌는지 은수의 목소리가 작아졌다. 아무래도 조은수는 제 아버지와 같이 있는 모양이었다.

—신채린 어때? 좀 많이 갈구고 있어?

강우는 할 말이 없었다. 인상을 쓰고 있던 그가 소리 없이 한숨을 뱉었다. 채린을 쥐 잡듯 잡고 싶어도 잡을 만한 일이 없었다. 1년 차치고는 병원 생활을 잘하고 있었고, 기대 이상으로 적응도 잘했다.

"별로 갈굴 일이 없는데."

―크하하하하! 그럴 줄 알았다, 내가. 봐요, 제 말이 맞죠? 갈굴 일이 없다잖아요. 신채린이 어떤 인간인데.

시끄러운 웃음소리에 강우가 눈을 감은 채로 얼굴을 구겼다. 은수의 의기양양한 소리에 조준기 교수가 뭐라고 투덜거리는 소리만이 휴대폰 너머로 전해졌다. 그러거나 말거나 강우는 너무 피곤해서 그만 전화를 끊고 더 자고 싶었다. 물론 조은수는 친구를 쉽게 놔주지 않았다.

―할아버지가 문제야. 자기 하고 싶은 거 하라고 내버려 두면 되지, ER(응급실)이 위험하긴 뭐가 위험하…….

하지만 은수의 의견과 달리 채린은 어제 위험한 일을 겪었다. 강우는 은수의 말을 도중에 잘랐다.

"아, 어제 신 선생 맞았어."

―엥?

"주취자가 와서 신 선생 때렸거든. 눈가랑 이마에 컨투전(타박상) 있을 거야."

환자에게 무력하게 맞고 있던 채린의 모습이 떠오르자 강우는 가슴 한구석이 욱신거렸다. 가느다란 팔을 들어서 최대한 몸을 보호하려고 하던 그녀의 몸짓은 안타깝기 그지없었다. 대형 병원 이사장의 손녀로 공주처럼 자랐을 신채린이 주취자의 폭력을 묵묵히 견디는 장면을 보고 내심 대단하다 싶기도 했다.

그런데 조은수는 도저히 이해가 되지 않는다는 듯 물었다.

―……신채린이 가만히 있어?

"그럼?"

─같이 맞붙지 않았어?

"무슨 소리야? 의사가 어떻게 환자랑 싸워?"

강우가 황당하다는 듯 대꾸하자, 은수가 잠시 할 말을 잃었다가 대뜸 제 아버지에게 일러바쳤다.

─헐…… 아버지! 신채린이 환자한테 맞고 가만히 있었대요.

강우의 눈가가 꿈틀거렸다. 혹시라도 조준기 교수의 불호령이 떨어질까 촉각을 곤두세우고 있는데, 외려 은수의 시시덕거리는 목소리만 이어졌다.

─안 쫓겨나려고 잘 참네?

"……네 사촌이 맞았다는데 걱정은 안 해?"

─거기가 병원인데 걱정은 무슨 걱정.

"뭐라고?"

신채린 본인도 아닌데 어째 백강우의 부아가 치미는지 모르겠다. 가족들이 어쩜 이렇게 무심한 건지 모르겠다. 정말 공주처럼 자란 게 맞을까? 오히려 집안에서 천덕꾸러기 취급을 받은 건 아닌지 걱정스러웠다.

─걔가 진짜 작정한 모양인데, 좀 빡세게 굴려 줘.

"트집 잡을 게 있어야 잡지. 나만 쪼잔하고 성격 나쁜 놈 되고 있는 거 알아?"

─아이, 백강우 선생. 부탁 좀 할게. 그럼 이제 쉬어. 안녕!

"조은수!"

무고한 신채린 괴롭히기를 썩 내켜 하지 않는 강우의 말에 은수는 눈치껏 자기 할 말만 한 뒤 잽싸게 전화를 끊었다. 강우의 외침만 의미 없이 허공에 울렸다.

그리고 보면 조은수는 사촌 동생인 신채린을 '짐승'이라고 부르기도 했었다. 어떻게 여자한테 짐승이라 칭하는 건지, 강우는 문득 채린이 불쌍해졌다. 어제 주취자에게 맞던 그녀를 떠올리자 그의 마음이 또 약해졌다.

'못하기라도 하면.'

일이라도 못하면 그걸로 혼낼 텐데, 신채린은 심지어 일마저 잘했다. 어디를 봐서 1년 차인가 싶을 만큼 응급 상황에 익숙한 그녀의 모습은 무척 흐뭇했으나, 안타깝게도 백강우는 신채린을 괴롭혀야 하는 처지였다.

"진짜 못해 먹겠네."

강우가 투덜거렸다. 그는 폭력에 무방비로 노출되어 충격을 받은 듯한 채린의 모습이 잊히지 않았다. 하얗게 질린 얼굴이 무척 가여웠다.

"으으……."

2층 침대 구석에서 채린이 앓는 소리를 냈다. 1년 차의 3월은 한 달 동안 내내 당직인 일명 '풀당'의 시즌이라 아파서는 안 되는데 몸살 기운이 몰려왔다.

채린은 원래 체력이 좋은 편이 아니었다. 어렸을 적에는 계절마다 앓기도 할 정도로 신채린의 몸은 약했다. 그래서 할아버지는 금쪽같은 손녀가 의사의 길을 걷지 않기를 바랐던 것이다.

잣뜩 긴장을 하고 응급실에서 근무를 시작했는데, 거기에 의국장인 백강우의 눈치까지 살피느라 채린의 신경은 날카로웠다. 그러다 어제 술에 취한 환자에게 실컷 얻어맞고, 오늘은 환자들의 짜증을 그대로 받아 삭이다가 채린의 컨디션은 최저로 떨어졌다.

그때 문이 벌컥 열렸다. 들어올 사람은 하나뿐이었다. 룸메이트인 2년 차 선배, 안다정. 예상대로 익숙한 목소리가 들렸다.

"신 선생, 여기 있었어?"

"아, 네…… 저 30분만 쉬었다가 나갈게요. 죄송합니다."

채린이 어렵게 말하고 사과했다. 무슨 말을 들을지 가늠도 되지 않아 채린은 눈을 질끈 감았다. 1년 차 주제에 어디서 꾀를 부리느냐고 큰소리가 날 것이 분명했다. 그러나 딱 30분만이라도 눈을 붙이고 싶었다.

"그래."

하지만 불호령이 떨어질 줄 알았는데 의외로 부드러운 대답이 나왔다. 뭔가를 챙기는 소리와 함께 다정이 말을 이었다.

"나도 1년 차 때 몇 번 신콥(실신)했었어. 제일 힘들 때지. 금방 익숙해질 거야."

"……네."

격려 가득한 말이 채린의 지친 마음을 울렸다. 응급의학과 선배들은 예상보다 따뜻했다. 딱 한 사람, 치프인 백강우를 제외하고 말이다.

백강우는 꼭 신채린이 실수하기만을 기다리는 사람 같았다. 강우에게 혼나지 않기 위해서라도 채린은 정신을 바짝 차려야 했다. 그 덕분에 갓 들어온 1년 차치고 일을 잘한다는 칭찬을 받고 있지만 그러다가 컨디션 저하라는 부작용이 오고 말았다. 오늘, 백강우가 오프라서 망정이지 아니었다면 크게 혼이 났을 것이다.

'다른 사람한테는 안 그러던데……'

꼼꼼히 지켜본 결과, 백강우는 엄한 편이지만 후배들을 잘 챙겨 주는 든든한 선배기도 했다. 방에 있는 안다정만 해도, 어제 실수할 뻔했으나 강우의 지도로 다행히 문제를 일으키지 않았다. 만약 신채린이 실수했으면 도와주기는커녕 멱살을 잡았을지도 모르는데.

'정말 안다정 선생님을 좋아하는 걸까?'

아무리 봐도 다정과 강우 사이에는 특별한 감정이 없는 듯했지만 이쯤 되면 오해를 할 만도 했다. 거기다 안다정은 이 병원에 응급의학과가 생긴 이래로 처음 들어온 여자 전공의였다. 채린은 조심스럽게 다정을 떠보기로 했다.

"저, 선생님."

마른침이 절로 넘어갔다. 사생활 관련 질문을 선배에게 하는 건 무례한 짓이라는 걸 알면서도 채린은 참을 수가 없었다.

"선생님은 남자 친구 없으세요?"

"없어. 왜?"

"아뇨, 그냥……."

역시 안다정은 담백했고 무심했다. 백강우와의 관계를 의심한다고 솔직히 말할 수도 없어서 채린이 대충 얼버무리고 물었다.

"그럼 좋아하는 분도 없으세요?"

"응. 없어."

다정의 부정 뒤로 책을 정리하는 소리가 이어졌다. 아무래도 의국에 책을 가져가려는 모양이다. 채린은 몸을 모로 돌리고 2층 침대 난간에 얼굴을 바짝 가져다 붙였다. 위에서 내려다보는 터라 선배의 표정은 보이지 않았지만, 안다정의 뒷모습은 무척 평온해 보였다. 안다정은 백강우에게 정말 아무런 관심이 없는 듯했다.

용기를 얻은 채린이 슬쩍 말했다.

"백강우 선생님, 잘생기지 않았어요?"

의국 내에서도 독보적으로 잘생긴 미남이라 강우가 수련 과정에 갓 들어왔을 적에는 응급실이 들썩거렸다는 전설도 있을 정도였다.

"그렇긴 하지. 왜?"

"조…… 좋아하는 분들 많을 것 같아서요."

채린의 대답에 다정이 고개를 들었다. 선배와 눈이 마주치자 괜스레 양심이 찔린 채린이 슬그머니 몸을 돌렸다. 응급실에서 일하는 전공의들은 눈치가 빨라야 했다. 안다정도 1년여의 경험이 쌓여서 눈치가 빠를 테니, 신채린의 마음이 들킬지도 몰랐다.

하지만 다정은 별생각이 없었다.

"그런가? 잘 모르겠네."

여자 보기를 돌같이 한다기보다 시간이 없어서 애인을 만들지 않는 것뿐이지만, 만일 여자에 관심이 조금이라도 있었다면 백강우는 애인을 수도 없이 갈아 치우면서 살 수 있는 남자였다. 적어도 신채린이 보기엔 그랬다.

마음이 불편해진 채린이 아무 대꾸도 하지 않자 다정이 말을 이었다.

"하긴 백강우 선생님도 여자 친구가 생기면 좀 누그러들긴 하겠지."

끔찍한 소릴!

채린의 미간이 좁아졌다가 펴졌다. 하긴, 백강우에게 여자 친구가 생기든 말든 신채린하고는 아무 상관이 없는데…….

'아니, 뭐가 끔찍하지? 내가 여기 수련하러 왔지 연애하러 왔나?'

연애를 하고 싶어도 신채린이라면 치를 떠는 백강우와 연인이 될 확률은 현저히 낮았다. 채린이 막 마음을 다잡을 때였다. 다정의 안쓰러운 시선이 채린에게 닿았다.

"그럼 신 선생도 편할 텐데."

"아, 아니에요. 전 괜찮습니다."

안다정은 신채린이 백강우에게 묘한 마음을 갖고 있으리라고는 꿈에도 상상하지 못했다. 그럴 만도 했다. 백강우의 샌드백이나 다름없는 신채린이 미치지 않고서야 그에게 연심을 가지고 있다고는 생각할 리가 없으니 말이다.

"내가 말해 놓을게. 30분 있다가 나와."

"……네."

책을 다 챙긴 다정이 숙소를 나섰다. 출입문이 닫히기 무섭게 채린은 눈을 감았다. 마음속이 복잡하고 머릿속도 복잡한데 몸이 피곤하니 잠이 쏟아졌다.

얼마나 지났을까?

정신을 잃고 잠들어 있는 채린을 누군가가 흔들어 깨웠다.

"신 선생! 신채린 선생!"

편두통에 뒷목까지 뻣뻣하니 아파서 채린은 겨우겨우 실눈만 떴다. 깊은 물속에서 빠져나온 양 채린이 숨을 길게 내뱉으며 정신을 차렸다. 2층 침대 사다리까지 올라와서 자신을 깨운 사람은 룸메이트인 안다정이었다.

채린이 정신을 차리자 다정이 얼굴을 구기고 사다리에서 내려갔다. 아직까지도 현실 감각이 돌아오지 않아 채린은 멍하니 눈만 깜빡거렸다.

"30분 뒤에 나온다며? 전화도 안 받고."

"아, 죄송합니다. 지금 몇 시죠?"

"두 시간 지났어."

"네?"

채린의 눈이 휘둥그레졌다. 큰일 났다! 1년 차 주제에 두 시간이나 자리를 비우다니!

후다닥 2층 침대에서 뛰어내리듯 내려온 채린이 중심을 잃고 비틀거렸다. 다 풀리지 않은 피로에 기립성 저혈압, 편두통까지 겹쳐서 눈앞이 아찔했다. 채린이 바로 자리에 주저앉자 다정이 다가와 팔을 잡더니 고개를 갸웃거리며 채린의 이마를 짚었다.

"잠깐만. 신 선생 열나는데."

"죄송합니다."

여기서 할 말은 사과뿐이었다. 3월의 1년 차에게는 아픈 것도 죄였다. 다정이 쯧쯧, 혀를 차고 말했다.

"어제 맞아서 그런가 보다. 처음이었어? 많이 놀랐나 봐."

"……네."

사실, 인턴 시절에 이미 주취자의 폭력을 몇 번 경험해 보았지만 여기서 아니라고, 신경 쓸 것이 많아 피곤한 탓이라고 구구절절 설명할 수도 없었다.

"괜찮아?"

"네. 나가야죠."

채린이 몸을 바로 하고 가운을 걸쳤다. 몸이 아프다고 어리광을 피울 줄 알았는데, 의외로 신채린은 책임감이 강했다. 다정은 자신 역시 색안경을 끼고 이 후배를 보고 있었음을 깨달았다. 신채린은 아무것도 할 줄 모르는 공주님이 아니라 어엿한 1년 차 전공의였다.

"너무 힘들면 말하고 쉬어. 오충직 선생이든, 구재희 선생이든 대타 뛰어 달라고 해. 남자 동기가 이럴 때 좋은 거더라고."

"네."

시원스레 대답했으나 아마 그럴 일은 없을 것이다. 채린이 고개를 끄덕이고는 빠른 걸음으로 전공의 숙소를 나갔다.

하지만 신채린의 다짐은 오래가지 못했다. 채린이 경중 환자 둘을 진료하고 너스 스테이션으로 차트 입력을 하러 가는 길이었다.

너스 스테이션에서 간호사 뒤로 희끄무레한 무언가가 아지랑이처럼 아른거렸다. 평소라면 헛것이겠거니 여겼겠지만 지난번에 재희가 말해 준 괴담이 떠올라 채린은 공포감에 휩싸였다.

'설, 설마 귀신?'

그 괴담은 너스 스테이션에 간호사 복장을 한 귀신이 있다는 이야기였다. 신 내림으로 그만둔, 그 인턴 선생이 봤다던 귀신. 물론 채린의 눈에 사람의 형체는 아니었고, 가습기 안개처럼 뿌옇기만 했으나 이미 신채린은 겁에 질려 버렸다.

'귀신!'

"신채린 선생님!"

창피하게도 1년 차 전공의 신채린은 너스 스테이션 앞에서 바닥으로 풀썩 쓰러지고 말았다. 그녀의 귓가에 간호사의 비명 소리가 들리다 사라졌다.

침대에 누워 있던 강우는 시끄럽게 울어 대는 휴대폰을 집었다. 응급실이 바쁘지도 않은지 동기인 성준의 전화였다.

"일이 없……."

바쁘지 않느냐고 비꼬려던 소리는 이어지는 성준의 말에 쏙 들어가 버렸다.

─야, 공주님 신콥(실신)하셨다.

공주님은 동기들끼리 채린을 부르는 별명이었다. 신채린이 기절했다는 소식에 강우가 상체를 벌떡 일으키고 침대에 앉았다. 그의 얼굴이 딱딱하게 굳어졌다.

"뭐? 언제?"

─얼마 안 됐어.

갑자기 입술이 바싹 말랐다. 불안한 듯 강우의 심장이 두근거렸다. 어디가 얼마나 아팠기에 신채린이 기절까지 하게 된 건지 모르겠다. 심각한 목소리로 강우가 계속 물었다.

"바이털은?"

─그냥 깜빡 쓰러진 거야. 지쳐서.

"그래서 어떻게 했어?"

—포도당 5%짜리에 삐콤(비타민B) 놔 줬어. 지금 베드 꽉 차서 의국으로 옮겨 갔고. 점심도 못 먹었다더라.

채린의 실신이 피로 때문이라고 판단하자마자 강우는 안도의 한숨을 쉬었다. 어디가 아파서 쓰러진 게 아니라 다행이었다. 그런 강우의 한숨을 어떻게 받아들였는지, 성준이 비아냥거렸다.

—백 치프, 너도 참 징하다. 어제 맞아서 충격받은 애를 바로 근무시키고.

동기의 힐난에 강우의 마음은 불편하기 짝이 없었다. 어제 술에 취한 환자에게 아무런 저항 없이 맞던 채린의 모습이 선명하게 떠올랐다. 그런데도 그녀는 30일간의 당직 때문에 오늘도 찍소리 한 번 못하고 근무하러 나왔을 것이다. 그러나 봐줄 수는 없었다. 다른 1년 차들은 내버려 두고 신채린만 특별 대우할 수는 없는 노릇이었으니까.

"그 정도는 해야지. 인턴도 하는 건데."

강우가 피곤한 듯 대꾸하자마자 기막힌 투로 성준이 톡 쏘아 댔다.

—우리 같이 막 구른 놈들이랑 곱게 자란 공주님이랑 같냐?

'다를 건 또 뭔데?'

출신이 무엇이든 신채린도 응급의학과 전공의가 된 이상 다른 전공의들과 동등한 위치에서 수련을 해야 했다. 그렇게라도 생각해야 백강우의 이 불편하기 짝이 없는 마음이 조금은 풀어질 듯싶었다. 강우가 한숨에 섞어 말했다.

"신채린 역성들지 마. 나도 머리 아프니까."

백강우와 조준기 교수 사이의 거래를 아는 성준은 더 이상 강우를 괴롭히지 않았다. 따지자면 백강우도 피해자였다.

―알았으니까 나와서 일이나 좀 봐 줘. 1년 차랑 인턴이랑 다 답답해 죽겠어. 신채린이 일은 잘했는데.

아마 이게 이 전화의 목적이었을 것이다. 미간을 찌푸린 강우가 차갑게 거절했다.

"미쳤어? 오프에 재수 없게 거길 왜 가? 끊어."

동기의 절규가 휴대폰 너머에서 울렸으나 강우는 전화를 끊고 침대에 도로 드러누웠다. 남녀 간의 체력 차이도 있지만, 조준기 교수가 말한 대로 신채린의 체력은 보기보다 약한 모양이었다. 그러다 지쳐서 자기가 힘들다 싶으면 그만두겠지. 잘하면 손댈 것도 없이 코를 풀 수 있겠구나, 싶을 무렵이었다.

"어휴, 진짜."

강우가 몸을 일으켜 침대에서 내려왔다.

응급실이 바쁘다고 하니까 가는 거다. 순진하니 아는 것 하나 없는 인턴과 1년 차가 들어오는 3월은 의료진은 물론 환자에게도 저주의 달이나 다름없으니까.

'그래, 일손 좀 도와주러 가는 거라고. 신채린이 의국에 누워 있든 말든.'

똥을 씹은 표정으로 강우는 피 같은 오프 날에 근처에도 가고 싶지 않던 병원으로 향했다.

"어? 백강우 선생님?"

환자분류소 근처에 있던 찬형은 로비를 지나치는 강우를 보고 눈을 동그랗게 떴다. 찬형은 백강우가 왜 병원에 있는지 영 모르겠다는 눈치였다. 강우의 옆에 따라붙으며 찬형이 조잘거렸다.

"오늘 오프 아니세요?"

"맞는데, 유성준이 나오라고 떠들어서. 정신없다며?"

"네. 신 선생 빠지니까 1년 차가 완전 엉망이더라고요."

다른 두 동기들과는 다르게 1년 차답지 않은 신채린은 소중한 인력이었다. 그런 인력이 심지어 30일 동안 내내 당직을 서고 있으니 응급실로서는 무척 고마운 일이기도 했다. 강우는 찬형을 힐끔 보고 한쪽 입가를 쓱 올렸다.

"너도 작년엔 그랬어."

"제가 뭘요……."

작년 3월, 수없이 저지른 실수를 강우가 지적하자 할 말이 없어진 찬형은 입술만 삐죽거렸다. 강우는 모르는 척 걸음만 옮겼다. 그의 등 뒤에 대고 찬형이 물었다.

"어디 가세요?"

"의국."

"의국에요?"

왜일까? 후배의 되물음이 꼭 백강우를 꼬집는 것만 같았다. '의국에 신채린이 누워 있는데, 거기를 가겠다고?'라며 묻는 듯해, 제 발 저린 강우가 덧붙였다.

"가운 가지러."

말이 끝나기 무섭게 강우가 걸음을 재촉했다. 찬형은 강우의 뒷모습을 물끄러미 보다가 고개를 갸웃거렸다.

"별일이네. 오프는 칼 같이 지키던 분이."

찬형의 혼잣말을 듣지 못한 강우는 곧장 의국으로 들어갔다. 구석에 있는 긴 소파에 채린이 누워 있었다. 소파 앞에는 링거 거치대가 떡하니 자리 잡고 있었다. 강우는 수액의 양을 살폈다. 아직도 양이 많이 남아 있었다. 링거를 맞은 지 얼마 되지 않았다는 뜻이다.

눈을 감고 있던 채린은 자신에게 다가오는 인기척을 느끼고 슬그머니 눈을 떴다. 반가우면서도 전혀 반갑지 않은 사람을 그녀가 멍하니 올려다보았다.

이건 꿈인가, 생시인가?

그때, 강우가 말을 붙였다.

"정신 차렸어?"

"아……."

'꿈이 아닌가? 그렇다면 현실에 백강우가…….'

거기까지 생각한 채린이 경악하면서 벌떡 일어나 섰다. 그녀의 몸을 덮고 있던 흰 가운이 소파 밑으로 뚝 떨어졌다.

"치, 치프 선생님!"

갑자기 일어나는 바람에 머리가 어지러워졌으나 아픈 내색을 했다가는 큰일이었다. 눈앞이 아찔한 이유는 기립성 저혈압이라기보다 백강우를 앞에 두었기 때문이리라.

'이럴 수가!'

분명 오늘 이 남자는 병원에 올 필요가 없었다. 백강우의 오프 날이라서 그나마 안심을 하고 있었는데 이렇게 딱 걸리고 말았다. 또 무슨 욕을 얻어먹을까? 채린의 안색이 더할 나위 없이 하얗게 질렸다.

강우는 채린의 어깨를 잡아 도로 앉히고, 바닥에 떨어진 가운을 주워 그녀의 다리에 덮어 주었다. 불안해진 터라 채린은 저절로 침이 넘어갔다. 그녀의 앞에 선 그가 혀를 차면서 아픈 소리를 툭툭 뱉어냈다.

"체력도 딸려, 몸도 약해…… ER(응급실)에 있기 역부족이야, 너."

"아닙니다."

"아니긴 뭐가 아니야? 주취자한테 안 맞아 본 애들 없어. 너만 유난 떠는 거라고."

유난인가.

주취자에게 맞아서 쓰러진 것은 아니었다. 고작 타박상 따위로 쓰러질 만큼 신채린은 연약하지 않았다. 인턴 때도 응급실에서 몇 번 맞아 본 적이 있었고, 그때는 물론 아무렇지도 않았다. 심지어 주취자랑 싸우기까지 했으니 말이다.

실신을 일으킨 이 편두통은 주취자 때문에 생긴 증상이 아니었다. 편두통의 원인은 눈앞의 남자 때문이었다. 3월이 시작한 이래로 백강우의 눈치를 보느라 신경이 예민해져서 이 꼴이 되고 말았다.

'그것도 모르면서.'

억울해진 채린은 울컥 화가 났지만 겨우 분노를 다스렸다. 여기서 강우의 멱살이라도 잡고 화를 냈다가는 돌이킬 수 없는 결과가 나타날 것이다. 그녀가 단호하게 말했다.

"오늘만 잠깐…… 잠깐 이렇게 된 겁니다. 다신 이런 일 없을 겁니다."

강우는 채린을 흘깃 내려다보았다. 담담한 척은 하고 있는데 뭐가 마음에 안 드는지 채린은 삐죽 입술이 나와 있었다. 고등학생 때와 다를 것이 없는 표정이었다.

그가 아무 말 없이 시선만 주는 바람에 그녀는 괜히 가슴이 울렁거렸다. 그러고 보니 오프 날인데 그가 의국에 왜 왔을까? 채린이 파악한 바에 의하면 백강우는 목적 없이 움직이는 타입이 아니었다. 그런데 그는 링거 거치대처럼 자신이 있는 소파 앞에 우뚝 서서는 움직이지를 않았다.

'뭐 아무렴 어때, 잘생겼는데.'

잘생겼지만 성질은 아주 나쁘다는 게 문제라면 문제였다. 한숨을 속으로 삼키고 나서 채린은 아까부터 마음속에 자리했던 의문을 풀기 위해 조심스럽게 강우를 불렀다.

"저, 선생님……."

"왜?"

"혹시 보셨어요?"

"뭘 봐? 단어 생략하지 말고 똑바로 말해."

역시 백강우는 성질이 고약했다. 다시 울컥 감정이 치밀었지만 채린은 겨우겨우 참아 냈다. 아까 자신이 본 희끄무레한 연기가 뭔지 알고 싶었다. 정말 귀신이라면…… 너스 스테이션에 가능하면 가까이 가지 않도록 말이다.

"너스 스테이션에…… 귀신이 있대요."

자신이 생각해도 황당한 소리라 채린의 목소리가 작아졌다. 강우가 한숨을 푹 내쉬었다. 갑자기 웬 귀신 타령인지 모르겠다. 비과학적인 소문을 절대 믿지 않는 백강우는 신채린을 정신 이상자 취급했다.

"너, 싸이(PSY, 정신과) 외래 좀 보자."

"없, 없어요?"

평소와 달리 멍청하게 되묻는 그녀에게 그가 기가 막힌다는 눈빛만 주었다. 이런 헛소리를 하다니. 강우가 미간을 찌푸린 채로 물었다.

"신채린. 정신 아직도 못 차렸지?"

"죄송합니다."

전공의 1년 차는 일종의 '사과 머신'이었다. 1년 차치고 유능한 신채린도 마찬가지였다. '죄송합니다'라는 말이 하루 종일 그녀의 입에 붙어 있었다.

그래도 채린의 안색이 아까보다는 나아져 있었다. 뺨에 혈색도 돌아온 게 슬슬 컨디션이 돌아오려는 모양이었다. 강우가 다시금 수액의 양을 살필 때였다. 아직도 귀신에 미련을 버리지 못한 그녀가 입을 열었다.

"근데요, 그 무당 된 인턴 선생님이 너스 스테이션에서……."

"싸이에 아는 선생 있거든? 바로 외래 잡아 줄 테니까 거기 가서 나오지 마라."

강우가 채린의 말을 도중에 뚝 잘라 버렸다. 정말 강우가 정신과로 걸음 할 기세라 채린의 어깨가 축 처졌다. 진짜 귀신을 본 것 같은데, 백강우는 역시 믿어 주지 않았다.

수액 떨어지는 속도를 빠르게 조절한 강우는 채린에게 어이가 없다는 시선을 보이다가 가운을 들고 의국을 나갔다.

백강우 치프가 왔다는 소식이 응급실 내에 쫙 퍼졌다. 찬형이 떠들고 다닌 탓이었다. 가운을 걸치면서 나오는 강우를 보고 지나가던 간호사가 슬쩍 말을 붙였다.

"뭐 좋은 일 있으세요?"

"아뇨? 왜요?"

"웃으면서 걸어오시기에 좋은 일이라도 생긴 줄 알았죠."

웃고 있었나? 제 미소를 자각하지 못했던 강우가 머쓱한 듯 입가를 매만지며 대꾸했다.

"그냥…… 황당해서 그렇습니다."

귀신이라는 말이 신채린 입에서 나오다니, 그야말로 귀신이 곡할 노릇이다. 다시 생각해도 기가 막혔다.

귀신이 나온다는 너스 스테이션에 도착한 강우는 '무당 된 인턴'에 관한 이야기를 할 얼간이들을 찾기 시작했다.

"구재희하고 오충직 어디 있어?"

"네! 선생님!"

4년 차의 부름에 1년 차들은 부리나케 달려왔다. 꾀죄죄한 몰골에서도 눈빛만큼은 또랑또랑한 후배들이었지만 강우는 매서운 표정을 풀지 않았다.

"쓸데없는 소리 하고 다니지 마."

"예?"

"너스 스테이션에 귀신 있다는 소린 누가 지어낸 거야?"

"아닙니다. 팽돌이가…… 팽두진이 진짜 봤다고 해서요."

그러나 재희의 변명은 강우의 표정을 더욱 험악하게 만들 뿐이었다. 눈가를 잔뜩 일그러뜨린 강우가 두 얼간이를 다그쳤다.

"제정신이야? 의사라는 놈이 그런 걸 믿어?"

"……죄송합니다."

이 상황에는 납작하게 엎드리는 것만이 최선이었다. 재희와 충직이 고개를 푹 수그렸다.

"헛소리하고 다니는 거 한 번만 더 걸리면 둘 다 진짜 가만 안 둬. 알았어?"

"넵!"

화를 내는 것도 이만하면 충분하다 싶어서 강우가 미련 없이 자리를 뜨자 재희와 충직이 소리 없이 한숨을 쉬었다. 이제 귀신 이야기는 못하게 생겼다. 신채린 놀려 먹기도 틀렸고, 열심히 일이나 해야 할 때가 오고 말았다.

강우가 수액 떨어지는 속도를 조절해 준 덕에 생각보다 채린은 빨리 자리를 털고 나올 수 있었다. 1년 차 주제에 거의 반나절을 농땡이 피운 셈이 되어 채린은 얼굴을 들 수가 없었다. 일단 귀신이 있는지 없는지 너스 스테이션 안을 조심스럽게 살피며 돌아온 채린은 간호사들에게 사과했다.

"심려 끼쳐 드러 죄송합니다."

"어머…… 선생님, 괜찮아요? 아직도 안색이 나쁜데."

간호사들이 채린에게 호의적인 건 평소 채린의 행동 덕분이었다. 1년 차 전공의임에도 똑똑하고 실수도 적은 터라 모두 신채린을 믿음직하게 여겼다. 게다가 채린을 향한 강우의 태도도 한몫 거들었다. 아무리 봐도 문제없는 신채린을 백강우 치프가 괴롭히고 있으니, 그녀에게 동정 여론이 생기는 건 당연했다.

"아까 치프 선생님 계셨던데…… 가셨어요?"

"네, 방금요."

간호사들은 채린을 불쌍히 여겼다. 얼마나 백강우에게 당했으면 겨우 정신을 차리고 돌아오자마자 백강우의 거취를 묻는단 말인가! 강우가 떠났다는 말에 채린이 내심 아쉬워하는 것도 모르고 간호사들은 그녀가 마음을 놓기를 바랐다.

"그래도 백강우 선생님 계셔서 많이 정리됐어요. 아깐 진짜 막막했다니까요. 신 선생님도 쓰러지고."

2년 차 간호사의 말에 채린이 어색하게 웃었다. 정말 미안해서 사람들 볼 낯이 없었다. 채린이 입을 다물고 차트를 살피는 동안 간호사들이 계속 대화했다.

"3월엔 다 그렇지만 오늘은 진짜 최악이었어요. 환자가 유난히 몰렸잖아요."

"근데 웬일이래? 백강우 선생님 오늘 오프라며?"

"그러게요?"

채린도 그게 궁금했다. 쉬고 있는데 강우가 의국에 들어와서 얼마나 놀랐는지 모른다. 매번 꼬투리를 잡아 괴롭히기는 해도, 그가 아픈 자신을 걱정해서 병원에 온 게 아닐까 싶어서 은근히 기대도 되었다.

심장이 두근거릴 무렵, 채린의 등 뒤에서 낯익은 목소리가 들렸다.

"백강우 부른 사람, 접니다."

채린이 슬쩍 고개를 돌렸다. 뒤에는 강우의 동기인 4년 차 전공의 유성준이 싱글싱글 웃으면서 서 있었다. 2년 차 간호사가 박수를 짝 치면서 호들갑을 떨었다.

"선생님이요? 와! 진짜 잘하셨어요. 어우, 정신없어 가지고……."

'그렇구나.'

성준에게 묵례를 하고 고개를 돌린 채린은 묵묵히 차트만 쳐다보았다. 백강우는 응급실이 무척 바빠서 온 것뿐, 신채린이 기절했다는 소식에 병원에 걸음 한 건 아니었다. 하긴, 그렇게 인정 많은 남자는 아닐 것이다.

그때, 성준이 나직하게 소곤거렸다.

"공주님 쓰러졌다니까 백 기사가 눈이 뒤집혀서 달려오네."

"네?"

성준의 말을 이해하지 못한 채린이 미간을 좁힐 즈음, 그가 그녀에게 종이컵을 스윽 내밀었다.

"물 한 잔 마시고 일합시다."

채린이 얼떨결에 성준에게서 종이컵을 받아 들었다. 커피도 아니고 냉수가 담긴 종이컵이었다. 그녀가 선배의 눈치를 보면서 바짝 마른 입을 축이자, 성준이 한쪽 눈을 찡긋거리고 여유 만만한 걸음으로 점점 멀어졌다. 채린은 성준의 뒷모습을 의아하게 쳐다보았다.

'웬 윙크?'

떨떠름한 시선으로 까마득한 선배를 응시하다가 채린이 고개를 돌렸다. 궁금한 건 한 가지가 아니었다. 다시 한 번 물을 한 모금 마신 뒤, 그녀가 조심스럽게 입술을 떼었다.

"아까 저 쓰러질 때요, 여기 뭐 하얀 거 있던데……."

"하얀 거요?"

채린이 허공을 가리키자 간호사들이 이해할 수 없다는 표정을 지어 보였다. 허공에 하얀 게 나풀거릴 일은 없었으니까. 채린이 설명을 덧붙였다.

"네. 연기처럼 하얗게 흔들리더라고요."

"연기? 아, 혹시 페트병 가습기요? 누가 가져왔더라?"

간호사가 아무렇지 않게 대꾸하면서 너스 스테이션 안을 두리번거렸다. 그 광경을 지켜보던 채린은 저도 모르게 입을 쩍 벌렸다. 가습기? 물론 그 형체가 가습기 김처럼 뿌옇기는 했는데…… 설마 진짜 가습기?

눈가를 살짝 일그러뜨린 채린이 확인을 위해 되물었다.

"가습기요?"

"네. 페트병 꽂으면 가습기 돌아가는 거 누가 사 가지고 와서 아까 한번 해 봤거든요. 왜요?"

귀신이 아니라 가습기 김이었다.

"아, 아닙니다……."

차마 가습기 김을 귀신으로 착각해서 기절했다고 말할 수가 없어서 채린은 말을 얼버무렸다.

반쯤 혼이 나간 채린은 슬그머니 몸을 돌렸다. 얼굴이 뜨거워지는 기분이 들었다. 생각해 보면 신채린은 귀신을 단 한 번도 본 적이 없었다. 가위눌림이라는 수면 중 마비 역시 한 번도 겪어 본 적이 없었다. 그녀는 문득 괜히 겁을 집어먹고 기절한 게 억울해졌다.

'확인부터 해 볼걸!'

그보다 백강우 치프에게 귀신 이야기를 괜히 꺼냈다. 자신을 향한 어이없다는 그의 눈빛이 떠올라 채린은 한층 더 울적해졌다.

대처 방법 3.
대신 노래 불러 주기

　응급의학과 1년 차 전공의 신채린은 눈에 이물질이 들어간 환자를 진료하고 있었다. 미술 대학을 다니는 환자는 흑연 가루를 뒤집어썼다가 눈을 뜨지 못해서 구급차를 타고 응급실을 찾았다. 그러나 1차적인 치료는 세척 정도만 가능했다.

　"일단 식염수로 눈에 들어간 흑연 가루를 씻어 내기는 했는데, 눈은 예민한 부위니까 안과 선생님이 곧 오실 거예요."

　"선생님, 저 실명하는 거예요? 그럼 안 되는데……."

　불안에 떠는 어린 여학생의 목소리가 안타까웠다. 시력을 잃으면 그림을 어떻게 그리나, 걱정이 태산인 모양이었다. 환자는 몇 차례 세척을 하고서도 쉬이 눈을 뜨지 못했다. 불안해하는 환자를 달래 줄 사람은 의사뿐이었다.

"괜찮으실 겁니다. 안과 선생님께서 확실히 말씀해 주실 거예요."

"감사합니다."

환자는 눈을 감은 채 채린의 목소리가 들리는 쪽으로 고개를 숙였다. 환자는 보지 못할 희미한 미소만 지은 채린이 너스 스테이션으로 가서 안과에 연락을 했다.

"네, 선생님. 환자 한 분 양쪽 아이볼(Eyeball, 안구)에 흑연 가루가 쏟아져 들어가서요. 네, 이리게이션(Irrigation, 세척)만 끝냈습니다. 네, 감사합니다."

콜을 마치고 채린은 바로 전자 차트 입력도 해치웠다. 무한한 힘이 솟아나는 것만 같아 그녀가 생글생글 웃었다. 옆에 있던 간호사가 채린에게 관심을 보였다.

"신 선생님, 기분 좋은 일 있으세요?"

"아, 네. 저 내일 드디어 오프라서요."

"어머나……."

간호사가 채린을 귀엽다는 듯 바라보았다.

오프! 그것이 바로 무한한 힘의 원천이었다. 풋풋한 1년 차들이 기다리고 기다리던 첫 오프였다. 채린은 이등병들이 첫 휴가를 나갈 때와 비슷한 기분을 겪고 있었다.

오늘만 버티면 30일 풀당이 끝이기 때문에 신채린의 기분은 새벽부터 좋았다. 1년 차들이 겪는 30일간의 당직이 끝난 이틀날 하루는 반오프도 아니고 꿀만 같은 풀오프였다. 채린뿐만 아니라 다른 1년차들도 오늘만큼은 안색이 밝았다.

차트 입력을 하러 온 재희도 웃음을 주체하지 못했다. 타닥 타닥,

키보드를 두드리다 말고 그가 히죽거렸다.

"내일 하루 종일 자야지!"

"나도."

타 과에 콜을 하고 온 충직도 재희를 거들었다. 1년 차 셋이 너스 스테이션 구석에 옹기종기 모였다. 차트 입력을 끝내고 채린이 의자를 비워 주자 충직이 덥석 컴퓨터 앞에 앉았다.

"난 오프 너무 아까워서 못 자겠는데……."

채린의 말에 재희와 충직이 그녀에게 경악의 시선을 보냈다. 재희가 황당하다는 투로 말했다.

"네가 그러니까 신콥(실신)하는 거야."

"풀당이 힘들어서 그랬던 거지."

불가촉천민 같던 인턴 때도 어떻게든 버텨 냈던 신채린이었다. 매달 각 진료과를 돌면서 쓴소리 한 번 듣지 않았고, 주취자한테 맞아도 아득바득 버티고 응급실 근무도 그럭저럭 잘했던 것 같다.

그래서 전공의 과정도 잘할 거라고 생각했는데…….

지금과 인턴 때의 다른 점은 딱 하나. 백강우뿐이었다. 그때는 백강우를 의식할 일이 없어서 정신적인 스트레스가 썩 심하지는 않았다. 백강우 때문에 예민해져서 편두통이 심해졌고, 거기에 그깟 가습기 김을 귀신이라고 착각해서 쓰러진 것뿐인데 벌써 나약한 이미지가 떡하니 박히고 말았다.

"이제 신콥할 일 없어."

하여튼 신채린은 하얗게 질린 안색으로 말은 잘한다. 그녀를 기가 막힌다는 눈으로 보던 재희가 주변을 둘러보더니 목소리를 낮추고 입을 열었다.

"4월에 입국식 있잖아."

채린과 충직이 동시에 고개를 끄덕였다. 재희는 다시 한 번 주변을 살폈다. 간호사들은 멀찍이 떨어져 있었고 컴퓨터 옆에는 1년 차세 사람만이 덩그러니 모여 있었다. 재희가 소곤거렸다.

"김웅진 교수님이 원래 노래방 같은 거 질색하시는데 이번에는 가기로 했대."

"왜?"

"유성준 선생님이 강력히 주장했다나?"

김웅진은 응급의학과 과장이고, 유성준은 4년 차 전공의였다. 채린이 고개를 갸웃거리며 물었다.

"김 교수님이 전공의 말을 들어주신단 말이야?"

"4년 차시잖아."

"그건 그런데……."

채린의 개념으로는 이해가 되지 않았다. 자신이 1년간 인턴으로 근무했던 할아버지의 병원에서는 4년 차 전공의가 교수에게 의견을 표하는 일은 드물었다. 위계가 정확하게 잡혀 있는 곳이라 '로열 패밀리'인 신채린이나 조은수도 감히 나설 수는 없었다. 상대적으로 이 병원의 위계질서가 느슨한 건지, 아니면 응급의학과 자체가 그런 건지 채린으로서는 알 길이 없었다.

재희가 짓궂은 웃음을 지으며 말을 이었다.

"치프 선생님이 노래를 그렇게 못한대."

"뭐?"

뜻밖의 정보에 채린의 눈이 커졌다. 채린뿐만 아니라 충직도 마찬가지였다. 못하는 일이 하나도 없을 듯한 백강우 치프가 음치라니! 그 끝내주는 목소리로 노래를 못한다는 게 도통 믿어지지 않았다. 재희가 주변을 주의 깊게 경계하면서 덧붙였다.

"그래서 골탕 먹이려고 그러는 것 같대."

"두, 두 분 친구 아니야?"

덩달아 채린의 목소리도 작아졌지만, 목소리 톤에서 의아한 마음만큼은 숨기지 못했다. 양손으로 입가를 가리고 있는 채린에게 재희가 명료한 대답을 주었다.

"진정한 친구니까 저런 짓을 꾸밀 수 있는 거지."

재희의 말뜻을 알아들은 충직이 고개를 끄덕거렸다.

골탕 먹이려는 게 진정한 친구라고? 채린으로서는 도무지 납득할 수가 없었다. 친구라면 흠을 덮어 줘야지, 장난을 치고 창피를 주어서는 안 되는 거 아닌가?

백강우가 난처해 할 모습을 상상하자 괜히 기분이 저조해진 그녀가 미간을 좁혔다.

"노래방 가는 거 치프 선생님도 아서?"

"어. 유성준 선생님이 거기서 강제로 치프 선생님한테 노래 부르게 시킨다는 것만 비밀이고."

어깨를 으쓱거린 재희가 심각해진 채린의 표정을 보고 식겁해서는 잽싸게 말했다.

"야, 너 괜히 입 털지 마. 4년 차 선생님들 지금 신났단 말이야. 내가 흘린 거 알면 난 죽음이야."

"말 안 하면 치프 선생님한테 죽을 것 같은데……."

현재 신채린이 세상에서 가장 무서워하는 사람이 바로 백강우였다. 눈물이 날 정도로 툭하면 혼이 나기 때문이었는데, 그래서 재희는 혹여 채린이 겁을 집어먹고 강우에게 고자질을 할까 봐 걱정이되었다.

"우린 아무것도 모르는 거야. 응? 절대 말하면 안 돼. 그럼 유성준선생님한테 우리 다 죽는다, 진짜."

재희의 경고에 채린이 못마땅한 양 입술만 삐죽였다. 어떻게든 채린을 달래 보고자 재희는 열심히 머리를 굴렸다.

"솔직히 너도 치프 선생님 당하는 거 보고 싶잖아."

"내가? 왜?"

"너만 잡으니까."

1년 차의 일은 사과하는 것과 혼나는 일이 대다수기는 하나 백강우는 유난히 신채린만 들들 볶았다. 그는 모르는 척 넘어가도 괜찮을 실수도 매의 눈으로 끄집어내서 한마디씩 했다. 그러니 신채린은 혼나지 않기 위해 완벽해져야만 했다. 뫼비우스의 띠가 따로 없었다. 어떻게든 채린을 혼내야 하는 강우와 강우의 분노를 피하기 위한 채린의 노력은 꼬리에 꼬리를 물고 빙글빙글 돌았다. 둘 다 피곤해지지 않을 리가 없었다.

"설마 괜찮은 거야?"

"아니, 뭐……."

차마 괜찮다는 말이 나오지 않아 채린이 대강 말을 얼버무렸다. 백강우가 음치라…… 어째 흥미가 가긴 간다. 그래, 한 번쯤은 소심한 복수를 해도 괜찮을 것이다. 진취적이고 적극적이던 신채린을 단번에 소심한 1년 차로 만들어 버린 백강우가 난감해하는 모습이 보고 싶어졌다.

"알았어. 비밀은 지켜 줄게."

채린의 설득에 겨우 성공한 재희가 막 가슴을 쓸어내릴 무렵이었다.

"야, 너희 거기서 뭐해?"

"차, 차팅했습니다!"

2년 차 장민석의 지적에 차트 입력을 끝낸 채린과 재희는 도망치듯이 후다닥 걸음을 옮겼다. 1년 차들이 오프를 앞에 두었다고 놀고 있으니 선배가 바로 지적할 수밖에.

흥미진진한 이야기 탓에 아직 차트 입력을 다 끝내지 못한 충직만 남아서 민석에게 혼이 나고 말았다.

오랜만에 전공의 숙소가 아닌 집에 온 채린은 널찍한 침실에서 빈둥거렸다. 동기인 재희와 충직에게는 오프가 아깝다고 말은 했으나, 그녀 역시 별 성과 없이 침대 밖을 벗어나지 못했다. 그래도 이토록 행복한 빈둥거림이라니!

'게으른 건 딱 질색이었는데.'

도저히 침대 밖으로 나갈 수가 없었다.

한참 동안 침대에서 뒹굴거리던 채린은 백강우가 음치라던 재희의 말을 떠올렸다. 지금까지 살아오면서 백강우만큼 목소리 좋은 남자를 본 적 없던 채린은 재희의 말을 완전하게 믿을 수가 없었다.

이럴 때는 사실 확인이 필수였다.

채린은 망설임 없이 은수에게 전화를 걸었다. 사촌 오빠가 백강우와 동기라서 은근히 도움이 되었다.

"오빠, 바빠?"

일반외과 전공의는 늘 바빠서, 바쁘냐는 질문은 의미가 없었다. 은수가 심드렁하게 용건만 물었다.

―왜?

"나 오늘 오프거든."

오프라는 말만 입에 담아도 채린은 신이 났다. 인턴 때도 이 정도는 아니었는데, 30일 풀당직이 힘들긴 했나 보다. 거기다 소심하게 백강우의 눈치까지 살살 보고 살았으니 지칠 만도 했다. 어느 정도로 소심해졌냐 하면 백강우가 아무 말도 하지 않고 쳐다만 봐도 간이 졸아들 정도라고 할까?

그러나 은수는 영 이해가 가지 않는 눈치였다.

―벌써 100일 당직 끝났을 리는 없고…… 어떻게 오프가 생겨?

"우린 30일만 풀당이야."

―뭐? 무슨 그런 천국 같은 곳이 있어?

은수가 꽥 소리를 질렀으나 채린은 사촌 오빠의 호들갑을 깔끔하게 무시하고 본론으로 들어갔다.

"궁금한 게 있는데, 오빠 백강우 선생님하고 동기였잖아."

―왜? 백강우가 너 태워?

은수는 은근슬쩍 채린에게 말을 유도했다. 백강우가 괴롭혀서 힘들다는 소리가 나오면 그만둬 버리라고 시원스럽게 말할 생각이었다. 그렇게 신채린을 지지해 주는 척하면서 응급실에서 빼 오면 되지 않을까, 은수는 잔머리를 굴렸다.

하지만 상황은 은수의 생각처럼 흘러가지 않았다.

"으음……."

사실대로 말할까 하다가 채린은 마음을 바꾸었다. 앞으로 조은수에게 백강우에 대한 정보를 몇 번 더 얻을 일이 있을지 모르는데 괜스레 두 사람 사이에 균열을 만들고 싶지는 않았다.

"아냐, 괜찮아. 잘해 줘."

─괜찮다고? 잘해 줘?

말도 안 되는 소리를 들은 양 은수가 황당하게 대꾸하자 채린이 눈가를 찡그렸다. 할아버지의 병원에서는 인턴 중에서도 가장 유능하다고 나름대로 소문났던 신채린이었다. 그런 그녀가 매일 혼이나 나고 있으리라고 조은수는 생각지 못할 것이다.

"왜? 내가 맨날 혼났으면 좋겠어?"

─뭐…… 아니, 그런 건…….

상황을 전부 알고 있는 은수가 떨떠름하게 대답했다. 백강우가 신채린에게 오냐오냐할 리가 없었다. 강우는 채린이 1년 차치고는 잘하고 있다 말했으나 그녀를 쓸데없이 괴롭히고 있기도 했다. 서슬 퍼런 4년 차의 기세에 1년 차 전공의는 기가 죽기 마련일 텐데…… 신채린의 말이 사실이라면, 이 사촌 동생이 의외로 마조히스트가 아닐까?

"오빠, 학생 때 MT 같은 거 맨날 갔잖아."

─어, 어…… 그랬지.

혼자만의 생각에 빠져 있던 은수가 우물쭈물 답했다. 오늘 오랜만에 오프를 받은 채린은 마음이 너그러워져서 굳이 사촌 오빠를 타박하지 않았다.

"거기 백강우 선생님도 같이 갔었어?"

―가끔? 왜?

"백강우 선생님 노래 못해?"

―……뭐?

은수로서는 황당한 질문이었다. 뜬금없이 신채린이 왜 백강우의 노래 실력에 대해 관심을 갖는지 이해가 가질 않았다. 그가 목소리를 가다듬고 말했다.

―왜 그런 걸 묻냐? 설마 4년 차가 노래방에서 딸랑거려야 하는 건 아닐 테고.

"그냥 궁금해서?"

―못했던가? 가수도 아니니까 퍼펙트하진 않았던 것 같은데…….

오래전 기억을 더듬어가면서 은수가 두루뭉술하게 답했다. 애초에 노래방을 갈 일이 별로 없었다. MT를 가서 한 일이라고는 술만 진탕 먹고 자빠져 잔 것뿐이었으니까. 어쩌다 개강 총회나 종강 총회 때 3차로 노래방을 모여 가긴 했는데 워낙 술에 취해 있어서 선명하게 기억이 나지는 않았다. 특별히 기억에 남지 않는 걸 보면 심각한 음치이거나 가수 뺨치는 능력자는 아닐 듯했다.

그보다 은수는 이런 걸 신채린이 묻는 이유가 궁금해졌다. 채린이 백강우 관련으로 운을 뗀다면 괴로운 마음이나 토로할 줄 알았지, 백강우가 노래를 잘하는지 못하는지 그 여부나 따질 줄 몰랐다.

"기억 안 나?"

—글쎄…….

은수는 먼 기억을 헤집어 보았다. 하긴, 저 짐승 같은 신채린은 의대를 가겠답시고 귀신처럼 백강우의 가운을 뒤집어쓰고 하루 5시간만 자던 인간이었다. 그저 의사가 되고 싶은 마음에 가운을 애지중지하는 줄 알았는데, 백강우를 향한 마음도 담겨 있지는 않았을까?

—너 설마 강우한테 관심 있는 건 아니겠지?

"무슨 소리야!"

—백강우 생긴 건 1등급이잖아.

"아니거든? 그리고 한우도 아니고, 사람한테 1등급이라고 하지 마!"

화들짝 놀란 채린은 꽥 부정했으나, 얼굴이 뜨끈해졌다. 얼굴이 보이지 않는 전화 통화라 천만다행이었다. 전화기를 사이에 두고 잠시 침묵이 일었다. 채린은 붉어진 얼굴에 연신 손부채질을 했다. 은수가 먼저 침묵을 깨뜨렸다.

—백강우 노래 못한다고 소문났어?

"아니, 그건…… 하여튼 잘해, 못해?"

차마 강우에 대한 나쁜 이야기를 하고 싶지 않아서 채린이 대강 둘러댔다. 은수가 한숨을 푹 내쉬고 다시금 설명했다.

—내 기억에 못하는 건 아니었던 것 같아. 목소리가 죽여줘서 좀 더 괜찮게 들리기도 할 걸? 남자는 목소리로 일단 먹고 들어가잖아?

"아, 그래? 알았어."

—야, 너…….

뭔가 더 말하고 싶어 하는 사촌 오빠를 무시하고 채린은 전화를 뚝 끊어 버렸다. 왠지 안도의 한숨이 새어 나왔다. 백강우가 음치라는 건 뜬소문일 것이다. 하도 활활 태워져서인지 아주 잠깐, 그가 망신당하는 모습이 보고 싶긴 했는데 한편으로는 그의 난처한 표정을 본다는 상상만으로도 마음이 불편했었다.

'조금 아쉽기는 한데…… 치프 선생님이 창피당하지는 않겠지. 그럼 됐어.'

채린은 어깨에 들어찬 긴장을 쭉 빼고 도로 침대에 드러누웠다. 이제 마음을 놓을 수 있을 것 같았다.

그 시간, 입이 싼 조은수는 사촌 동생과의 통화를 끝내자마자 백강우에게 냉큼 전화를 걸었다. 은수가 키득거리면서 물었다.

—너, 노래 못했냐?

"무슨 소리야? 갑자기."

강우에게도 뜬금없는 질문이었다. 킥킥대던 은수가 말을 덧붙였다.

—신채린이 전화로 물어보던데? 너 노래 못하냐고.

순간, 강우의 미간이 좁아졌다. 신채린이 왜 백강우의 노래 실력에 의문을 갖는지 그로서는 도무지 이해가 되지 않았다. 그때, 그의 머릿속에 입국식 스케줄이 스쳐 지나갔다.

4월 중순에 있을 입국식을 기점으로 백강우는 동기인 4년 차 전공의 공경훈에게 의국장 감투를 넘겨주기로 했다. 아직은 입국식 전. 즉, 지금 입국식 관련 일정은 백강우가 확인할 수 있다는 뜻이었다. 그가 인턴용 교육 자료를 테이블 한쪽으로 치워 두고 긴 팔을 뻗어서 입국식 스케줄 표를 꺼냈다.

저녁 식사 후에 노래방

아직 의국에 일정 공개를 하지 않았는데 신채린이 어떻게 알았을까?

노래방에 가자고 강력히 주장한 건 동기인 성준이었다. 응급의학과 과장을 설득시키면 스케줄에 넣겠다고 말했더니 무슨 재주를 부렸는지 과장의 결재를 떡하니 받아 왔다. 썩 내키지 않았지만 뱉은 약속을 지켜야 해서 강우는 어쩔 수 없이 일정을 새로 짰다. 그리고 노래방에 관해서 깊게 생각해 보지는 않았는데 신채린이 뒤에서 백강우의 노래 실력을 캐고 다닐 줄은 몰랐다.

'참나, 4년 차가 노래할 거라고 생각하나? 아니, 그보다 내가 노래를 못하게 생겼어?'

왠지 기분이 나빠진 강우가 헛웃음을 짓고 물었다.

"그래서 뭐라고 했어?"

―가수도 아닌데, 못하는 건 아니라고 했지.

그 정도면 무난한 대답이었다. 좁아진 미간을 펴고 강우가 덤덤하게 말했다.

"알았어. 끊는다."

―잠깐만.

하지만 은수는 쉽게 전화를 끊지 않았다. 통화가 길어지는 건 딱 질색인데. 강우는 펜을 내려놓고 의자 등받이에 몸을 기댔다. 전화가 끊기지 않자 은수가 먼저 말을 꺼냈다.

─너 신채린 안 태워?

"……왜?"

─걔가 괜찮다고 그러더라. 잘해 준다고.

"잘해 준다고? 내가?"

강우는 며칠간의 기억을 떠올려 보았다. 원래 후배들에게 상냥하지는 않지만 잘못하지도 않는 후배를 괴롭히기가 점점 버거웠다. 차라리 성격이라도 악한 편이라면 나았을지도 모르겠다.

자신이 하도 꼬투리를 잡아서인지 신채린은 잔뜩 긴장하고는 절대 실수를 하지 않았다. 당연히 백강우 쪽도 초조해지기 마련이었다.

어제는 머리를 다친 외상 환자가 들어왔는데 웬일인지 넥 칼라(목 보호대)를 끼지 않고 있었다. 담당이 누군데 저런 경솔한 처치를 하고 있느냐고 한마디 하는 찰나, 마침 채린이 깨끗한 넥 칼라를 들고 있는 것이 아닌가! 이때다 싶어서 그녀를 열심히 태웠건만 불행하게도 환자의 담당은 1년 차 오충직이었고, 신채린은 동기가 깜빡한 부분을 챙겨 주려 했을 뿐이었다. 그 일로 마음도 불편해져서 강우는 채린을 본척만척, 무시하는 게 전부였다.

남의 잘못을 뒤집어쓰고 혼나도 잘해 주고 있다고 말하다니, 그게 진심이라면 신채린은 제정신일 리가 없었다. 강우가 불편한 마음을 애써 숨기면서 어이없다는 투로 물었다.

"걔 좀 머리 이상한 애 아니야?"

얼마 전에는 너스 스테이션에 귀신이 있다고 말하질 않나, 부당대우를 받아도 그저 좋다고 말하질 않나…… 아무래도 공주님은 생각보다 강적인 모양이었다.

─내가 말했잖아. 신채린은 완전 짐승이라니까? 네가 생각하는 정도로 태워서는 안 돼. 더 태워야 한다고. 아주 활활 타게.

몸 약한 사촌 동생을 짐승 취급할 정도로 조은수는 악랄하기 그지없었다. 하지만 이 이상은 무리였다. 어제 일로 그 자리에 있던 의료진 모두가 백강우를 좀생이 놀부 영감 취급했었다. 신채린이 병원을 그만두거나, 아니면 갑자기 멍청해지지 않는 이상, 앞으로도 계속 같은 일이 반복될 것이다. 실수도 적고 노력도 하는 채린을 강우는 더는 괴롭히고 싶지 않았다.

"너희 집안 진짜 이상한 거 알지? 멀쩡하게 일 잘하는 애를 어떻게 태워? 꼬투리 잡는 것도 한계가 있지."

─으음…… 좀 그렇긴 하네.

"내 선에서 할 수 있는 게 있고, 못 하는 게 있어. 걔가 실수하면 다른 1년 차보다 서너 배는 더 갈구지만 잘하고 있는데 태울 수는 없어. 나만 이상한 사람 되니까."

─알았어, 알았어. 정 안 되겠으면 말해 줘. 나도 아버지한테 말씀드려 볼게.

생각해 보면 채린은 3월 3주 차부터는 다른 사람의 잘못을 뒤집어써서 혼나거나 넘어가도 괜찮을 작은 일에 덜미를 잡혀서 괜히 타박을 당하는 일 외엔 혼날 일이 없었다. 만일 조은수와 조준기 교수의 부탁을 받지 않았더라면, 강우는 채린을 흡족하게 여겼을 것이다. 1년 차가 숙련된 3, 4년 차와도 견줄 만큼 일을 잘하고 있으니 말이다.

정말 못 해 먹을 일이다. 강우가 진지한 목소리로 딱 잘라 말했다.

"지금 안 되겠으니까 말씀드려."

—아이, 지금 그럼 내가 죽어. 그럼, 백강우 선생! 좀만 더 태워 줘! 너만 믿는다!

"야!"

또 조은수는 막무가내로 전화를 끊었다. 어쨌든 자신의 의사는 확실히 표현했으니, 강우는 더 이상 채린에게 괜한 트집을 잡지 않기로 마음먹었다.

"누군데 전화를 그렇게 험하게 받아?"

마침 의국으로 성준이 기어들어 왔다. 응급 상황에서도 침착하게 말하는 백강우가 전화 한 통에 버럭버럭 소리를 지르는 게 신기해서 성준이 의아한 표정을 지어 보였다. 강우는 가운 주머니에 휴대폰을 집어넣었다.

"몰라도 돼."

4년 차인 성준도 신채린 괴롭히기의 공범이지만 강우는 동기에게 은수와의 통화에 대해 말해 줄 필요를 느끼지 못했다. 대신 강우는 마음에 거슬리던 다른 점을 지적했다.

"입국식 때 노래방 왜 가려고 하는 거야, 너?"

"안다정 들어왔을 때 갔어야 했어. 괜히 호텔 따위에서 유난 떨지 말고."

"뭐?"

웬일인지 성준이 눈을 반짝반짝 빛내고 있었다. 노래방에 가지 못해 죽은 귀신이 붙은 것도 아니고 4년 동안 조용히 있던 놈이 왜 저러는지 강우는 통 알 수가 없었다. 그러나 곧, 성준이 의기양양하게 본심을 드러냈다.

"이번에 신채린은 제대로 잡아야지."

"……뭘 잡아?"

"내가 진짜…… 내과 놈들한테 입국식 이야기 들을 때마다 얼마나 부러웠는지 아냐? 작년에는 내과 1년 차들이 여자 아이돌 노래도 불렀대."

응급의학과는 과장이나 스태프들이나 전부 개인주의적 성격을 갖고 있었다. 거기에 응급의학과 자체가 1년 차 때부터 오프도 확실히 보장되다 보니 특별한 날에 있는 회식이나 입국식, 또는 퇴국식 등을 제외하고는 모임을 가질 일이 거의 없었다. 뿐만 아니라 성비도 재작년까지는 백 퍼센트 남초. 그런 분위기에서 성준 역시 남자들끼리 노래방 따위를 가서 뭐가 재미있겠느냐, 싶었기에 재작년까지 아무 생각 없이 지냈었다.

그러다 작년에 첫 여자 전공의가 들어왔다. 교수부터 전공의들까지 모두 안다정을 유리로 세공된 인형이라도 보는 양 벌벌 떨었는데, 체력이 조금 약하다 싶은 걸 빼면 그녀도 그저 '전공의1'이었다. 무심하기로는 의국 내에서 백강우에 이어 두 번째였고.

성준과 친하게 지낸 내과 전공의가 입국식 행사 사진을 보여 주면서 응급의학과는 남자밖에 없어서 어쩌냐고 은근히 비웃은 적이 있었다. 들어온 여자 전공의는 안다정이라는, 제 이름처럼 말 한 마디 붙이기도 힘들 만큼 무뚝뚝해서 이런 공연을 부탁할 엄두도 나지 않았다. 하지만 올해는 달랐다! 꽃처럼 예쁜 미모에 미모만큼 우수한 실력, 게다가 안다정과 다르게 성격도 살가운 신채린이 들어왔다. 드디어 응급실에도 봄날이 오게 된 것이다.

그래서 성준은 노래방을 가자고 강력하게 건의를 했다. 물론 김웅진 교수가 은근히 결벽증이 있어서 1년 차 여자 전공의의 공연을 위해서라고 말하지 않고, 대신 백강우 치프가 엄청난 음치라는 식으로 돌려 말했지만 말이다.

성준의 마음을 하나도 이해하지 못한 강우는 동기를 황당하게 쳐다보았다.

"미쳤어? 걔가 연예인이야? 공연을 하게?"

"안다정은 글렀지만 공주님만큼은 놓칠 수 없지. 트로트 불러 달라고 해야지. 공주는 외로워."

말끝을 기분 나쁘게 늘리면서 성준이 꿍꿍이 가득한 표정으로 히죽 웃었다. 성준은 상상만으로도 흐뭇한 모양이었지만 강우는 얼굴을 찌푸렸다. 아무래도 동기가 제정신이 아닌 것 같았다. 강우가 계속 캐물었다.

"노래방 가는 이유, 신채린 때문인데 혹시 나 때문이라고 둘러댔어?"

"어떻게 알았어? 김 교수님한테 백강우 음치니까 개그 하는 거 보자고 말씀드렸지. 교수님도 신나셨고."

킬킬 웃는 성준의 안면에 주먹을 날리면 징계를 받을까? 그러나 강우는 이성을 잃지 않고 주먹에서 힘을 풀었다. 그러니까 신채린이 왜 조은수에게 백강우가 음치인지, 아닌지 확인을 하게 된 건가 했더니, 다 이놈의 짓이었다.

"네가 정말…… 미쳤구나."

"슬쩍 몇 명한테 흘렸는데 좋아 죽더라. 너 음치라고 하니까."

성준이 잘났다고 떠들었다. 이 빌어먹을 동기가 제 사리사욕을 채우기 위해 백강우를 팔아넘긴 셈이었다. 그리고 신채린도 곧 그 마수에 당하게 생겼다. 강우가 이마를 짚었다. 아무래도 노래방 예약을 취소해야겠다.

"네가 인망이 없는 거야. 너 쪽팔리는 모습 보고 싶어 하는 애들이 한 트럭이잖아."

"시끄러워. 노래방은 취소야."

"김웅진 교수님 결재를 무시하시겠다?"

성준이 응급의학과 과장의 권위를 들먹였다. 아, 하필이면 과장한테까지 결재를 받아 버렸다. 거기다 김웅진 교수에게 성준의 음흉한 계획을 구구절절 설명할 수도 없었다. 그러면 유성준은 경을 칠 테니까. 일을 크게 벌이느니 노래방은 가되, 신채린의 방패막이가 되어 주는 수밖에 없었다.

"교수님도 엄청 기대하고 계시는데."

"유성준, 이 미친놈……."

결국 강우의 입에서 험한 소리가 튀어나왔다. 무시무시한 분위기에도 성준은 아랑곳하지 않고 실실 웃으며 강우의 어깨를 감쌌다.

"안 김에 부탁 하나만 하자."

더는 저 동기의 부탁을 들어주고 싶지 않아 강우는 입을 꼭 다물었다. 그럴 줄 알았다는 양 성준이 뻔뻔하게 말을 이었다.

"괜히 거짓말쟁이 되고 싶지 않으니까 가서 음치인 척 좀 해 줘."

"정말 미쳤네. 이건 싸이 가서 해결될 일도 아니야."

정색하고 고개를 설레설레 젓는 강우에게 성준이 능글맞게 웃어 주었다.

"너도 보고 싶잖아."

"뭘?"

"신채린이 노래하는 거."

잠시 침묵이 일었다. 신채린이 노래하는 모습은 생각도 해 본 적이 없었다. 신채린을 떠올리면 그 피곤하고 귀찮은 거래가 자꾸 떠올라서 성가셨고, 자신이 저질러 온 쪼잔한 언행이 창피해서 강우는 일부러라도 그녀를 무시하려고 노력했다.

"내가 넌 줄 알아?"

"너나 나나."

히죽거리는 동기를 한 대 때려 주고 싶었지만 강우는 꾹 참고 그보다 먼저 의국을 빠져나왔다. 성질이 나서 유성준하고 같은 공간에 있고 싶지 않았다.

하지만 강우가 나오자마자 기다렸다는 듯이 응급 환자 이송 연락이 왔다. 너스 스테이션에서 강우를 발견한 간호사가 그를 불렀다.

"선생님, 화상 환자 이송 중이라고 구급차에서 콜 왔습니다."

화상 환자. 까다롭기로는 손꼽히는 환자였고, 화상이라고 구급차에서 연락이 올 정도면 심각하다는 뜻이었다.

"얼마나 심합니까?"

"케미컬 번(Chemical burn, 화학 화상)이고요. 환부는 왼쪽 얼굴 전체고 눈에도 약품이 들어갔다고 합니다. 환자가 멘탈(의식)이 아예 없다고 하네요."

"안과랑 PS(Plastic surgery, 성형외과), 더마(Dermatology, 피부과)에 미리 콜 좀 주세요."

강우가 너스 스테이션을 떠나 출입문 쪽으로 걸으면서 말했다. 환자에게 화학 약품이 아직 남아 있을 터, 그는 마스크를 착용하고 후배들에게 베드 하나를 준비하라고 지시한 다음 구급대원들이 들이닥치기를 기다렸다.

*　　　*　　　*

매일 아침, 응급의학과 의국에서는 전공의들이 모여 전날에 있던 환자 케이스를 발표했다. 보통 연차대로 중한 케이스를 맡곤 했고, 1년 차인 신채린은 당연히 가볍고 자주 보이는 환자 케이스를 발표했다.

오늘, 1년 차에게 주어진 주제는 교통사고 외상 환자였다. 응급실에 실려 오는 환자 중 많이 보이는 쪽은 단연코 외상 환자이기 때문이었다. 그중에서도 교통사고 환자가 무척 많았다. 채린은 경한 환자 중 다른 동기가 절대 발표하지 않은 케이스를 찾아 다루었다.

"52세 남성 환자로, 자동차 타이어가 발등을 밟고 지나간 TA(교통사고)로 내원했습니다. 풋 엑스레이 결과 메타타살(Metatarsal, 중족골) 부분에 프랙처(골절)가 있었고……."

모여 있던 의국원들의 시선이 채린에서 화면으로 옮겨 갔다. 환자의 중족골에 눕혀진 Y자 모양으로 금이 가 있었다. 그 다음에 채린은

PPT 화면을 넘겨서 환자의 발톱 부분을 찍은 사진을 보여 주었다.

"양쪽 엄지 컨투전(타박상) 때문에 서브언걸 헤마토마(Subungual hematoma, 조갑하 혈종)가 보였습니다."

발등과 발가락 모두가 시퍼렇게 멍이 들어 있었지만 유난히 눈에 띄는 건 부풀어 오른 듯한 검은 발톱이었다. 양쪽 엄지발톱 밑으로 강한 충격에 피가 고인 것이었다. 특별할 것도 대단할 것도 없는 케이스였다.

"어떻게 했어?"

묵묵히 있는 강우 대신 성준이 싱글벙글 웃으면서 물었다. 조갑하 혈종은 바늘로 고인 피를 빼내 주는 게 좋았고, 다들 그렇게 처리하는 편이었다. 혈종으로 인한 고통이 사라지면 환자들의 치료 만족도도 높아졌다.

"디클로페낙(Diclofenac, 소염진통제) 주사 후에도 계속 페인(Pain, 통증)을 호소해서 곧장 헤마토마 제거했습니다."

하지만 여기에는 맹점이 하나 있었다. 성준이 입을 열 찰나, 강우가 선수를 쳤다.

"52세 남자 환자라며?"

"네? 네……."

갑자기 백강우 치프의 태클이 들어오자 술술 말 잘하던 신채린이 긴장하기 시작했다. 불쌍할 정도로 긴장하는 채린을 의국원 모두가 안쓰럽게 바라보았다. 몇몇 의국원들은 의국장이 또 쓸데없는 걸로 가여운 1년 차 전공의를 괴롭힌다면 대신 나서야겠다고 생각할 정도였다. 그러나 강우는 채린을 괴롭힐 생각이 없었다.

"환자 히스토리(Medical history, 병력) 확인하고 진행했어?"

"아, 네. DM(Diabetes mellitus, 당뇨병) 환자 아니었습니다."

채린의 확신 있는 대답에 강우가 고개를 끄덕였다. 사실 이는 나이 어린 환자였다면 군이 묻지 않았을 질문이었다. 52세 남성에게 당뇨병은 흔하다면 흔한 질병이었기에 한 번 더 점검이 필요했다. 만일 환자가 당뇨병을 앓고 있었다면 발에 생긴 상처로 인해 절단까지 하게 될 수도 있기에 의료진으로서는 마땅히 주의를 줬어야 하기 때문이었다.

"앗!"

그때, 1년 차 오충직이 갑자기 이상한 소리를 냈다. 모두의 이목이 채린이 아니라 뒤에 앉아 있던 충직에게로 돌아갔다. 선배들의 서슬 퍼런 시선이 꽂히자 충직이 파랗게 질렸다. 뒤를 돌아본 강우가 툭 내뱉었다.

"잤어?"

"아, 아닙니다."

"졸지 말라고 했지?"

"정말 아닙…… 죄송합니다."

충직은 멀쩡히 정신을 차리고 있었다. 이른 아침이라 조금 피곤하기는 했으나 결코 졸았던 건 아니었다. 그러나 멀쩡한 정신에 뜬금없는 소리를 낸다는 걸 선배들에게 이해시키기란 결코 쉬운 일이 아니었다. 졸았다는 오명을 뒤집어쓴 채 충직은 고개만 푹 숙이고 아무 말도 하지 못했다.

그러거나 말거나, 백강우는 어떻게든 신채린의 약점을 잡으려 눈을 빛냈다.

"다시 봐 봐."

강우가 말하자마자 채린이 그럴 줄 알았다는 듯 화면과 그를 번갈아 보았다. 강우가 검지로 사진 위쪽을 가리켰다. 환자의 엄지발가락 부분이었다. 왼쪽과 오른쪽의 발가락이 똑같이 생겨야 하는데 왼쪽 관절이 삐뚤어져 있는 모양새가 이상했다.

"그게 다야?"

"아뇨, 선생님. 보시다시피 레프트 퍼스트 MTP 조인트(Left first metatarsophalangeal joint, 왼쪽 첫째 중족지 관절)가 애브노멀(Abnormal, 비정상적인)해서 환자한테 물어보니까 원래 아팠다고 그러더라고요. 말로는 신발이 작아서 발 변형이 왔다고 하셨는데, 나이도 그렇고 해서 고우트(Gout, 통풍)가 의심되었습니다. 아! 식생활 관련해서도 외식이랑 술자리가 잦은 편이라고 하셨고요."

바람만 불어도 아프다는 통풍은 요산 때문에 생기는 질환이었다. 주로 엄지발가락 관절 등에 쌓인 요산 결정이 염증을 만들어 내곤 했다. 뜨겁고 바늘로 찌르는 듯한 극한의 통증을 참지 못해 밤늦게 응급실을 찾는 환자들도 더러 있었다.

"그래서?"

"콜히친(Colchicine) 슈팅했고, 나중에 조인트 플루이드(Joint fluid, 관절액)에서 유레이트 크리스탈(Urate crystal, 요산 결정) 확인했습니다."

채린의 자신 있는 대답에 더 이상 지적할 부분이 없어서인지 백강우는 불만스러운 기색만 슬쩍 내비쳤다. 하여튼 치프는 신채린을 못 잡아 먹어서 안달이었다. 성준이 참지 못하고 피식 웃자 강우가 성준을 흘겨보았다.

케이스 스터디가 끝나고, 한숨 돌린 1년 차들끼리 자판기 앞에 옹기종기 모였다. 충직의 옆에 있었던, 사실을 아는 단 한 사람인 재희가 불쌍한 동기에게 커피를 건넸다.

"너 아까 왜 그랬어? 안 좋았잖아."

"아, 나 진짜 헛살았나 봐."

"왜?"

충직이 워낙 풀이 죽어 있어서 재희는 '그걸 이제 알았냐?' 하고 장난을 칠 수는 없었다. 충직은 커피를 한 모금 마시고 우울하게 중얼거렸다.

"아까 헤마토마 환자 DM 히스토리가 있을지 모른다는 생각을 아예 못 했거든. 그래서 치프 선생님이 너한테 히스토리 확인했느냐고 물었을 때 속으로 대답을 못 했어. 고작 저거에 무슨 히스토리냐고 생각했어. 난 정말 중요한지 몰랐어. 단순 트라우마였잖아."

"피곤해서 생각 못 한 거겠지."

채린이 상심한 동기를 달래 주었으나, 충직은 우울한 표정을 숨기지 못했다. 그럴 만도 했다. 만약 그 환자가 오충직의 담당이었고, 당뇨병을 앓고 있었다면 큰일이 날 뻔했다. 그나마 요즘은 당뇨병 환자들이 공포스러운 당뇨발에 대해 많은 정보를 알고 있다지만 의사가 직접 언질을 주는 것과 환자 혼자 챙기는 건 하늘과 땅 차이였다.

"정신 좀 차려야지. 인턴…… 아니, 막 의대 졸업한 애들도 알 것을 내가 깜빡했다는 게 창피해."

충직이 한숨을 푹 내쉬었다. 시간이 흐르면 흐를수록 바보가 되어 가는 기분이었다.

한편, 의국에는 4년 차 두 사람만이 남아 있었다. 갑자기 당직 스케줄을 재조정해야 할 일이 생겨서 의국장인 강우는 무척 정신이 없었다. 그런 강우의 옆에서 성준은 시시덕거렸다.

"공주님, 또박또박 대답하는 거 봐. 너한테 기죽을 만도 한데."

강우는 들은 척도 하지 않고 대답도 하지 않았다. 자신의 질문에 바짝 얼어붙었던 채린의 표정을 눈이 있다면 보지 못할 리가 없었으니까. 어딜 봐서 그게 기가 죽지 않은 건지 모르겠다. 그가 코끝을 찌푸리고 스케줄 표를 살폈다. 성준은 계속 종알거렸다.

"귀엽더라. 'DM 환자 아니었습니다' 하는 거."

잔뜩 긴장해 있으면서도 질문의 의미를 제대로 파악하고 똑바로 대답하는 채린을 싫어할 선배는 없을 것이다. 언제 긴장했냐는 듯이 여유를 되찾고 대답하는 모습이 귀여웠던 것도 같다.

'……귀엽다고?'

자신의 생각에 놀란 강우가 테이블 위에 펜을 소리 나게 내려놓고 동기를 쳐다보았다. 이놈이 자꾸 자신의 집중력을 흩뜨리고 있었다. 귀엽다고 생각한 것도 유성준한테 말려들어 간 것뿐이리라. 하여튼 동기 놈이 도움이 되질 않는다.

"넌 ER(응급실)에 놀러 왔어? 안 나가고 뭐해?"

"백 치프도 지금 정신이 없구만? 나 어제 당직이어서 집에 갈 거거든?"

"아, 그랬지."

강우가 머쓱하게 중얼거렸다. 정신이 없는 건 당연했다. 갑자기 어제 동기 하나가 폐암 선고를 받아 버려서 응급의학과 의료진 모두가 충격을 받았다. 그 때문에 그는 지금 부랴부랴 당직 스케줄을 재조정하는 중이었다.

"이따 저녁에 봐."

가운을 벗어 두고 짐을 정리한 다음, 성준이 손을 흔들며 의국을 나갔다. 문이 닫히고 백강우 홀로 남자 의국 안이 고요해졌다.

오늘 저녁, 드디어 입국식이 있었다. 입국식이라고 말은 거창하지만 저녁이나 먹고 새로 응급의학과에 들어온 전공의 1년 차의 소개만 있을 뿐이었다. 아니, 평소에는 그랬지만 오늘은 조금 달랐다. 유성준의 강한 주장으로 노래방을 가게 생겼으니 말이다.

강우의 입에서 저절로 한숨이 새어 나왔다. 미안하지만 신채린을 괴롭히라는 부탁은 백강우가 아니라 유성준에게 했어야 했다. 아주 제대로 괴롭혀 줄 수 있었을 텐데. 아니 어쩌면, 첫날부터 채린에게 호감을 가진 성준이라 그녀를 괴롭히지는 않았을지도.

강우를 피곤하게 만드는 건 입국식뿐만이 아니었다. 입국식까지만 의국장으로 고생하면 되겠거니, 이 날만을 기다려 왔는데 의국장 자리도 넘겨주지 못하게 되었다. 동기인 공경훈이 폐암 선고를 받았고, 그것도 근처 장기에 전이가 되었다고 들었다.

'그 자식, 담배 두 갑씩 태울 때부터 알아봤어.'

험한 생각을 하고는 있지만 강우의 마음속에는 후회가 자리했다. 동기의 기침을 가볍게 넘긴 게 미안해서였다. 엑스레이로 폐암은 잡히지 않는 경우가 많았다. CT 검사라도 해 보라고 할걸. 전공의들은 워낙 바빠서 오히려 제 건강에 둔감했다. 응급실에서 근무하다 보면, 위중한 환자들을 하도 많이 보게 되는 터라, 심각한 증상도 가벼운 것으로 착각하기가 쉬웠다. 전문의 시험까지 겨우 1년 남았는데 경훈은 모든 것을 접고 투병 생활을 하게 되었다.

'그 고생을 하고……'

동기를 생각하면 가슴이 무거워졌다.

더불어 4년 차들의 일이 늘어났다. 남은 4개월간의 의국장 자리는 강우와 성준이 두 달씩 맡기로 했고, 경훈의 당직 스케줄도 의국원 모두가 돌아가면서 때워야 했다.

그뿐만이 아니었다. 이번 일로 위기감을 느낀 김웅진 교수가 전공의들 전체적으로 건강 검진을 샅샅이 하라는 지시를 내렸다. 혈액 검사나 내시경 검사, 가슴 엑스레이 정도만 찍던 전공의들이 이제는 머리끝부터 발끝까지 탈탈 털어 지병이 있는지 확인을 해야 했다. 검진 스케줄까지 짜고 있으려니 강우는 죽을 맛이었다.

저녁, 병원 근처 큰 갈비집에서 응급의학과 입국식이 있었다. 응급의학과 과장의 인사와 스태프들의 소개 후, 간호사와 의료기사 등의 축하 인사가 이어졌다. 그 다음에는 보통 새로 뽑힌 의국장의 소개와 인사가 있었으나 모두가 경훈의 사정을 아는 터라 그 누구도 입 한 번 뻥긋하지 않았다.

그 다음, 마지막 코너는 입국식의 백미인 1년 차 전공의의 인사였다. 의국장인 백강우가 사회를 맡아서 진행이 썩 재미는 없었지만 모두가 기대의 눈빛을 보냈다. 벌써 한 달 반을 함께 보냈는데도 다들 1년 차 전공의의 인사 자리에 들떠 있었다.

"1년 차 전공의 소개가 있겠습니다. 먼저 구재희 선생."

재희가 기다렸다는 듯 걸어 나갔다. 중간에 선 재희는 꾸벅 허리를 굽히고 큰 소리로 인사했다.

"1년 차 구재희입니다!"

무대 체질인 구재희에게 사람들의 관심과 시선은 행복 그 자체였다. 싱글벙글 웃으면서 여유 만만한 재희에게 김웅진 교수가 농담 같은 질문을 던졌다.

"구 선생, 자네 집안에서 장비 살 때 DC 해 주나?"

"당연합니다. 최저 가격으로 맞춰 드리겠습니다!"

농담도 잘 받아 넘기는 재희의 태도에 모두가 낄낄거렸다. 패기 가득한 구재희는 심지어 의료 기기 회사 사장의 아들이었다. 물론 의료 장비를 구재희 아버지 회사에서 살 일이 없다는 걸 알기 때문에, 가벼운 농담으로 넘길 수는 있었다.

웅진의 옆에 있던 다른 스태프가 짓궂게 농을 건넸다.

"장비 팔 거면 개원 쉬운 OS(Orthopedics, 정형외과) 같은 델 가지 그랬어? OS 과장이 좀 또라이긴 하지만."

"아닙니다. 저는 ER이 좋습니다."

금수저를 물고 태어났지만 열심히 노력해서 의사가 된 재희에게 웅진이 흐뭇한 눈빛을 내비쳤다.

"다음은……."

가나다순으로 인사를 하기에 구재희 다음은 신채린이었다.

채린과 눈이 마주치자 강우가 잠시 멈칫했다. 눈치껏 나가서 인사를 하려던 채린이 강우를 의아하게 쳐다보았다. 한 달 반을 이유 없이 그녀를 괴롭혀 와서 그런지 강우는 채린을 보면 자꾸 죄책감이 들었다. 다시 강우가 막 말을 이을 참이었다. 그 틈을 놓치지 않고 성준이 장난을 쳤다.

"아니, 백강우 선생! 신 선생한테 반했어? 왜 그래? 자기 같지 않게."

찌릿, 강우의 매서운 눈빛이 동기인 성준에게 꽂혔다. 하지만 아무도 성준의 말을 믿어 주지 않았다. 의국장이 워낙 악랄하게 신채린을 괴롭혔어야지! 무엇보다 좋아하는 사람을 괴롭힌다는 초등학생 수준도 아니었고 백강우 자체가 그런 유치한 인간이 아니기도 했다. 강우가 무표정하게 말을 이었다.

"……신채린 선생입니다."

'유 선생님, 또 왜 저래!'

성준의 농담에 벌벌 떠는 사람은 신채린뿐이었다. 채린은 또 자신이 강우의 심기를 거스르게 했을까 걱정스러웠지만, 일단 주어진 대로 앞에 나가 인사를 했다.

"신채린입니다."

"그래, 신 선생. 우리 병원 EM(응급의학과) 2대 여자 전공의네."

웅진은 채린의 집안을 들먹이지 않았다. 강우에게 조준기 교수가 와서 부탁했다는 사실을 알고 있어도 웅진은 채린을 1년 차 전공의로만 대해 주었다.

"미안하게 됐어, 신 선생. 안다정 선생 때는 호텔에서 밥을 먹었는데, 신 선생은 갈비집이네."

웅진의 말에 사람들의 이목이 뜬금없이 2년 차 전공의 안다정에게 쏠렸다. 주목받는 것을 질색하는 다정이 불편한 눈빛을 애써 감추었다.

작년, 첫 여자 전공의가 들어오자 응급의학과 의국은 난리가 나서 전전긍긍하다, 결국 호텔 뷔페에서 호화스러운 입국식을 치렀었다. 하지만 여자나 남자나 별다를 것이 없다는 걸 알게 된 뒤, 이번에는 평소대로 고깃집을 예약했다.

"괜찮습니다."

"원래 1호랑 2호는 차이가 있는 법이니 너무 서운해하지 마."

채린이 대답 대신 고개를 꾸벅 숙여 보였다. 호텔 뷔페는 가고 싶으면 언제든 갈 수 있으니 별로 서운하지 않았다. 강우의 눈치를 보면서 채린은 슬그머니 재희의 옆에 섰다.

"마지막으로 오충직 선생."

"오충직입니다."

재희와 다르게 사람들 시선에 익숙하지 않은 충직은 벌써 얼굴이 붉어지고 있었다. 저런 친구에게는 역시 이성 관련 질문이 가장 재미있는 법이었다. 웅진이 짓궂은 표정으로 물었다.

"오 선생, 결혼은 언제 하나?"

"결혼은…… 결혼은 아직 여자가 없어서요."

충직의 얼굴이 더욱 새빨개졌다. 불타는 고구마가 된 충직은 이러다가 호흡 곤란으로 실신이라도 할 기세였다. 귀엽기는 하지만 더 이상 괴롭히고 싶지 않아, 웅진은 너그러이 충직을 놓아주기로 했다.

"그래? 괜히 사고 치지 말고 4년 동안 수련 잘해 보자고."

개인별 인사가 끝난 후, 1년 차 셋이 꾸벅 인사를 하고, 의국장으로부터 축하의 의미로 꽃다발을 받았다. 강우가 건네는 꽃다발에 채린의 심박수가 올라갔다. 다른 동기들도 받는 꽃다발은 그저 축하의 의미일 뿐인데도 특별하게 느껴졌다. 꽃다발을 받기 위해 그녀가 조심스럽게 손을 내밀 찰나였다.

'아!'

두 사람의 손가락이 겹치듯 스쳤다. 순간적으로 맞닿은 손가락에 정전기라도 통한 양 당황한 채린과 달리 강우는 무덤덤해 보였다. 그는 그녀를 본 척도 하지 않고 충직에게 꽃다발을 주려고 고개를 돌렸다. 채린 혼자 강우의 옆모습을 흘끔거렸다. 손이 닿은 걸 모를 리 없는데, 역시 자신 혼자 큰 의미를 부여하고 있는 모양이었다.

'그래도 이거, 꽃병에 꽂아 둬야지.'

채린이 꽃다발을 품에 소중히 안았다. 곧, 1년 차 신입 전공의 셋이 꾸벅 인사를 하자 여기저기서 박수 소리가 났다.

번잡스러운 인사 자리가 끝나고 테이블에 둘러앉은 이들끼리 두런두런 이야기를 나누었다. 강우가 무대 정리를 하고 성준의 옆에 자리하자, 맞은편에 있던 웅진이 어두운 표정으로 말했다.

"강우가 고생이 많다. 7월 되면 성준이 네가 의국장 하기로 했지?"

"네, 근데 원래 치프는 백강우가 딱입니다. 백 치프는 한 번도 반장 같은 거 놓친 적이 없대요."

어떻게든 의국장 자리를 돌려받고 싶지 않아 뺄질거리는 성준을 강우가 흘겨보았다. 이놈은 저번에도 일찍 의국장 자리를 넘겨주더니 또 날로 먹으려고 한다. 다행히 웅진은 성준의 말을 들어 주지 않왔다. 여전히 어두운 안색으로 웅진이 무겁게 입을 열었다.

"경훈이 어떡하냐…… 1년 남겨 놓고 렁 캔서(Lung cancer, 폐암)라니. 걔는 말이야, 그렇게 될 때까지 도대체 뭘 한 거야? 의사라는 놈이."

4년 차 공경훈의 안타까운 사정은 응급실은 물론 병원 전체에 쑥쑥하게 퍼졌다. 1년만 고생하면 전문의가 된다는 것도 그렇지만 무엇보다 목숨이 걱정이었다. 말기는 아니고 3기라는 사실이 그나마 다행이었다. 젊은 사람은 병의 진행 속도가 빠르기는 해도 그만큼 체력이 받쳐 주어서 생존 확률이 높아지니 말이다.

꽃다발을 들고 두리번거리는 채린에게 2년 차 안다정이 손을 들어 주었다. 같은 숙소를 쓰다 보니 서로 어느 정도 친해졌다.

"신 선생, 이리 앉아."

"아! 네."

채린이 다정의 옆자리에 앉았다. 2년 차인 다정은 동기들 둘과 함께 있었다. 찬형이 맥주를 한 모금 마시고 물었다.

"1년 차들은 아까까지 ER에 있었다며?"

"네."

"그래도 잘 차려입고 나왔네. 다행이야."

오늘을 위해 채린은 새로 정장을 맞췄다. 다섯 시 오십 분부터 신규 환자의 추이를 살피면서 화장도 하고 정장으로 갈아입었다. 이는 다른 동기들도 마찬가지였다. 입국식은 별것 아닌 듯 보이지만, 따지자면 1년 차 전공의들의 첫 인사 자리였다. 당연히 예의를 갖춘 모습을 보여 줘야 했다.

옆 테이블에서 수저 세트를 건네받은 채린이 주변을 둘러본 다음 조심스럽게 물었다.

"원래 오늘 치프 선생님 바뀌는 거라면서요."

예상대로 어디에도 공경훈의 얼굴이 보이지 않았다. 원래는 오늘 사회도 새로 의국장 자리를 받은 경훈이 봤어야 하나, 강우가 보았다. 다정이 한숨을 내쉬면서 대답했다.

"백 선생님이 계속하실 것 같아."

"공 선생님 진짜 병원 그만두셨어요?"

"응. 렁 캔서라니까 ER에 계시기는 벅차지."

"어떡해……."

끔찍한 소식에 채린이 저도 모르게 얼굴을 구겼다. 전공의들에게 동료의 안 좋은 소식은 유난히 크게 와닿았다. 경훈이 퇴사한 날부터 언제 자신도 몸이 망가질지 모른다는 공포가 의국 안에 만연했다.

"그래서 김웅진 교수님이 전공의들 전부 제대로 검사받아 보라고 그러신 거야."

숙련된 전공의들이 빠져나가면 응급의학과 내에서도 손해가 이만 저만이 아니기에 웅진은 이번 일을 계기로 의료진의 건강에 더욱 신경 쓰기로 한 모양이었다. 채린이 고개를 끄덕였다. 어차피 자신은 매년 최고급 건강 검진을 받고 있기도 해서, 별로 거리끼지는 않았다.

궁금한 건 이뿐만이 아니었다.

"저, 선생님."

"왜?"

"혹시 선생님도 치프 선생님 노래하는 거 들어 보셨어요?"

채린이 목소리를 잔뜩 낮추고 소곤거렸다. 백강우가 노래를 하든 말든, 2년 차 안다정은 전혀 관심이 없었다.

"아니? 왜?"

"아니에요……."

채린이 대강 말을 얼버무렸다. 다정은 떠도는 소문을 듣지 못한 듯 의아해하고 있었다. 사실 성준은 친한 3년 차 후배와 1년 차인 재희에게만 말을 흘렸다. 구재희에게 말하면 신채린에게 분명 백강우 음치 소식이 들어갈 테니까! 그럼 백강우에게 탈탈 털리던 신채린이 그 꼴을 구경하기 위해 노래방에 올 거라고 여우 같은 유성준은 그리 생각했다.

"원래 회식해도 노래방은 안 갔고, 또 치프 선생님하고는 MT도 겹치지 않아서 못 들었어."

"MT요? MT를 가요?"

뜻밖의 소식에 채린의 눈이 동그래졌다. 다정이 귀찮다는 투로 설명했다.

"말이 MT지 그냥 하루 밖에 나가서 술 먹고 돌아오는 거야. 타 과 파견 끝나고 5월 말에 치프 선생님이 1년 차 던트들이랑 너스들 데리고 가는 건데…… 올해는 어떻게 되려나? 4년 차 선생님 자리 하나 비어서."

그러면 의국장인 백강우랑 MT를 가는 건가? 채린이 눈동자를 반짝 빛냈다. 갑자기 5월 말이 무척 기대가 되었다. 뭐, 조금만 거슬리는 짓을 해도 활활 태워지겠지만 말이다.

저녁 식사 자리가 파하고 노래방이 썩 내키지 않는 스태프 몇 명과 2년 차, 3년 차들이 슬그머니 자리를 비웠다. 개인주의적인 분위기가 팽배한 응급의학과 의국원들은 노래방이 워낙 익숙하지 않아서 불편해하는 듯했다.

물론 이 사람만은 달랐다.

"노래방 오길 진짜 잘했지?"

성준이 강우의 어깨를 감싸서 도망가지 못하게 붙잡고 씨익, 뺀질거리는 미소를 지었다. 정말 쥐어박고 싶은 면상이었다. 쥐어박는 대신 강우가 말없이 성준의 팔을 홱 뿌리쳤다.

"경훈이 자리 비어서 MT도 못 가게 생겼잖아? 지금 놀아."

보통 4년 차 전공의 둘은 응급실에 남아 주는 게 좋았다. 그러나 한 사람이 완전히 빠져 버린 이상, 강우와 성준은 오프를 줄여서라도 응급실에 붙어 있어야 했다. 그 점을 지적한 성준을 강우가 지그시 바라보다가 웬일로 피식 웃었다.

"못 갈 게 어디 있어? 나 빠지고 네가 몸 좀 갈면 되지."

"악마 같은 백강우."

그러면서도 유성준은 제 입으로 의국장을 하겠다는 말은 하지 않았다. 노래방 카운터에서 미리 결제를 마치고 돌아가는 길에 성준이 계속 강우의 속을 긁었다.

"근데 아까 왜 신채린 보고 말을 못 한 거야? 너무 예뻐서?"

"말이 되는 소리를 해라."

죄책감 때문이었지, 신채린이 예뻐서 홀린 건 아니었다. 물론 신채린이 예쁜 건 쿨하게 인정한다. 중고등학교 시절, 남학교만 다니다가 의대를 졸업하고 응급실 지박령으로 살아가고 있는 백강우가 지금까지 본 여자 중에 신채린이 가장 예쁘기는 했다. 두 번째로 예쁜 사람 역시 열아홉 살 때의 얼굴이 유난히 하얗던 신채린이었고.

"1년 차 후배가 예쁘든 말든."

"왜? 틀린 말은 아니지. 얼굴은 완전 내 타입이거든. 청순하고 섹시하잖아?"

남자의 얼굴로 성준이 웃는데, 왠지 강우의 기분이 괜스레 나빠졌다. 강우는 결국 동기의 뒤통수를 한 대 갈겼다.

"1년 차한테 못 하는 소리가 없어."

뒤에서 성준이 의미심장하게 웃는 것도 모르고 강우는 노래방 안으로 훌쩍 들어갔다. 이미 노래방 안은 시끌시끌했다.

"1년 차가 먼저 스타트를 끊어야지. 구재희!"

"예!"

남아 있던 스태프에게서 재희가 마이크를 건네받았다. 무대 체질인 재희는 전주가 나오자마자 우스꽝스러운 춤을 추고 있었다. 1년 차라는 단어의 무게가 채린의 어깨를 무겁게 눌렀다.

'나도 해야 하는 거야?'

신채린의 방패막이 되어 줄 만한 사람은 어디에도 없었다. 체질적으로 노래방과 거리가 먼 안다정은 이미 도망치고 난 뒤였다. 채린은 곁에 있어 줄 선배가 없다는 생각에 우울해졌다. 하필이면 1년 차라 도망도 못 갈 처지였다.

'일단 나가 있어야겠다.'

백강우의 노래를 듣고는 싶지만, 동기인 구재희 다음이 꼭 자신의 차례일 것만 같아 채린은 화장실을 가는 척 노래방을 나왔다. 10분 정도 시간을 때우고 들어가면 지나가 있지 않을까? 재희와 달리 채린은 무대 체질이 아니었다. 화려한 외모 탓에 가끔 오해를 받기는 하지만 사람들의 시선을 한몸에 받은 채 노래나 춤을 선보이는 건 그녀의 취향이 아니었다.

그러나 그보다 백강우 앞에서 노래한다는 상상이 채린을 부끄럽게 만들었다. 음치, 박치는 아니지만 가수처럼 노래를 잘하는 것도 아니라 창피했다. 그녀는 은근히 완벽주의적인 기질이 있어서 자신의 약점을 드러내는 걸 어린 시절부터 두려워했다.

금세 노래 한 곡이 흘러갈 만큼 시간이 지났다.

'아쉽긴 하다.'

아마도 이쯤, 백강우가 노래를 부르고 있을 것이다. 최고의 권력자인 김웅진 교수가 기대하고 있는 무대일 테니 강우는 일찌감치 노래를 해야 했을 게 분명했다. 이미 강우가 음치가 아니라는 사실을 은수에게 전해 들은 채린은 그의 노래를 듣고 싶었다. 물론 자신의 안위가 더욱 중요해서 도망 나오기는 했지만 말이다.

적당히 시간을 때웠다고 생각하고 룸 안으로 슬그머니 들어간 채린은 아무 일이 없었다는 듯 새침을 떨면서 자리에 앉았다. 충직의 웃기지도 않은 노래가 끝나고, 곧 다음 노래 전주가 흘러나왔다. 그리고 화면에 뜬 노래 제목.

"뭐야? 저 노래 누가 선곡했어?"

남자 밖에 없던 노래방에서 여자 노래가 나오자 사람들이 웅성거리기 시작했다. 때마침 성준이 벌떡 일어나 외쳤다.

"아, 그거 신채린 곡입니다!"

"네?"

덩달아 채린도 일으켜지고 말았다. 자신의 팔을 잡아 일으킨 사람은 4년 차 유성준이었다. 노래방 기계에 손댄 적이 없는 채린이 황급히 고개를 저었다. 아무래도 오해가 있는 모양인데…….

"저 아니에요, 선생님!"

"어딜 도망갔다 와?"

채린에게로 고개를 숙인 성준이 가까이에서 소곤거렸다. 1년 차의 얕은 술수는 4년 차에게 쉬이 들통나기 마련이었다. 잔뜩 긴장해서 눈동자만 굴리는 채린과 의기양양한 성준의 모습을 강우는 말없이 지켜보았다. 이럴 줄 알았다.

채린이 돌아온 것을 확인한 성준은 외워 두었던 번호를 누르고 우선예약을 걸었다. 노래방과 거리가 먼 응급의학과 사람들은 우선예약이 되었는지도 모르고 그저 재미없게 박수나 치고 놀았다. 채린의 안색이 하얗게 질렸다.

"저, 정말…… 아니, 저 이 노래 잘 모르는데…….."

억지로 마이크를 건네받은 채린이 울상을 지었으나 긴 전주는 멈출 줄 몰랐다. 유명한 노래인 건 알지만, 후렴 부분이나 아는 생소한 곡이었다. 공주의 외로운 운명을 여러 번 말하는 그 노래.

'어떡해…….'

차라리 아는 노래 아무거나 선곡해서 부를걸! 괜히 꾀를 부리다가 이 꼴이 났다. 채린은 암담하기 그지없었다. 이 난관을 어떻게 헤쳐 나가야 하나 걱정이었다.

그때였다.

"유성준이 착각했나 본데."

노래방 의자 구석에 앉아 있던 사람이 자리에서 일어나며 앞으로 나왔다. 이 목소리! 채린이 번쩍 고개를 들었다. 검은 재킷 차림의 강우가 자신을 내려다보고 있었다. 이 상황이 그녀는 통 이해가 가지 않았다.

"제가 선곡했습니다."

강우의 말이 나온 순간, 여기저기서 맥주 뿜는 소리가 났다. 강우가 채린의 손에서 무선 마이크를 빼앗았다. 그럴 리가? 분명 4년 차 유성준이 꾸민 자리였는데? 채린이 눈을 휘둥그레 뜨고 그를 올려다보았다.

이내 김웅진 교수가 신채린의 마음을 대신해서 말했다.

"뭐? 백강우가 공주 노래를 부른다고?"

"교수님도 저 때문에 노래방 오신 거잖아요?"

강우가 담담하게 말하고 음정 키를 끝까지 낮추었다. 웅진이 흥미로운 듯 한쪽 입가를 끌어 올렸다.

"하긴, 백강우가 음치라고 하긴 했지. 그럼, 이제 개그 공연하는 건가?"

백강우 치프가 음치라는 소식에 모두의 눈이 반짝거렸다.

제 꾀에 넘어간 성준은 눈살을 찌푸리면서 소파에 털썩 앉았다. 이러려고 노래방 기획을 한 게 아닌데!

강우의 옆에 엉거주춤 선 채린이 믿을 수 없다는 눈으로 강우를 응시했다. 그녀의 눈동자가 흔들렸다. 정말 여기서 백강우가 창피를 당하면 어떡하나 걱정이 되는데, 한편으로는 그가 노래하는 모습을 보고 싶기도 했다.

4, 3, 2, 1!

화면에 나오는 숫자에 채린의 심장이 떨렸다. 그런 그녀와는 정반대로 강우는 여전히 덤덤했다.

"거울 속에 보이는, 아름다운 내……."

미간을 좁힌 무서운 표정으로 강우는 화면에 떠 있는 가사를 따라 노래를 불렀다. 첫 소절이 나오자마자 웃음을 참기 위해 남아 있던 후배 전공의들이 고개를 푹 수그렸다. 백강우 치프한테 웃는 자신의 모습을 보였다가는 큰일이었다.

목소리는 출중하고 음정도, 박자도 정확한데 하필이면 노래가 공주병 환자의 노래…….

채린은 양손으로 입가를 가리고 뻣뻣하게 굳었다. 조은수의 말은 거짓말이었다. 평범한 노래 실력이라고? 목소리만으로도 노래의 분위기가 완전히 뒤바뀌었다. 물론 신채린에게만 그런 착각이 들었다.

흔들림 하나 없이 노래하는 강우와 반대로 다른 사람들은 웃음을 참다못해 눈물을 찍어 내고 있었다. 거기서 신채린만 꿈을 꾸는 소녀처럼 백강우를 우러러보고 있다는 게 조금 다른 점이랄까?

"백 치프 미쳤어…… 큽!"

성준이 괴상한 소리를 내면서 테이블에 쓰러졌다. 이는 교수들도 다르지 않았다. 웅진은 물론 남아 있던 스태프들도 웃음을 참지 못했다.

"전 잠시 화장실 좀…… 푸흡!"

늘 진지하고 침착한 백강우가 자신은 예쁘다는 노래를 부르고 있으니 그의 실체를 아는 의국원들은 미칠 노릇이었다. 결국 웃음을 참을 수 없는 3년 차가 탈출을 시도했다. 반면, 웃음을 참을 필요가 없는 김웅진 교수는 큰 소리로 껄껄 웃었으나, 강우의 노랫소리에 웃음소리가 묻혔다.

이 상황에 웃지 않는 사람은 단둘뿐이었다. 하나는 최대한 창피한 감정을 억누르면서 노래하는 백강우였고, 다른 하나는 그의 옆에서 눈을 반짝반짝 빛내고 있는 신채린이었다.

"내 마음을 아프게도 하지만……."

노래를 부르며 힐끔 채린을 곁눈질한 강우는 혼란스러워졌다.

'쟨 왜 저렇게 심각해?'

백강우는 체면이고 뭐고 다 버리고 부끄러운 무대에 나서 주었다. 난처해 하는 채린을 보자 그래야 할 것 같았다. 그동안 그녀를 괴롭힌 벌이라고 생각하면 이까짓 노래는 못 할 것도 없었다. 물론 유성준의 계략에 넘어가 줄 생각은 하나도 없었다.

그뿐만이 아니었다. 그녀에게 노래방 안에 있는 남자들의 시선이 쏠리는 게 싫었다. 조은수의 사촌 동생이라면, 자신의 동생이기도 할 테니까…… 라는 말도 안 되는 생각으로 강우는 자신의 마음을 정당화했다.

그런데 왜 저렇게 뚫어져라 자신을 쳐다보고 있느냐 말이다. 후배들은 웃음을 들키지 않게끔 머리를 테이블에 박고 있고, 동기인 성준은 웃다가 실성한 듯 멍해졌고, 스태프들은 웃다가 흘린 눈물을 닦고 있었다. 이 와중에 신채린만이 좋아하는 가수 콘서트에 온 소녀 팬처럼 눈을 빛냈다.

하긴, 웃지 못할 법도 했다. 툭하면 그녀를 타박하던 치프가 흑기사를 자청해 나서 줬으니 이상하기도 하고 불편할 수도 있었다. 어쩌면 이 일로 혼이 날까 불안에 떨지도 모른다.

'진짜 이상한 애야.'

그러고 보면 신채린은 열아홉 살 때도 이상한 여자애였다. 그녀는 의대에 가겠다는 이유만으로 맞지도 않은 백강우의 가운을 걸치고 공부를 하더니 결국은 자신의 바람대로 의사가 되었다. 그녀는 집안 큰어른의 반대에도 불구하고 원하는 것을 쟁취해 가며 살고 있었다. 벌레 하나 못 죽일 얼굴로 말이다.

"……누가 알아줄까? 혼자라는 외로움을."

백강우는 몰랐다. 지금, 모양 빠지게 트로트를 부르고 있는 백강우의 모습에 머리 이상한 신채린이 홀딱 빠져 버렸다는 것을. 강우의 우스운 노래가 채린에게는 더할 나위 없이 아름다운 세레나데로 들리고 있다는 사실도, 백강우는 전혀 알지 못했다.

"나는 공주라 외로워."

1절이 끝나기 무섭게 반복되는 소절을 부르지 않게끔 강우가 취소 버튼을 눌렀다. 노랫소리가 끊기자 웃음을 참느라 아무 말도 못하는 사람들 때문에 적막해졌다. 그 적막을 깬 사람은 웅진이었다.

"음치는 아니지만 이런 훌륭한…… 공연을…… 준비해 줘서 고맙다, 백강우 치프."

"과찬이십니다."

강우가 고개를 꾸벅 숙이고 마이크를 테이블 위에 내려놓았다. 웅진의 옆에 있던 스태프가 웃음을 겨우 삼키고 물었다.

"백강우! 술 취한 거 아니야?"

"세 잔 마셨습니다."

"이런 면이 있었다니, 의외구만. 다시 봤어."

백강우가 소주 세 잔에 취할 리가 없었다. 강우의 등 뒤로 여러 사람의 시선이 달라붙었다. 거기에는 신채린의 눈길도 있었다.

백강우 치프의 짧은 콘서트가 끝나자마자 신채린에게 위기감이 밀려왔다. 노래 부르는 그의 모습은 멋있고 설레었지만 제목도 그렇고, 아무래도 자신이 불렀어야 하는 노래를 그가 대신해 준 듯해서 걱정이 되었다. 채린이 초조하게 강우의 기색을 살펴보았다. 자존심 높은 사람이 웃음거리가 되었으니 기분이 상하고 화가 났을 것이다. 눈 딱 감고 불러 볼걸, 하다가도 그의 노랫소리가 귓가에서 떠나질 않았다.

'노래 엄청 잘하잖아?'

모양새가 떨어지긴 했으나 백강우의 노래가 천상의 세레나데처럼 들린 건, 신채린이 미쳐서 그럴지도.

성큼성큼 걸음을 옮기던 강우가 따가운 시선을 이기지 못하고 고개를 돌려 우두커니 서 있는 채린에게 툭 내뱉었다.

"뭐해? 안 들어가?"

"네?"

현실적인 걱정도 걱정이지만 아직도 노래의 여운에서 빠져나오지 못한 채린은 한 단 높은 무대에 가만히 서 있었다. 신채린이 멍하니 있다가 또 유성준의 계략에 넘어갈까 봐 강우는 그녀의 팔을 잡아 끌어당겼다. 어떻게 망친 계획인데, 또 걸려들게 만들 수는 없었다. 무대에서 내려온 채린이 정신을 차리고 어깨를 움츠리기 무섭게 강우는 그녀의 팔을 놓아주었다. 단단하게 잡아 준 손과 그 온기가 아쉽다면 이상한 걸까? 채린의 얼굴에 열기가 사르르 퍼졌다.

얼떨결에 자리로 돌아온 채린은 사람들의 눈치를 살피다가 살금살금 강우에게로 향했다. 어쩌면, 백강우는 생각보다 신채린을 싫어하는 게 아닐지도 모른다. 싫어하는 사람을 대신해서 창피를 무릅쓸 사람이 어디 있을까?

채린은 용기를 내서 슬그머니 강우를 불렀다.

"저, 선생님……."

"백 치프, 이리 나와 봐."

그러나 강우를 기다리고 있던 성준이 먼저 강우를 질질 끌고 룸을 나가 버렸다. 의자 뒤에 망연히 선 채린이 입술을 삐죽이다가 출입문에 달린 작은 창문으로 바깥을 엿보았다. 4년 차 전공의 둘이 복도 구석에서 대화를 하고 있었다.

'나가 볼까?'

노래방 안에 있는 사람들 중 그 누구도 신채린에게 관심이 없었다. 채린은 마른침을 삼키고 슬그머니 출입문을 나섰다. 바로 성준의 목소리가 들려왔다.

"머리에 총 맞았냐?"

"말도 안 되는 장난질하지 마. 차라리 먼저 언질을 줘. 1년 차들

노래 불러야 하니까 뭐 부를 거냐고. 모르는 노래라는데 억지로 시키지 말고."

강우의 말은 무척 합리적으로 들렸다. 뭐, 이제 입국식도 끝났겠다, 신채린이 노래를 부를 일은 없겠지만 말이다. 그때, 성준이 피식 웃으며 물었다.

"갑자기 왜 공주님 과보호야?"

'공주님?'

채린이 고개를 갸웃거렸다. 공주님?

'진짜 날 말하는 건가?'

문맥상 공주님은 채린을 뜻했다. 그리고 보면 전에도 성준이 공주님이라는 소리를 한 적이 있었다.

"공주님 쓰러졌다니까 백 기사가 눈이 뒤집혀서 달려오네."

장난처럼 지나가듯 말한 소리인 줄 알았는데 '공주님'이 신채린이라면, '백 기사'는……

'백강우?'

채린이 저도 모르게 주먹을 꼭 쥐었다.

그날, 백강우 치프는 오프였다. 바쁜 응급실 상황을 견디지 못한 성준이 강우를 호출한 줄 알았는데, 그게 아니라 만약 신채린이 쓰러져서 온 거라면?

생각지도 못한 기대로 채린의 가슴이 부풀었다. 그래, 백강우는 신채린을 싫어하는 게 아닐지도 몰라! 왜 그런 거 있지 않나? 은수와 아는 사이인 강우에게 혹여 채린이 어리광을 부릴까 봐 조금 더 엄하게 대하는, 그런 거 말이다.

물론 그동안 신채린이 당해 온 일들은 조금 엄한 수준은 절대 아니었지만, 이미 채린에게 있어서 백강우의 괴롭힘은 '조금 엄한 수준'이 되고 말았다. 채린의 양쪽 뺨이 붉게 물들었다. 하지만 성준의 이어지는 말이 채린에게 차디찬 현실을 끼얹어 주었다.

"태울 때는 언제고."

"그거야……."

그때, 성준이 손을 뻗어 강우의 입을 막아 버렸다. 사내놈의 손이 입술에 닿자 기분이 나빠진 강우가 성준의 팔을 쳐 냈다. 성준이 기둥 뒤에 몸을 숨기고 있는 채린을 발견한 탓이었다.

"뭐 하는……."

"강우 따라 나왔어?"

그러나 성준은 강우의 뒤에 대고 능글맞게 웃으면서 말을 건넸다. 깜짝 놀란 강우가 고개를 돌렸다. 하마터면 조준기 교수의 부탁을 입으로 술술 불어 버릴 뻔했다.

엿듣고 있는 걸 들켜서 난처한 얼굴로 채린은 두 선배를 올려다보았다. 다행히 성준이 먼저 웃으면서 가볍게 말을 걸어 주었다.

"백 치프한테 감사 인사라도 하게?"

"아, 그게……."

감사 인사를 해도 되는 건지 모르겠다. 신채린에게 있어서 백강우와 관련된 일은 모두 어려웠다. 채린이 어쩔 줄 몰라서 눈동자만 이리저리 굴렸다. 웬일인지 성준이 먼저 사과했다.

"아깐 미안했어. 억지로 노래시키려고 해서. 공주님한테 딱인 노래였는데, 몰랐다니 좀 아쉽네."

성준의 계략이 분명해지자 채린이 눈을 휘둥그레 뜨고 강우를 바라보았다.

"그럼…… 치프 선생님이 정말 저 대신 불러 주신 거예요?"

맞는 말인데 어째 채린의 앞에서 긍정하기가 껄끄러워 강우는 미간만 좁혔다. 그동안 탈탈 털려 온 채린은 강우의 인상 쓴 모습만 봐도 괜스레 주눅이 들었다. 성준은 강우가 무슨 소리를 할지 궁금해서 자리를 뜨지 않고 동기의 말을 기다렸다. 그러나 강우는 재미없는 소리나 했다.

"신채린 선생, 늦었으니까 돌아가."

"네?"

"내가 너 보냈다고 말할 테니까 가라고."

이럴 때는 머리를 복잡하게 만드는 채린을 내보내는 게 제일이었다. 강우의 냉정한 목소리에 채린은 꾸벅 고개를 숙였다.

"아, 네. 알겠습니다."

강우에게 원하는 대답을 듣지 못한 채린은 시무룩해져서 도로 노래방 룸 안으로 들어갔다. 지치지도 않는지 구재희가 또 마이크를 쥐고 있었다. 구재희는 아예 교수님들의 아이돌이 되기로 작정한 듯했다.

채린은 수백만 원이 넘는 가방은 대충 들고 아까 강우가 준 꽃다발을 품에 소중히 안은 채 나왔다. 여전히 그 자리에 4년 차 선배 둘이 서 있었지만, 채린의 눈인사에도 강우는 고개만 돌렸고, 성준은 미소를 지어 주었다.

"공주는 외로워어어……."

짐을 챙겨 노래방을 나가는 그녀의 등 뒤에 대고 성준이 흥얼거렸다. 강우는 성준의 노랫소리를 듣지 못한 척 다시 룸 안으로 훌쩍 들어갔다.

눈물에 약해지기

1년 차는 응급의학과에 들어오고 나서 5월 한 달 간 타 진료과에 파견 근무를 나간다. 각자 원하는 과의 임상 공부를 조금 더 심층적으로 하기 위해서였는데, 주로 신경외과나 흉부외과, 외과의 분과인 외상외과, 내과 분과인 심장내과 등 초응급 환자를 다루는 진료과가 대상이었다.

말이 파견이지, 어차피 응급실에서 상주하는 현실은 전과 다르지 않았다. 달라진 점은 타 진료과에서 시간 외 교육을 받는다는 정도였다.

"공주님은 TS(Traumatic surgery, 외상외과)로 갔다며? 힘도 좋지."

"어딜 가나 힘들어."

동기의 암 투병으로 인해 4년 차임에도 백강우와 유성준은 응급실에 거의 매일 붙어 있다시피 했다.

"그래도 왜 TS로 간 거지? 내과로 갈 줄 알았는데."

성준의 쓸데없는 호기심에 강우는 대답하지 않았다. 정확히는 대답할 가치를 느끼지 못했다.

백강우 치프는 1년 차 전공의 신채린이 이상하다고 생각했다. 하긴, 다짜고짜 사촌 오빠의 실험 가운을 탐내던 모습이나, 그의 가운을 매일 입고 공부했다던 신채린은 고등학생 때부터 이상하긴 했다.

며칠 전, 희망 진료과를 선택할 때 개인 면담이 있었다. 보통은 근무의 강도나 관심에 따라 과를 선택했지만, 신채린은 달랐다. 입국식 이후로 신채린은 뭘 착각했는지 백강우에게 전보다 쉽게 주눅들지 않고 심지어 이런 질문까지 했다.

"선생님은 어디 가셨어요?"

"그건 왜 물어?"

"궁금해서요."

채린의 솔직한 대답에 강우는 펜을 탁, 소리가 나게 내려놓았다. 물론 신채린이 그런 소리 따위에 놀랄 리가 없었다.

"TS."

"아!"

원하던 대답이었는지 채린의 안색이 밝아졌다. 워낙 예쁜 얼굴 덕분인지 웃는 모습도 환하고 보기 좋았으나 백강우는 여전히 무표정했다. 그래도 지지 않고 채린이 조잘거렸다.

"은수 오빠도 나중에 TS에 남으려고 지금 GS(일반외과)에 있는 거거든요."

강우는 한 마디도 하지 않고 채린을 응시했다. 어디까지 말하나 두고 보자는 듯, 그의 눈가가 찌푸려졌다.

"선생님은 왜 TS로……."

"이 면담에서 조은수가 GS에 있는 이유나 내가 TS로 간 이유가 필요한 사항이야?"

강우의 냉정한 대꾸에 채린이 입을 다물었다. 다시 그녀의 어깨가 축 처졌다.

강우의 이런 반응을 이해하지 못하는 건 아니었다. 응급실은 정신이 없었고, 그만큼 의국장인 백강우도 바빴다. 바쁜 가운데 면담을 하는데 쓸데없는 소리나 나불대고 있으니 그가 귀찮을 법도 했다. 채린은 혼자 들뜬 자신이 어리석었구나, 반성하고 입에 지퍼를 채웠다.

"오충직은 NS(신경외과)로 갔어."

신경외과는 하도 인원이 부족해서 한 달만이라도 좋으니 전공의를 빌려 달라고 강우에게 부탁을 했었다. 강우는 사정을 설명하면서 가능하면 신경외과에 가 줬으면 좋겠다고 충직에게 말을 했고, 충직 역시 신경외과를 내심 고려 중이었다고 흔쾌히 수락했다.

"CS(흉부외과)로 구재희가 갔고. 이 두 개 빼고 골라."

흉부외과 역시 신경외과와 마찬가지였다. 재희는 의외로 위급한 환자의 생명을 살리는 데 로망이 있었다. 응급의학과에 지원한 이유도 응급 환자를 액티브하게 살려 내기 위해서라고 했다. 그러니 흉부외과로 기꺼이 파견을 나갔다. 1년 차들이 중요한 두 과에 일찌감치 파견 결정을 내려 주어서 강우로서는 고마울 따름이었다.

신경외과나 흉부외과와 다르게 외상외과나 심장내과는 여유가 있는 편이었다. 전문의가 타 진료과보다 적은 외상외과도 큰 수술이 겹치면 바쁘기는 했지만 신경외과와 흉부외과 수준은 아니었다.

채린은 자신을 무표정하게 쳐다보는 강우에게 기어 들어가는 목소리로 대답했다.

"전…… 저는 TS로 가겠습니다."

"알았어. 나가 봐."

다시 펜을 든 강우가 외상외과 옆에 채린의 이름을 흘려 써 넣었다. 자신의 이름을 써 주는 강우의 행동만으로도 채린은 가슴이 울렁거렸다. 그녀가 의국 출입문을 열기 전에 강우 쪽을 돌아보면서 말했다.

"저도 선생님처럼 메이저 트라우마(Major trauma, 중중 외상) 환자를 보고도 침착하고 싶어서요."

"그건 ER(응급실)에 4년 있으면 누구나 그래."

나름대로 백강우에게 점수를 따 보려는 아부의 말이었는데, 역시나 백강우는 호락호락하지 않았다. 고개를 돌린 채린이 입술을 삐죽였다. 마음 같아서는 '선생님, 저 마음에 안 들죠?' 하고 직접적으로 물어보고 싶었으나 긍정의 대답이 나올까 봐, 차마 그런 객기를 부릴 자신이 없었다.

채린이 나가고 나서 강우는 반듯한 이마를 짚었다. 자신을 추켜세우는 그녀의 말 때문인지 귀 끝이 뜨끈했다. 의국에 홀로 있어서 천만다행이었다.

'진짜 이상한 애야.'

응급실에 4년 동안 있으면 온갖 외상 케이스를 만나기 마련이었다. 지금이야 신채린은 1년 차니까 중증 외상 환자를 보고도 당황스럽겠지만, 4년 차쯤 되면 일일이 놀랄 일도 없었다. 연차만 쌓이면 되는 일인데 그걸 꼭 사람 민망하게 말로 하다니.

"어휴……."

그나마 한 달 동안은 얼굴을 좀 덜 마주하겠지. 신채린을 마지막으로 1년 차 전공의 셋의 면담은 끝이 났다.

신채린과의 면담을 떠올렸던 강우는 자신을 팔꿈치로 쿡 찌르는 성준 때문에 정신을 차렸다. 신채린과 단둘이 면담했던 그날은 이렇게 일상생활 도중에 문득문득 떠오르곤 했다.

정신을 놓는 일이 거의 없던 백강우가 멍하니 있는 게 신기해서 성준이 의아하게 물었다.

"무슨 생각을 그렇게 해?"

"치프, 네가 해라."

의국장만 아니었어도 신채린과 면담할 일도 없었다. 그냥 '의국원A' 정도로 돌아가고 싶은 마음에 강우가 진심을 담아 말했으나 성준은 진저리를 쳤다.

"싫어!"

하여튼 이 게을러 빠진 인간.

외상외과 과장과 세부 전문의들에게 둘러싸인 채린은 2월에 응급의학과 의국에서 받았던 그 시선을 그대로 받았다. 희귀 동물을 보는 듯한 시선은 썩 달갑지 않았지만, 1년 차 전공의와 세부 전문의 사이에는 넘을 수 없는 벽이 있었다. 채린은 얌전히 그들의 시선을 견뎠다.

외상외과 과장이 먼저 입을 열었다.

"우린 거의 수술방에만 있어서 신 선생은 GS 치프가 도와줄 건데……."

"네."

어느 정도 예상은 하고 있었다. 외상외과는 일반외과에서 세분된 진료 분과여서 외상외과 세부 전문의는 고작 셋이었다. 바쁜 그들이 채린에게 붙어서 지도해 줄 리가 없었다. 외상외과 과장이라고 해도 밑에 전문의 둘을 거느렸을 뿐이고, 일반외과 병동 구석에 외상외과 의국 등이 자리했다.

"이 병원에 왜 온 거야?"

"네? 아, 그게……."

응급실에서 신채린의 출신은 이제 별로 중요한 게 아니었으나, 다른 진료과에서는 그렇지 않은 모양이었다. 외할아버지는 대형 병원의 이사장, 병원장 및 줄줄이 교수로 재직하는 외삼촌과 사촌들까지, 신채린은 이 병원에 올 필요가 없는 인재였다. 문제는 그 할아버지가 수련을 반대한다는 데 있었지만, 채린은 차마 사실대로 말할 수가 없었다.

"ER(응급실)에 있는 걸 할아버지께서 싫어하셔서요."

"왜? ER만큼 좋은 데가 요즘 어디 있다고."

채린은 허탈한 마음을 숨기고 미소만 지었다. 요즘 떠오르는 진료과가 응급의학과인데도 할아버지는 끝까지 반대를 했었다.

그때 출입문이 벌컥 열리더니 일반외과 전공의가 들어왔다.

"교수님!"

"아차! 그럼 난 수술 스케줄 있어서."

외상외과 과장이 후다닥 자리를 떴다. 어색한 분위기에 세부 전문의 둘이 눈동자를 이리저리 굴리다가 메신저 역할을 끝내고 나가려던 일반외과 전공의를 붙잡았다.

"진 선생, 지금 GS 치프 누구지?"

"김혜영 선생님이요."

"같은 여자면 좀 편하겠네. 혜영이 데리고 와."

새파랗게 어린 1년 차를 맡을 보모가 드디어 선정되었다. 다행히 수술방에 들어가 있지 않은 혜영이 오자, 외상외과 스태프들은 이때다 싶어서 의국에서 도망쳤다.

그럴 만도 했다. 신채린은 평범한 1년 차 전공의가 아니었다. 괜히 혼내기라도 했다가 외과 의사 원로급인 조대식 이사장에게 무슨 짓을 당할지 몰랐다.

외상외과 교수에게 불려 온 혜영이 눈을 크게 뜨고 채린을 바라보았다. 혜영은 채린을 알았지만, 채린은 혜영을 몰랐다.

채린이 꾸벅 인사를 했다.

"안녕하세요. EM 1년 차 신채린입니다."

"어머, 어쩌다가……."

신경외과, 흉부외과, 심장내과를 버리고 딱 외상외과로 왔을까? 혜영은 미래의 사촌 시누이가 될 채린을 신기하게 바라보았다. 한편, 채린은 혜영의 반응을 이해할 수가 없었다.

"네?"

어쩌다가 뭐?

의아한 채린의 눈빛에 혜영이 대충 미소로 얼버무렸다.

"아니에요. 으음, 말 편하게 해도 되죠?"

"네, 그러세요."

"어차피 나중에 또 볼 사인데."

"네?"

그러나 혜영은 대답 대신 의미심장한 미소를 다시금 지었다. 혜영이 따라 나오라는 듯 손짓했다. 아무것도 없는 외상외과 의국에 남아 있을 필요는 없었다. 일반외과 병동 복도를 걸으면서 혜영이 말했다.

"근데 TS로 올 건 없지 않나? ER에서 툭하면 보는 게 트라우마 (Trauma, 외상) 환자잖아?"

"그래도 적합한 처치나 응급 수술 때 TS 쪽 지식이 도움이 된다고 하시더라고요."

……라고 백강우 치프가 말해 주지는 않았지만 채린은 적당히 둘러댔다.

'하여튼 무뚝뚝한 사람이야.'

채린이 속으로 투덜거렸다.

"맞아. 그건 또 그러네. 시스템을 알면 좋지."

혜영을 발견한 후배 전공의들이 꾸벅 고개를 숙이고 낯선 채린에게 흥미로운 눈길을 보냈다. 지나가던 일반외과 전공의들은 채린의 가운에 응급의학과라고 수놓아져 있는 것까지 확인했으나 혜영은 후배들의 호기심을 해소해 주지 않았다.

"보통은 ER에 상주하면서 트라우마 환자를 보는 모양이야. 우리야 신 선생 덕분에 ER 콜 적게 받게 되어서 좋긴 한데, 신 선생은 ER에 있을 때보다 더 바쁘겠네."

"그렇군요."

채린이 진지하게 고개를 끄덕였다. 의욕 만만한 모습이 귀여워서 혜영이 피식 웃었다.

"신 선생, 예뻐서 좋겠다."

"네?"

"누가 작업 안 걸어? 환자든 의사든."

갑자기 사적인 영역으로 대화 주제가 바뀌었다. 난처해진 채린이 우물쭈물 대답을 못 했다. 아무도 감히 신채린에게 대시하는 사람은 없었다. 가끔 젊은 남자 환자들이 '예쁜 의사 선생님도 계시네요?' 하며 들이대기는 했지만, 응급실을 나선 뒤로는 채린을 완전히 잊은 듯 다시 그녀를 찾진 않았다. 두 번 다시 안 보는 게 서로 좋은 일이기도 하고.

채린이 아무 말도 못 하자 혜영이 말을 이었다.

"EM에 여자 들어온 게 작년에 한 번, 올해 한 번이라 거기 완전 남탕이잖아. 거의 OS(정형외과) 수준이던데? 신 선생 수준이면 골라잡아도 되겠다."

"아닙니다. 다들 바쁘시고……."

'수련을 하러 왔지, 연애를 하러 온 게 아니다!'

신채린은 하루에도 몇 번 씩 그 말을 속으로 되뇌었다. 되뇌듯이 다짐하지 않으면 백강우만 생각하게 되니까.

"내가 EM 치프랑 의대 동기거든."

그때, 꼭 채린의 마음을 읽은 것처럼 혜영이 강우를 언급했다. 깜짝 놀란 채린의 눈이 휘둥그렇게 되었다.

"네? 백강우 선생님하고요?"

"그러니까 마음에 드는 남자 있으면 말해 봐. 백강우 선생 통해서 말 넣어 줄게. 아니면, 누구 신 선생한테 관심 보이는 사람 없어?"

안타깝지만 그건 있을 수 없는 일이었다. 어느 순간 동기 두 놈은 신채린을 남자처럼 대하고 있었고, 선배 전공의들도 신채린에게 특별한 마음이 없어 보였다. 그 선배 전공의에 백강우도 포함이었다.

'그래도 날 좀 좋아하는 줄 알았는데……'

입국식 날, 노래방에서 대신 창피를 당해 준 강우의 모습에 잠시나마 채린은 기대를 가졌다. 그러나 백강우는 변함없이 냉정했다. 은근슬쩍 그와의 거리를 좁혀 보고자 살갑게 말을 걸어 보아도 그는 그녀에게 여전히 무관심했다. 단적인 예가 면담 때였다.

채린의 복잡한 마음을 알 리 없는 혜영이 생긋 웃으면서 말했다.

"의사는 의사끼리 만나야 편해. 서로 이해해 주기 쉽거든."

"아닙니다……."

노래방에서 자신을 대신해 노래를 부르는 강우의 모습에 홀딱 빠진 채린은 쓸쓸히 중얼거렸다. 백강우가 아니라면 별로 관심이 가지 않았다. 그런 채린의 대답을 혜영은 다르게 해석했다.

"저런, 동기들이 다 의사 하게 생겼나 보네."

혜영의 말에 채린은 웃지도 울지도 못했다. '의사 하게 생겼다'는 말은 즉 외모가 썩 잘나지 않았다는 소리였다. 그래도 응급의학과 전공의들은 못생기지는 않았다. 2년 차 장민석도 멀끔했고, 4년 차 유성준도 웬만한 여자들이라면 호감이 가게 잘생겼다. 그뿐 아니라 심지어 무척 잘생긴 남자도 있었다. 백강우라든가, 백강우 같은……

'날 안 좋아하는 것 같지만.'

채린은 울적해졌다. 2월에 보았을 때, 강우는 여자 후배인 2년 차 안다정에게는 차갑지 않았다. 점심도 걸렀느냐며 일부러 저녁 식사 자리에 남겨 놓을 정도로 배려심 있는 모습이 왜 신채린에게는 안 보이는지 정말 모르겠다.

채린의 어두운 안색을 그저 사적인 질문 탓으로 여긴 혜영이 다시 화제를 돌렸다.

"트라우마 환자가 ER에 오면 진료 보고, 그걸 바탕으로 일지 정리 꼬박꼬박해서 TS 선생님한테 확인받으면 돼. 아마 정희정 선생님이 교육 담당이실 거야."

"정희정 선생님이요?"

"응, 아까 마지막으로 나가신 분."

희정은 여자 이름이었지만 우락부락한 아저씨였다. 힘 좋게 생긴 외과 의사를 떠올리고 채린이 고개를 끄덕였다. 혜영이 너스 스테이션에 놓아두었던 책을 찾기 위해 몸을 굽히고 책상 아래 책꽂이를 뒤적거리며 말했다.

"지금은 ER에서 콜도 안 오고 하니까 이거 읽고 있어. 조금 있다가 ER 보내 줄게."

"네, 알겠습니다."

몸을 일으킨 혜영이 채린에게 〈외상 환자의 응급 대처법〉이라는 책을 건네주었다. 이 병원 외상외과 과장이 집필한 책이었다. 생각보다 두껍지 않아서 소설책을 보듯 술술 읽을 수 있을 듯했다. 혜영은 채린을 일반외과 의국으로 안내했다.

"잠깐 여기서 신 선생 자리 확인하고."

거의 텅텅 빈다 싶은 응급의학과 의국과 다르게 일반외과 의국은 사람들이 은근 많았다. 물론 일반외과 전공의답게 대부분 피폐한 몰골로 밀린 차트를 정리하거나 프레젠테이션 준비를 하거나, 혹은 달마다 보는 시험공부를 하느라 채린에게 살갑게 말을 거는 사람은 없었다. 오히려 이런 학구열 넘치는 분위기가 좋았다. 아까처럼 난처한 질문을 받으면 곤란하니까.

채린이 예의상 먼저 인사했다.

"EM에서 한 달 동안 파견 나왔습니다."

"네, 선생님은 저쪽 자리 쓰시면 돼요. 공용 자리니까요."

일반외과 3년 차 전공의가 구석 자리를 가리켰다. 하지만 자리에 앉기 무섭게 채린의 콜폰이 울렸다.

어찌 되었든 여기는 가끔 신세를 지게 될 일반외과 의국! 굴러 들어온 돌이 박힌 돌들의 심기를 거스르면 안 된다. 일반외과 전공의들의 눈매가 사나워지기 전에 채린이 후다닥 밖으로 나와 콜을 받았다.

"네, 응급의학과 신채린입니다."

─신 선생한테 콜 하니까 신기하네.

"아…… 유 선생님?"

전화는 성준의 콜이었다.

—ER 와 줘. 좀 빨리.

혜영에게 인사도 하지 못하고 채린은 그 길로 다시 응급의료센터 건물에 가야만 했다. 외상외과 파견 날 보는 첫 환자가 그녀를 기다리고 있었다.

환자는 기괴한 몰골이었다. 전봇대에서 전선 관련 일을 하다가 추락했다고 하는데, 다리부터 떨어져서 허리까지 전부 골절이 와 뒤틀려 있었다. 그 와중에도 환자는 의식이 있어서 무척 고통스러워했다. 그나마 마약성 진통제가 몸으로 흘러 들어가자 환자의 호흡이 조금씩 편해지고 있었다.

다발성 골절 환자는 반드시 응급의학과와 외상외과, 정형외과, 신경외과의 협진이 필요했다.

웅진이 채린에게 말을 붙였다.

"TS랑 협진해야 할 때 나랑도 자주 보게 될 거야. 1년 차 때 이런 대수술에 참여하는 것도 기회고."

"네."

웅진의 말에 채린이 굳어진 얼굴로 대답했다.

김웅진 교수는 외상외과 교수와 호흡이 척척 맞았다. 환자의 활력 징후부터 정상 범위로 돌려놓은 뒤, 교수들은 각자의 전문 지식을 동원해 서로 협진을 시작했다. 외상외과 과장이 이마의 땀을 팔로 닦고 환자의 CT 사진을 살폈다.

"심각한 베슬 인저리(Vessel injuries, 혈관 손상)는 없고, 음……."

높은 곳에서 떨어졌지만 환자는 운이 좋게도 골절된 뼈가 혈관과

장기를 상하게 만들지는 않았다. 하지만 문제는 신경이었다. 환자는 발가락을 움직여 보라는 외상외과 교수의 말을 전혀 따를 수가 없었다.

"봐요, 이건 NS(신경외과)가 먼저 보고 그 다음에 플랜을 짜야 할 거 같은데. 입원이야 OS(정형외과)로 한다지만."

"NS 쪽 지금 다 수술방 들어가 있대서 시간 좀 걸린다고 하거든요."

이게 문제였다. 응급 환자가 들어와도 당장 환자를 수술해 줄 전문의가 없으면 수술은 미뤄지기 마련이었다. 게다가 3차병원이라 더 이상의 전원도 쉽지 않았고, 전원을 한다고 해도 대상 병원 역시 신경외과 전문의는 이곳과 마찬가지로 바쁠 것이다.

"그럼 NS 이야기 듣고 우리 다시 불러요."

티스타(T★, 중증 외상 환자 발생) 환자라서 응급실까지 걸음 한 정형외과 교수가 피곤한 듯 마른세수를 하고 자리를 떴다. 외상외과 교수도 다급히 걸음을 옮겼다. 얼떨결에 남은 채린이 눈만 동그랗게 뜨고 물었다.

"어, 그럼 TS는 빠지는 건가요?"

"아니, 지금 당장 수술 안 들어가니까 그런 거야. 다른 환자 생길지 모르잖아. TS는 NS처럼 인력 부족이니까."

채린이 안타까운 눈빛으로 환자를 흘끔 곁눈질했다. 환자는 갑자기 닥친 사고에 혼란스러워 보였다. 당장 수술해 주지 못해 미안하긴 하지만, 역사가 짧고 기피과인 외상외과의 전문의는 기껏해야 셋이었다.

"일단 바이털 계속 체크하고, NS에서 오면 나한테 연락 줘."

"알겠습니다."

웅진의 지시에 3년 차 전공의가 꾸벅 고개를 숙였다. 그때였다. 커튼이 처진 소생실 쪽에서 소란이 일었다.

"CPR(심폐 소생술) 환자요!"

"여기도 어레스트(Cardiac arrest, 심정지) 났습니다!"

"우리만으론 안 돼. 코드 블루(Code blue, 병원 내 응급 상황)랑 티스타(중증 외상 환자 발생) 띄워."

당황한 목소리 사이로 낮고 침착한 음성이 흘러나왔다. 멀리서 들어도 누구의 목소리인지 채린은 쉽게 알 수 있었다.

―코드 블루. 코드 블루.

너스 스테이션에서 코드 블루 방송을 했다. 자연스럽게 채린의 몸도 소생실 쪽으로 향했다. 나란히 놓인 침대에 30대 후반으로 보이는 남자와 여자가 정신을 잃은 채 누워 있었다. 피투성이인 건 당연했다.

"CPR 해 주고, 아직 TS 선생님 안 가셨지? 안다정, 가서 잡아 와!"

강우의 지시에 다정이 방금 돌아간 외상외과 교수를 붙잡으러 달려 나갔다. 코드 블루 방송에 돌아온 건 채린만이 아니었다. 웅진도 어느새 옆에 자리하고 있었다.

"어떻게 된 거야?"

"TA(교통사고) 환자입니다. 차가 옆으로 와서 박았다고 하는데 다른 차량 운전자는 현장에서 즉사, 아이 아빠는 중상이고 뒷좌석에 앉아 있던 엄마가 아이를 감싸서 심각한 상태입니다."

강우의 설명을 듣자마자 채린의 눈앞이 아찔해졌다. 머릿속에서 오래전에 들었던 아빠의 마지막 목소리가 울려 퍼졌다.

"채린아, 여기 있어. 엄마 데려올게."

바쁘게 오가는 의료진들 사이에서 채린 혼자 멍하니 서 있었다. 공간이 유리된 듯 아무것도 보이지도, 들리지도 않는 느낌이었다.

환자 둘이 모두 심정지인 상황. 의료진들은 환자의 흉부를 세게 압박하고 산소를 불어 넣어 주면서, 심전도 모니터를 확인하기 바빴다. 그나마 워낙 많은 인원이 붙어 있어서 신채린이 멍청하게 서 있든 말든 눈치를 채는 사람은 없었다.

"애기는?"

"바이털 안정되어서 이제 응급 수술 들어갑니다."

"수술방 확보됐어?"

"네, 마취과 선생님 내려오셨습니다."

웅진의 질문에 강우는 침착하게 상황을 압축해서 설명했다. 곧 아이를 태운 침대가 수술실로 다급히 향했다. 응급 수술의 집도는 소아과에서 내려온 소아외상 세부 전문의가 할 예정이었다. 눈치만으로도 상황을 파악한 다음, 웅진이 다정에게 물었다.

"애기 아빠 돌아왔어?"

"아직요, 근데 아이 엄마가 더 위험해서……."

2분 동안 아이 엄마에게 흉부 압박을 하고 내려온 다정이 땀을 닦으며 대답했다. 아이를 감싸느라 훨씬 더 많은 충격을 입었을 아이 엄마는 더욱 절망적인 상황이었다. 이대로 계속 심정지 상황이 이어진다면 목숨을 잃을 가능성이 높았다. 채린이 저도 모르게 입가를 가리고 비틀거렸다. 그제야 다정이 하얗게 질린 채린을 발견했다.

"신 선생? 왜 그래? 정신 차려."

다정은 그 말만 남기고 심폐 소생술을 하러 아이 아빠에게로 돌아갔다.

이미 한차례 강심제까지 사용하는 심폐 소생술 사이클이 지나갔으나 아이 엄마는 돌아오지 못했다. 흉부 압박을 해 달라는 간호사의 말에, 아직 지치지 않은 의료진이 채린을 치고 아이 엄마에게 달려갔다. 채린이 또 비틀거리자 그제야 커튼 너머로 그녀를 본 강우가 미간을 찌푸렸다.

"너 왜 그러고 서 있어? 미쳤어?"

"죄, 죄송합니다."

"지금 CPR 치는데 도대체 뭐 하고 있어?"

"죄송합니다."

채린의 정신이 번쩍 들었다. 환자가 사선을 넘나들고 있는데 오래된 기억에 빠져서 손을 놀리고 있었다.

"펄스(맥박) 잡혔어요. 도파(dopamin, 도파민·혈압상승제) 넣어주세요!"

2년 차 안다정이 밝은 목소리로 부탁했다. 숙련된 간호사가 바로 주사를 넣었다. 아이 아빠 쪽 심전도 모니터에 안정적인 리듬이 돌아왔다. 환자를 둘러싼 의료진들이 한숨을 겨우 내쉴 무렵, 옆 침대에서는 여전히 시끄러운 기계음이 들렸다. 환자가 죽음에 가까워지고 있다는 불안한 소리였다.

"에피(에피네프린·강심제) 계속 슈팅이요."

강우의 무거운 목소리만으로도 커튼 뒤 상황을 알 것 같았다. 사고 순간, 아이를 감싸고 모든 충격을 받아 낸 엄마는 삶보다는 죽음에 가까운 환자였다. 일상적인 심정지 환자인데 채린은 차마 환자를 정면으로 볼 용기가 생기지 않았다. 채린의 손이 덜덜 떨렸다.

예상보다 빨리 신경외과 교수가 연락을 받고 응급실로 내려왔고, 전봇대에서 추락한 환자의 응급 수술이 결정되었다. 성준이 사실을 알리기 위해 채린을 찾았다.

"신 선생, 아까 추락 환자 수술 잡혔으니까……."

"아, 네."

그러나 성준은 채린의 표정을 보자마자 웬일로 눈살을 찌푸렸다. 얼굴을 구기는 일이 별로 없던 성준답지 않았다. 그가 고개를 살짝 젓고 전하려던 말을 바꾸었다.

"아니다. 신 선생 그 꼴로 수술방 들어가면 TS 선생님한테 욕만 얻어먹고 나와."

자신의 꼴이 어떤지 채린은 객관적으로 판단할 수가 없었다.

"네? 하, 하지만……."

"아직 코드 블루 상태야. 백강우한테 가 봐."

그제야 채린은 참고 있던 눈물을 떨어뜨렸다. 차라리 수술방에 들어가고 싶었다. 엄마와 같은 사고를 당한 환자를 볼 자신이 없었다. 용기가 나지 않았다. 그러나 성준은 평소와 다르게 엄한 표정을 지었다.

"여자의 눈물을 닦아 주는 게 남자가 할 일이긴 한데, ER에는 남녀가 없으니까 알아서 처리해."

"죄송합니다."

"그 소리 별로 듣고 싶지 않아. 공주님이면 공주님답게 도도한 맛이 있어야지."

성준은 채린의 어깨를 쳐 주고 돌아섰다. 어차피 파견 첫날 1년 차가 할 일은 응급 수술 구경뿐이었다. 그보다는 코드 블루 상황에 동원되는 편이 훨씬 도움이 되었다. 응급의학과 교수인 웅진도 채린의 선택을 칭찬할 것이다.

한편, 채린은 성준이 남긴 말을 곱씹었다. 공주답게 도도한 맛이라고?

'공주?'

왕과 왕비가 없는데 공주는 무슨. 눈물을 거칠게 닦아 낸 채린이 조소했다.

"채린아, 여기 있어. 엄마 데려올게."

그게 아빠의 마지막 말이었다. 그리고 눈앞에서 아빠는……

멀리서부터 들려오던 듣기 싫은 브레이크 소리는 마침내 전복된 차와 충돌하는 소리로 바뀌었다. 엄마를 데리고 나오려 전복된 차로 돌아간 아빠는 비명도 지르지 못하고 차에 치여 즉사했다. 그걸 두 눈으로 똑똑히 보았다. 아빠의 몸이 공중으로 붕 뜨는 그 순간까지.

채린은 두 눈을 꾹 감았다 떴다. 하지만 엄마와 아빠는 이미 죽은 사람이었다. 지금은 눈앞의 사람을 살려야 했다.

"컴프레션(흉부 압박) 제가 하겠습니다."

"너……."

갑자기 나서는 채린에게 한소리 하려던 강우는 그녀의 붉어진 눈가를 보고 말을 삼켰다. 심상찮은 일이 있다는 걸 눈치챈 덕분이었다. 대신 강우는 옆에 붙어 있던 찬형에게 말했다.

"김찬형, 시간 재."

"네!"

찬형이 힘차게 대답했다. 피투성이가 된 아이 엄마의 몸 위로 올라간 채린은 돌아올 듯 돌아오지 않는 아이 엄마의 심장을 압박했다. 벌써 수십 번도 더 압박이 들어간 갈비뼈에서 골절로 인한 진동이 손바닥을 타고 전해졌다.

'제발 돌아와.'

머릿속에는 그 생각뿐이었다.

'제발…….'

이제는 얼굴도 희미한 엄마가 환자와 겹쳐졌다. 그때도 이렇게 살릴 수 있었더라면 얼마나 좋았을까? 그때, 엄마의 상태가 어땠는지 채린은 기억하지 못했다. 기억은 아빠가 자신을 바깥으로 끌어내서 갓길로 데려다 놓았을 때부터였다.

차라리 그때 엄마랑 같이 죽었더라면 좋았을지도 모르겠다. 아픔은 잠시였을 테니까. 부모님과 함께 떠나 버리는 게 어린 자신에게는 더 좋은 선택지였을지도 모른다.

홀로 살아남은 자의 괴로움과 상실감은 아무도 이해하지 못했다.

가족들은 모두 채린이라도 살아남아 다행이라고 울부짖었지만, 채린은 한동안 그렇게 생각하지 않았다.

매일 밤 엄마를 찾아 우는 손녀를 품에 안고 외할머니는 자식 잃은 부모의 서러운 눈물을 훔쳤다. 그럴 때마다 채린은 아빠가 그때 자신 대신 엄마를 데리고 나왔으면 어땠을까 상상했었다. 그러면 외할머니가 조금은 덜 슬펐을지도.

이 환자의 심장이 돌아오지 않으면, 아마 응급 수술에 들어간 그 아이도 엄마의 목숨과 바꾸어 살아났다는 멍에를 평생 짊어지고 살 것이다. 그러니까 살아 줬으면 좋겠다. 아니, 살아야만 했다.

하지만 환자의 심장은 돌아오지 않았다. 환자의 심장 대신 채린의 손이 펌프질을 대신해 주고 있었으나, 변함없는 무수축 리듬이 야속했다. 환자의 심장이 멎었다는 듣기 싫은 고음까지 채린의 신경을 긁었다.

"2분 지났⋯⋯."

채린의 흉부 압박 종료를 위해 찬형이 입을 열기 무섭게 채린이 버럭 소리를 질렀다.

"제발 돌아와! 자기 자식, 엄마 없는 애로 만들 거야?"

"신채린 왜 이래? 애 끌어내!"

발작과도 같은 채린의 외침에 강우가 그녀의 어깨를 잡아 밀쳤다. 단숨에 침대에서 바닥으로 떨어진 채린을 다정이 잡아 주었다. 하얗게 바랜 얼굴로 채린이 숨을 몰아쉬었다. 채린의 등 뒤에서 강우는 암부백을 누르며 강심제를 다시 주사하라 일렀고, 찬형이 채린 대신 흉부 압박을 맡았다.

"신 선생, 무슨 일이 있었는진 모르겠지만……."

다정이 피곤한 시선으로 채린을 쳐다보았다. 귀찮음이 가득 서려 있었다.

"일단 의국에 들어가 있어."

순간, 채린은 자신이 무례한 잘못을 저질렀음을 깨달았다. 그러나 너무 늦은 깨달음이었다. 다정의 말대로 채린이 터덜터덜 걸어 의국으로 향했다. 답지 않게 소리를 지른 채린의 등 뒤로 사람들의 시선이 따갑게 박혔다.

채린은 양손으로 얼굴을 가리고 의국 테이블 앞에 앉아 있었다.

세상이 무너진 아홉 살의 여름. 아직도 생생하게 기억나는 아빠의 기다리라는 목소리, 타이어가 갈리는 브레이크 소리와 결국 충돌하는 끔찍한 소리. 고무가 타는 냄새 사이로 아빠의 몸은 허공에 붕 떴다가 바닥에 처박혔다.

그 모든 상황을 어린 채린은 침착하게 설명했다. 어린아이의 증언이지만 일관성 있는 말에 경찰들은 채린의 증언을 받아들였다. 당시에는 블랙박스를 달아 둔 차가 많지 않았으나 아빠의 차에는 블랙박스가 달려 있었고 채린의 진술은 전부 진실로 판명이 났다.

그 뒤로 할아버지는 어린 손녀에게 정신과 치료를 받게 했다. 그러나 정신과 치료가 얼마나 도움이 되었는지 채린은 알 수 없었다. 아직도 응급 상황에 소리를 지르고 있는 걸 보면 완전히 낫지는 않은 모양이었다.

채린은 자조했다. 작년 인턴 때도 비슷한 일이 있었다. 그때는 응급의료센터장이 채린의 사정을 아는 준기였기 때문에 크게 혼날 일은 없었다. 오히려 그 보고가 할아버지에게 올라가서 걱정만 실컷 받았다.

어쩌면 할아버지가 자신을 응급실에 두기 싫은 이유가 이것 때문일지도 모르겠다. 그렇다면 신채린은 정말로 응급의학과 전공의의 자격이 없는 셈이었다. 응급 상황에 누구보다도 침착해야 하는 응급의학과 의사가 이성을 잃고 날뛰었으니 말이다.

과연 오늘은 무슨 소리를 들을까? 할아버지의 손이 닿지 않는 이 병원에서 신채린의 편을 들어 줄 사람은 아무도 없었다. 거기다 신채린이 실수하기만을 기다리는 백강우가 그 상황을 똑바로 목격했다. 그는 환자에게 도움이 되지 않을 의사는 쓸모가 없다는 듯 일말의 망설임도 없이 그녀를 베드 위에서 밀어 버렸다. 꼭 쓰레기를 치우는 느낌이었다.

'쓰레기⋯⋯.'

가슴이 욱신 쓰라렸다. 눈물이 또 나와서 채린은 미칠 것 같았다. 하필이면 이때 의국 출입문 열리는 소리가 났다. 가까워지는 발걸음 소리만으로도 상대가 누군지 알 것 같았다. 바쁜 마음에 총총 걷는 다른 의국원들에 비해 의국장인 백강우는 진득하게 걸었다. 어느 상황에도 침착하겠다는 양.

진득한 발걸음 소리가 멎자마자 채린이 입을 열었다. 울음 때문에 반쯤 쉰 목소리가 흘러나왔다.

"죄송합니다."

"듣기 싫어."

백강우는 신채린의 사과도 받지 않았다. 채린의 어깨가 축 처졌다. 그의 목소리는 싸늘하다 못해 온몸이 얼어붙어도 이상하지 않을 만큼 차가웠다. 백강우 치프가 드디어 신채린의 약점을 잡았다. 그동안 그는 그녀가 잘못하기만을 호시탐탐 기다리고 있었다. 최선을 다해서 실수하지 않으려고 애를 써 왔는데, 그 노력이 단숨에 물거품이 되었다.

"그따위로 할 거면 의사 그만둬."

예상대로 백강우는 신채린에게 그만두라는 말부터 했다. 그는 늘 그랬던 것 같다. 신채린을 응급실에서 치워 버리고 싶은 것처럼 그는 수련을 포기하게 만들려고 애를 쓰는 사람 같았다. 하지만 이번에 채린은 아무 말도 하지 못했다. 할 말이 없었다.

"수술방도 들어가지 않을 거면서 TS에는 왜 갔어?"

성준에게 이야기를 전해 들은 강우가 채린의 다른 잘못을 지적했다. 물론 집도의도 아닌 채린이 코드 블루 상황에 심정지 환자를 우선시하는 건 당연한 일이었다. 문제는 그 환자 앞에서 의사라는 사람이 난동을 피운 데 있었다.

채린은 여전히 얼굴을 가린 채 고개만 수그리고 있었다. 그녀의 앞에 선 강우는 속이 답답해졌다. 말 잘하던 신채린이 꿀 먹은 벙어리처럼 아무 대꾸도 못 하고 있었다.

"어레스트(심정지) 환자 앞에서 무슨 지랄이야?"

지금은 무슨 말을 해도 변명일 뿐이었다. 죽은 부모 생각이 나서, 누워 있는 환자와 엄마의 모습이 겹쳐져서 화가 났다고 말했다가는 정신을 똑바로 안 차리고 있었다고 따귀를 맞을지도 몰랐다.

"생각이 있는 거야, 없는 거야?"

채린의 어깨가 움찔 떨렸다. 강우의 지적은 하나도 틀리지 않았다. 신채린은 생각이 없는 게 분명했다. 생각이 있었으면 환자 앞에서 이성을 놓을 리가 없었다. 묵묵히 입을 다물고 버티고 있는 채린을 한참 내려다보다가 강우가 무거운 목소리로 말했다.

"손 안 내려?"

강우의 그 말에는 사적인 감정도 없진 않았다. 채린이 계속 얼굴을 가리고 있으니까 오기가 났다. 도대체 뭘 잘했다고 얼굴을 가리고 있는 건지, 강우는 이 상황이 황당하고 그녀가 괘씸했다. 자신의 말 한마디면 그녀가 마법처럼 손을 내릴 것도 알아서, 그는 그녀의 뻔뻔한 낯짝을 보기 위해 손을 내리라고 지시했다.

그걸 3초 만에 후회하게 될 줄은 몰랐지만 말이다.

눈물로 범벅이 된 채린은 고개도 들지 못했다. 차마 강우의 차가운 눈을 바라볼 엄두가 나지 않았다. 그가 자신을 경멸하듯 쳐다볼 것만 같았다. 채린은 쓰레기를 치우듯 자신을 침대 밖으로 밀어내던 강우의 단호한 손길이 잊히질 않았다.

또한 그에게 우는 모습을 보이고 싶지도 않았다. 분명 추할 것이다. 못난 모습을 보여 주고 싶지 않아 얼굴을 가렸던 건데…… 손을 내리라는 그의 말에 그녀의 양손은 무릎 위에서 움직일 줄 몰랐다.

강우가 아무 말도 하지 않자 의국 내에는 정적만 흘렀다. 사실, 지금 백강우는 무척 당황스러웠다. 전공의가 우는 모습을 한두 번보는 것도 아니었지만, 여자 전공의가 우는 모습은 처음이었다. 독하기로 소문난 2년 차 안다정은 무슨 일이 있어도 타인 앞에서 울지 않았고, 오히려 남자 전공의들이 질질 짜곤 했다.

그러니까 지금, 백강우는 여자의 눈물을 거의 처음 마주한 셈이었다. 그것도 신채린의 눈물을.

입이 떨어지지 않아 강우는 어쩔 줄 몰랐다. 심지어 그는 자신의 언행을 되짚어 보기도 했다. 얼마나 지독한 말을 했나 되짚어 보았지만, 신채린을 괴롭히지 않겠다고 생각한 뒤로 그는 그녀에게 험한 말은 삼가고 있었다.

'왜 울어? 왜? 네가 뭘 잘했다고 울어?'

강우는 차마 입으로 나오지 못한 비명 같은 말을 속으로 터뜨렸다. 백강우가 당황하는 것도 모르고 채린은 무거운 정적을 참다못해 마른 입술을 떼었다.

"정말…… 죄송합니다. 돌아가신 엄마가 생각이 나서……."

채린의 물기 어린 목소리에 강우의 기세가 누그러졌다. 이상한 일이었다. 다른 후배들이 눈물, 콧물을 흘리며 울 때는 더 화가 났었다. 잘한 게 없는데 어디서 질질 짜고 있느냐고 더 호통을 치던 게 백강우인데…….

"다신 이런 일 없도록 하겠습니다. 정말 죄송합니다."

그나마 채린의 목소리에서 떨림이 잦아 들자 강우의 당황도 점차 자취를 감추었다. 그는 짐짓 태연한 척 축객령을 내렸다.

"나가 봐. 네 변명 듣기 싫으니까."

일단 강우는 신채린을 내쫓아야 마음에 평화가 올 것 같았다. 채린은 고개를 숙인 채로 자리에서 일어났다. 그녀의 뒷모습을 복잡한 시선으로 보던 강우가 한숨을 삼켰다. 그가 마음을 쓸어내릴 찰나, 출입문 손잡이를 잡은 채린이 젖은 목소리로 조심스럽게 그를 불렀다.

"선생님."

강우는 아무 대답도 하지 않았다. 그러나 채린은 등 뒤로 와닿는 그의 시선만으로도 충분했다. 그녀가 말을 이었다.

"아이 엄마는…… 살았나요?"

"살았어."

심장이 10분 이상 멎었던 환자를 백강우가 끝까지 붙어서 살려 냈다. 활력 징후가 돌아오기를 기다렸다가 아이 엄마와 아빠는 모두 응급 수술에 들어가게 되었다. 응급 수술도 고비였다. 두 환자는 거기서도 살아남아야만 했다. 채린 역시 그 사실을 알았지만, 그래도 강우가 포기하지 않고 환자를 살려 냈다는 사실이 감격스러웠다.

"감사합니다."

"너한테 감사 인사받을 생각 없어. 나가라는 말 안 들려?"

한층 밝아진 목소리로 채린이 인사를 했지만 강우는 여전히 싸늘했다. 그녀는 조용히 의국 문을 열고 나갔다. 문이 닫히자마자 그가 한숨을 푹 내쉬었다.

'미치겠네.'

협심증이라도 온 양 가슴이 콱콱 조여들어서 강우는 미칠 노릇이었다. 그는 마른세수를 하고 어떻게든 정신을 차리려고 노력했다. 계속 가슴이 아프면 협심증 증상 완화제인 니트로글리세린이라도 입속에 넣어야겠다고 말도 안 되는 생각을 하면서.

심장이 건강한 백강우가 니트로글리세린을 처방받을 일은 일어나지 않았다. 집으로 돌아가는 길, 강우는 오늘 오후 내내 마음속에 묻어 두었던 의문을 해소하고자 휴대폰을 들었다. 그는 의대 동기인 조은수의 번호로 전화를 걸었다.

"물어볼 거 있어."

─하필 당직 날 전화를 하냐? 뭔데?

피곤해하는 은수의 목소리 따위는 신경 쓰지 않고, 강우가 바로 물었다.

"신채린 부모님 어떻게 돌아가셨어?"

─아…….

으리으리한 저택에 갔을 적, 그러니까 채린을 처음 만난 그 날 강우는 학교로 돌아가는 길에 은수에게서 간단히 이야기만 들었었다. 채린의 부모가 젊은 나이에 일찍 세상을 떠났다는 이야기는 바쁜 일상 속에서 잊혔다가 오늘, 수면 위로 떠올랐다.

은수가 잠시 침묵하다가 서서히 이야기를 풀어놓기 시작했다.

─TA(교통사고)였어. 고속 도로인지 국도인지 하여튼 거기서 차가 전복이 되었는데, 고모가 신채린이 받을 충격 다 흡수해서 걔는 멀쩡했다고 들었어. 좀 덜 다친 고모부가 채린이 먼저 갓길로 보내고, 고모를 구하러 차로 갔는데…….

가족에게 충격을 주었던 사고를 말하기가 힘들어서일까? 은수가 한숨을 푹 내쉬었다. 강우는 재촉하지 않고 길을 따라 걸으면서 은수의 말을 기다렸다. 부모가 전부 세상을 떠났다고 했으니 앞으로 나올 이야기도 비극일 뿐이었다.

―뒤에 오던 차가 사고 현장을 못 보고 그대로 받아 버렸어. 고모랑 고모부는 현장 즉사였고. 채린이가 그걸 다 지켜봤다고 하더라.

"뭐?"

전혀 상상하지 못한 이야기에 강우는 깜짝 놀랐다. 아무리 비극적이라고 해도 어린아이가 부모의 죽음을 두 눈으로 지켜봤을 줄은 몰랐다. 강우의 등골에 식은땀이 흘렀다. 응급실에서 채린이 뭐라고 소리를 쳤더라?

"제발 돌아와! 자기 자식, 엄마 없는 애로 만들 거야?"

백강우의 명석한 두뇌는 신채린의 말을 토씨 하나 틀리지 않고 기억했다. 그 누구보다도 채린은 응급 수술에 들어간 아이의 기분을 잘 이해할 것이다. 절규에 가까운 외침은 신채린이 죽은 자신의 부모에게 하는 소리이기도 했다. 강우는 눈물범벅이 된 채린의 얼굴을 떠올렸다.

"그랬던 거군."

―왜? 설마 젊은 부모가 TA 환자로 왔었어?

응급실 상황을 지켜보기라도 한 양, 은수가 정확히 짚었다.

"그래."

―……아직도 그러는구나. 그래서 ER(응급실) 가지 말라고 한 건데.

길을 걷던 강우가 걸음을 멈추고 눈을 질끈 감았다. 갑자기 숨이 목에서 턱 막혀서 눈앞이 아찔해진 탓이었다. 이성적으로 백강우의 행동은 틀리지 않았다. 어느 의사가 숨이 넘어가기 직전인 환자에게 소리를 지른단 말인가? 그런 정신 나간 의사는 자격을 박탈해도 된다. 아마 같은 상황이 지금 또 닥쳐도 강우는 채린을 밀어낼 것이다.

하지만 둘만 있던 의국에서는 그녀를 조금이라도 더 따뜻하게 위로했을 수도 있었다. 호통만 치지 말고 냉수라도 건네주면서 앞으로는 그런 행동하지 말라고 부드럽게 타이를 수도 있었는데…….

강우의 침묵이 무슨 뜻인지 아는 은수가 애써 밝은 목소리를 냈다.

─그걸로 많이 태웠나 보네?

"그런 사정이 있는 줄은 몰랐어."

─아니야, 널 탓하려는 게 아니라…….

"이제 그만하려고."

강우는 은수의 말을 도중에 잘랐다. 은수가 불안한 듯이 물었다.

─뭘?

"억지로 태우는 거 그만한다고 말씀드려."

백강우는 이미 전부터 신채린을 더 이상 괴롭히지 않기로 결심했었다. 오늘 같은 일이 아니고서야 그녀를 타박하기란 거의 불가능했다. 채린은 그만큼 일을 잘했고 유능했다. 모두가 그녀를 칭찬했고, 그 역시 그녀를 내심 흡족하게 여겼다.

지금 와서 생각해 보면, 조준기 교수의 부탁은 정말 말도 안 되는 것이었다. 자기들도 이기지 못한 신채린을 어떻게 백강우보고 감당하라고 한 건지.

─앗! 야, 잠깐만! 들어 봐. 또 TA 환자 보고 그러면 어떡해? 빨리 ER에서 내쫓아야지…….

"난 못 해. 이제 안 해."

채린의 울먹이는 목소리와 눈물로 범벅된 얼굴만 떠올리면 강우의 마음은 무거워졌다. 잘해 주지는 못해도 괴롭히고 싶지는 않았다.

─아니, 그러니까…… 아이고!

그런데 신채린의 사촌 오빠라는 놈은 제 안위만 생각하며 앓는 소리를 냈다.

─일단은 내가 아버지한테 말씀은 드릴게. 아이고, 나 엄청 깨지겠네.

"끊어."

조은수가 깨지든 말든, 백강우가 알 바는 아니었다. 강우는 은수의 만류에도 불구하고 전화를 뚝 끊었다. 마음은 여전히 갈피를 잡지 못할 만큼 흔들리고 있었다.

강우는 뒤를 돌아보았다. 멀리 병원 건물이 보였다. 365일 24시간 돌아가는 병원은 불이 환하게 켜져 있었다. 오늘은 신채린도 당직이었다.

다시 한 번 채린을 떠올리자 마음에 짙은 죄책감이 느껴졌다. 심장이 자꾸 조여들었다. 이 나이에 협심증일 리는 없건만…… 니트로글리세린을 처방받아야 하는 건 아닐까?

＊   ＊   ＊

응급실에서 소리를 지른 이후, 외과로 파견 나간 채린은 특별한 일이 없는 이상 강우와 마주치지는 않았다. 물론 응급실에 상주하다시피 해서 오며 가며 보기는 했지만 그저 소가 닭을 보듯 지나칠 뿐이었다. 그는 그녀에게 눈길도 주지 않았다. 눈이 마주쳐도 불쾌한 듯 그는 고개를 돌려 버렸다. 백강우의 마음속에서 신채린은 정말 인간쓰레기 그 이상이 될 수 없는 걸지도 몰랐다.

이쯤 되면 차라리 일반외과가 편했다. 보고서 작성과 제출을 위해 채린은 일반외과 병동에 있었다. 그때, 혜영이 와서 밝게 말했다.

"신 선생, 정희정 선생님이 이틀마다 보고서 내래."

"갑자기 왜요?"

"보고서 잘 써서 매일 받아 봤자 지적할 것도 없다고."

생각지 못한 칭찬에 채린의 뺨이 붉어졌다. 혜영이 채린을 기특하게 바라보았다.

"진짜 EM에 있는 것만 아니면 빼 오고 싶다, GS(일반외과)로."

진심이 담긴 혜영의 말에 채린이 수줍게 웃었다. 혜영은 말을 전해 주고 자리를 떴다. 홀로 남은 채린이 한숨을 내쉬었다. 어딜 가나 자신은 인정을 받았다. 열심히 노력하기도 했고 눈썰미도 좋은 데다가 학습 능력까지 훌륭했다. 신채린은 이렇게 유능한데 왜 백강우 앞에만 서면 그토록 작아지는지 모를 노릇이었다.

일지를 막 마무리하려는데 응급실에서 또 콜이 왔다. 외과 전공의들은 돌아가면서 응급실에 상주하다시피 하는데, 5월 한 달간은 응급의학과 전공의인 채린이 거의 전담하다시피 했다. 그러다 가끔 일반외과 치프에게서 연락이 오거나 일지를 쓸 때에는 외과 병동 건물로 돌아가야만 했다. 그리고 그렇게 멀리 떨어져 있을 때 어김없이 응급실에서 연락이 온다.

"네?"

—신 선생, 자살 기도자야. 4층에서 뛰어내렸대. ER(응급실)로 와.

"네, 알겠습니다."

2년 차 전공의인 장민석의 콜이었다. 채린은 모든 것을 제쳐 두고 응급실로 달려갔다.

이미 응급실에는 연락을 받고 혜영도 내려와 있었다. 외상외과 전문의들이 전부 자리를 비운 탓에 그나마 경험이 풍부한 일반외과 4년 차 전공의가 응급실로 내려와야만 했다. 채린이 혜영을 의아하게 쳐다볼 무렵, 민석이 투덜거렸다.

"또 BP(Blood pressure, 혈압) 떨어지네."

민석은 환자에게 소량의 혈압 상승제를 투여했다. 4층에서 추락한 여자는 겉보기에는 그저 잠들어 있는 것만 같았다. 목에 넥 칼라(목 보호대)를 끼고는 있었지만 이마나 뺨에 살짝 긁힌 찰과상을 제외하면 팔다리가 뒤틀린 곳도 없고, 눈으로 출혈이 보이지도 않아서였다.

"4층에서 추락인데 생각보다 깨끗하네요."

"그런 것 같지? 근데 다 골절일걸. 어디 블리딩(Bleeding, 출혈) 있을지도 모르고……."

혜영이 무심하게 말했다. 갑자기 혈압이 떨어진 것도 썩 좋은 상황으로 볼 수는 없었다. 동공 반사도 없는 게 뇌간에 손상이 있는 듯했다. 느낌이 좋지 않았다.

"지금 TS 교수님들 다 수술 들어가서서 큰일이네. 머리 CT는 찍었죠?"

"아직이요. 이제 겨우 바이털 안정된 거라서요. 급하다고 CT방에 자리 달라 말했으니까 곧 연락 올 겁니다. NS(신경외과)에도 콜 했는데 아직 안 오시네요."

"거기야 뭐…… 바쁘니까요."

혜영이 민석의 말에 동의하자 민석은 간단한 설명을 마치고 다른 환자를 보러 떠났다. 채린과 둘이 남은 혜영이 민석에게는 드러내지 않던 나약한 말을 했다.

"뭘 해 줄 수가 없네. 이럴 땐 내가 너무 작게 느껴져."

채린을 바라보면서 혜영이 힘없이 웃었다. 환자가 거의 죽어 가다시피 하는데 의사로서 해 줄 수 있는 일이 거의 없었다. 육안으로 보기에 환자는 무척 양호해 보였으니, 진단에 필수적인 CT와 엑스레이 촬영이 우선되어야 했다.

"콜 받고 왔습니다…… 어?"

신경외과 전공의가 막 도착했을 때였다. 갑자기 환자의 혈압과 체온이 뚝뚝 떨어지더니 이상을 느낀 기계가 삑삑 고음을 울렸다. 혈압과 함께 맥박도 낮아지고, 어느 순간 심전도 모니터가 일자 선을 그렸다. 신경외과 전공의가 모니터를 가리키며 소리쳤다.

"선생님, 어레스트(심정지) 났습니다!"

이미 기본적으로 기관내 삽관이나 소변 줄, 정맥 라인 확보 등이 되어 있는 상태였다. 지금 필요한 건 심폐 소생술뿐이었다.

"왜 갑자기……?"

채린이 환자의 몸 위로 올라가서 흉부를 압박하기 시작했다. 혜영의 말대로 갈비뼈가 부러져 있었다. 위치상으로는 폐를 찌를 것 같지 않아 채린은 이내 안심했다. 온몸의 체중을 양팔에 실어 환자의 가슴을 세게 누르면서 그녀가 고개를 돌려 간호사에게 말했다.

"에피(에피네프린 · 강심제) 좀 갖고 와 주세요. 아직 넣지는 말고. 도파(도파민 · 혈압상승제)도 같이요."

간호사가 후다닥 뛰어가서 채린이 말한 주사약을 가지고 돌아왔다. 일단 심장의 전기 신호를 만들기 위해 채린은 에피네프린을 환자에게 주사했다. 젊은 여자라 그런지 환자의 심장은 금세 다시 뛰었다.

"돌아왔다."

채린이 안도의 한숨을 내쉬었다. 이럴 때, 뭐라 말할 수 없는 희열이 느껴졌다. 죽음의 문턱에 간 환자를 마치 목덜미를 잡아끌고 돌아오는 기분이랄까? 게다가 이번에는 침대에서 제 발로, 제대로 내려왔다.

이 모습을 백강우가 봤어야 하는 건데. 그러나 근처 어디에도 강우의 머리털 하나 보이지 않았다.

"바이털 안정됐어요? 빨리 CT 찍어야겠어요."

또 급작스러운 심정지가 올까 봐 채린이 다급하게 말했다. 뭐가 문제일까? 뼈보다는 뇌의 문제일 것 같았다. 다행히 CT 자리가 났다는 연락이 왔다. 환자 옆에 달라붙어 있던 의사 셋이 모두 가슴을 쓸어내렸다. CT 촬영실로 가기 위해 채린이 앞장서서 환자의 침대를 밀었다.

그 뒤로도 경미한 외상 환자부터 교통사고 환자까지 응급실에 들이닥처서 일반외과 환자는 채린만으로 도저히 감당이 되지 않았다.

이런 날이 있다고 했다. 어느 날은 신경외과 환자만, 어느 날은 내과 환자만, 어느 날은 흉부외과 환자만 잔뜩 오는 날. 오늘은 일반외과 전공의들이 눈코 뜰 새 없이 응급실을 돌아다녔다.

"참나, 뭐 이런 일이……."

응급의학과보다 각 연차별로 한두 명씩만 많은 일반외과여서 4년 차이자 의국장인 김혜영도 예외는 아니었다. 위암 환자의 위절제술 어시스트를 마치고 인력이 부족하다는 소리에 잠깐 앉아 보지도 못한 채 그녀는 응급실로 내려왔다. 그리고 응급실에서 그녀는 반가운 사람을 발견했다.

"백강우 아니야?"

"ER(응급실)엔 무슨 일이야?"

일반외과 4년 차 정도 되면 수술실에나 있기 마련이기에 강우는 웬일로 혜영이 응급실에 있나 싶었다. 혜영이 오른손으로 전화 받는 흉내를 내며 털어놓았다.

"콜 받고 왔지. 장난 없었어, 오늘. 압뻬(Appendicitis, 충수염) 환자가 열세 명이었어. 수술방은 꽉 찼지, 입원실은 안 나지…… 압뻬도 전염되냐?"

말도 안 되는 소리를 하는 혜영을 강우가 어이없는 눈빛으로 바라보았다.

결국 당장 수술이 급한 환자와 아직 증상이 경미해서 조금 더 두고 볼 환자를 제외하고 2차 병원으로 환자를 도로 돌려보내기까지 했다. 흔하다면 흔한 충수염 환자였지만 하루에 열 손가락으로 세기 부족할 정도로 온 적은 드물었다.

"수술은 여덟 명 했고. 진짜 틈틈이 수술방 자리 날 때 연락 달라고 해서 겨우 했어."

"기록적이군."

강우가 별일이라는 듯 말했다.

가장 심각한 환자는 충수에서 시작한 염증이 복막까지 전부 번진 환자였다. 수술이 끝나고 일반외과로 입원한 환자에게 혜영은 패혈증이 오지 않도록 신경을 쓰고 있었다. 수술이 일상인 일반외과 전공의들은 예민하고 또 피곤해했다. 다들 푸석푸석한 얼굴로 하루하루 지옥 같은 날을 버티는 셈이었다. 거기에 끼어든 채린 역시 힘겨워 보이기는 했다.

"우리 애들 다 기절 직전인데 신채린 선생도 힘들겠더라."

채린의 이름에 강우가 저도 모르게 미간을 좁혔다. 그날 이후 신채린을 도대체 어떻게 대해야 할지 몰라서 백강우는 그녀를 피해 다녔다. 당연히 못되게 굴 생각은 없었고, 그렇다고 해서 다정하게 대할 자신도 없었다. 갑자기 사람이 돌변하면 이상하게 생각할 테니 말이다.

"신 선생, 은수 사촌이라며?"

"음."

강우가 고개를 끄덕였다. 벽에 기댄 혜영이 소곤거렸다.

"어떻게든 잘해 주고 있긴 한데…… 나 나쁘게 보지 말았으면 좋겠네."

말은 그렇게 해도 솔직히 신채린은 혼날 만한 짓을 하지 않았다.

이는 혜영뿐만이 아니라 외상외과 전문의들도 인정했다. 수술방에 들어간 첫날부터 수술에 대한 보고서를 상세하게 적어 내는 채린을 보고 외상외과 과장은 채린이 속한 응급의학과를 부러워했다.

"EM(응급의학과) 전공해도 TS(외상외과) 올 수 있긴 하지?"

외상외과 과장이 대놓고 탐을 낼 정도로 신채린은 잘하고 있었다. 어쩌다 이런 훌륭한 인재가 백강우 따위의 밑에 있는 건지. 혜영이 불만스럽게 코끝을 찡그렸다가 폈다. 혜영의 속내를 알 리 없는 강우가 황당하다는 투로 물었다.

"걔가 너, 조은수 여자 친구인 거 몰라?"

"말 안 했지. 그 집 어른들도 몰라."

"왜 말을 안 해? 결혼할 거 아니야?"

"수련 끝나고 시험 본 다음에 말씀드리려고."

혜영은 은수와 합의를 보았다. 은수는 당장이라도 결혼을 하고 싶어 했지만, 혜영이 계속 시기를 미루었다. 은수의 집안이 대단하다는 건 이미 알고 있었다. 의대생 시절에는 별로 신경 쓰지 않았다. 나이도 어렸고, 워낙 공부가 힘들어서 서로 의지하면서 그 시절을 버텨 냈었다. 그러다 보니 이제 결혼을 염두에 두어야 할 나이가 되었다.

막상 눈앞으로 결혼이라는 명제가 훅 다가오자, 혜영은 은수의 집안이 걸렸다. 그 대단한 의사 집안사람들에게 평범한 김혜영의 집안이 눈에 차기나 할까? 불안한 마음이 없잖아 있어서 혜영은 일단은 외과 전문의라도 따고 생각하자고 계속 결정을 미루고 있는 셈이었다.

"학부 때부터니까 와…… 10년을 사귀었네."

은수와 연애를 한 것도 벌써 10년이었다. 혜영은 새삼 놀라웠다. 10년이면 김혜영 인생의 3분의 1이었다. 오랜 시간 동안 함께한 조은수는 혜영에게 있어서 가족과도 비슷했다.

"서로 너무 익숙하니까 결혼을 안 해도 그냥 부부 같아."

"별로 좋은 것 같지 않은데."

"왜? 난 익숙한 게 좋아. 안정적이고 마음 편하니까."

"그래? 네가 좋다면 상관없지."

어차피 남의 일이라 강우가 대충 대꾸해 주었다. 강우의 심드렁한 말이 마음에 들지 않는지 혜영이 입술을 삐죽이다가 시간을 확인했다. 또 수술 스케줄이 있었다. 그래도 오늘 마지막 정규 수술 스케줄이었다.

"가야겠다. 먼저 갈게."

종종거리면서 모퉁이를 돈 혜영은 채린을 발견하고 반갑게 인사한 다음 외과 건물로 부리나케 달려갔다. 혜영의 뒤를 따라 나오던 강우 역시 채린과 눈이 딱 마주쳤다. 움찔, 본능적으로 멈춰 선 채린이 어깨를 움츠렸다. 채린과 마주칠 줄 몰랐던 강우도 내심 놀랐지만 태연한 척 말했다.

"왜?"

"아, 아닙니다."

고개를 푹 수그린 채린이 그제야 강우를 지나쳤다. 그는 그녀의 등을 흘깃 돌아보았다. 그때, 강우의 휴대폰이 울렸다. 불청객의 전화에 그가 미간을 좁혔다.

"네, 백강우입니다."

―아직 근무 중인가? 내가 지금 ER 근천데.

여기까지 걸음 했다는 조준기 교수의 말에 강우는 차마 바쁘다는 거절을 할 수는 없었다. 조준기 교수가 온 이유는 분명했다. 조은수로부터 이야기를 전해 듣고 백강우를 다시 회유하거나 아니면 협박하기 위해 온 것일 터였다. 강우가 무거운 한숨을 내쉬었다. 진짜 피곤했다.

반쯤 정신이 나간 채로 채린은 응급실 안을 배회했다. 물론 돌아다니면서 진료도 하고 차트도 작성했지만, 정신은 여전히 반 정도 사라져 있었다. 신채린이 이따위로 변한 이유는 엿들은 이야기 때문이었다. 분명 일반외과 의국장인 김혜영은 채린을 처음 만난 날, 백강우와 의대 동기라고 말했었다.

그런데…….

"학부 때부터니까 와…… 10년을 사귀었네."

지나가다가 그 말을 듣는 순간 왜 다리가 저절로 멈추었는지 모를 일이다. 그 뒤로 이어진 혜영과 강우의 대화는 채린의 심장을 바닥으로 처박기 충분했다.

"서로 너무 익숙하니까 결혼을 안 해도 그냥 부부 같아."

"별로 좋은 것 같지 않은데."

"왜? 난 익숙한 게 좋아. 안정적이고 마음 편하니까."

"그래? 네가 좋다면 상관없지."

혜영의 말에 대꾸해 주는 강우의 목소리는 무심한 듯 다정했다. 채린에게는 항상 날 선 목소리로 짜증만 부리던 사람이 혜영에게는 180도 달랐다. 대화에 따르면, 저 두 사람은 10년이나 연애 중이었다. 그래, 10년씩 만나는 여자가 있으니 백강우 치프가 여자에게 관심이 없고 스캔들이 나지 않는 것이다.

'큰일 날 뻔했다.'

혜영과 조금 더 친해진 다음에, 은근슬쩍 강우에 대해 캐물어 보려고 했던 채린은 마음을 고쳐먹었다. 교통사고 환자 때문에 크게 혼이 난 뒤로 강우와의 사이가 훨씬 얼어붙었다. 아무리 백강우가 9월이면 응급실 근무를 그만둔다고 해도 아직 4개월가량 남은 상태. 어떻게 해야 이 관계를 평범하게라도 돌릴 수 있을지 고민이 되어서 혜영에게 조언이라도 받을까 했었다.

하마터면 혜영에게 오해를 살 뻔했다. 그저 평범한 동창이 아니라 연인 사이라면 다른 여자가 자신의 남자에게 관심을 보이는 건 딱 질색일 테니 말이다. 미리 알게 되어서 정말 다행이었다. 물론 호탕한 성격의 김혜영은 신채린에게 질투하지 않을 수도 있겠지만, 신채린은 그랬다. 좋아하는 남자의 곁에 다른 여자가, 비록 감정이 없다고 해도 다가가는 건 딱 질색이었다.

그래서 이 상황이 너무나도 싫었다. 백강우의 곁에 10년씩이나 함께한 여자가 있다는 사실이 싫어서 채린은 이를 악물었다.

'결혼…… 하시겠지?'

여자 친구가 없는 줄 알았는데 있었구나. 하긴, 그럴 만도 했다. 백강우는 모두가 인정하는 미남이었고, 의사로서 능력도 출중했다. 성격도…… 성격도 뭐 저만하면 괜찮았다. 혜영에게는 상냥한 것도 같았다. 어쩌면 좋은 성격일지도 몰랐다. 내 여자를 제외하면 냉정한 성격이라니, 정말 꿈에 그리던 남자 아닌가.

'꿈은 무슨…….'

슬프게도 그 꿈은 와장창 깨져 버렸다.

채린이 울적하게 허공만 응시했다. 가슴 한구석이 허무한 듯 서늘해졌다. 실망 탓이었다.

'아니, 왜 내가 실망을 하지? 맨날 나 구박하던 사람이잖아?'

게다가 자신은 병원에 연애를 하거나 연인을 구하러 온 것도 아니었다. 열심히 배워서 훌륭한 응급의학과 전문의가 되려고 응급실에 있는 거지 백강우의 마음을 얻으려고 여기 있는 게 아니란 말이다.

"……선생! 신 선생!"

갑자기 누군가가 채린의 어깨를 잡아 몸을 돌렸다. 깜짝 놀란 채린이 고개를 번쩍 들었다. 자신을 붙잡은 사람은 4년 차 전공의인 유성준이었다. 성준이 고개를 기울이고 채린을 물끄러미 쳐다보았다.

"아…… 네?"

"귀가 안 들려? 왜 그래?"

"아, 죄송합니다."

채린이 고개를 수그렸다. 성준이 무슨 용건으로 불렀나 싶어 다시금 그녀가 고개를 들 무렵이었다. 성준이 팔을 교차해 팔짱을 낀 채로 말했다.

"내가 전에 ER에서 우는 여자 눈물은 못 닦아 준다고 그랬지?"

화들짝 놀란 채린이 눈가를 닦았다. 설마 또 울고 있었나 싶어서였다. 그러나 손가락에는 눈물이 전혀 묻어나지 않았다. 채린의 눈가가 일그러졌다.

"안 울었잖아요!"

"표정이 울기 직전이던데."

이번에 채린은 부정하지 못했다. 울고 싶은 기분…… 이기는 했다. 그래, 솔직하게 인정하자. 언제부터인가 신채린은 백강우를 의식하고 있었다. 그게 2월에 문자 메시지를 받았을 때부터인지 아니면 4월 입국식 때부터인지는 알 수 없었다. 정말 마조히스트도 아니고, 자신을 활활 태우던 남자에게 마음이 가다니, 자신도 어이가 없었다.

채린의 표정을 오해한 성준이 상냥한 목소리로 말을 건넸다.

"백 치프가 또 갈구디?"

"아니에요, 그런 거."

백강우가 유성준의 반만이라도 다정했더라면 신채린은 벌써 홀딱 빠졌을 것이다. 그나마 백강우가 냉정하고 싸늘해서 다행이기도 했다. 짝사랑하는 마음이 깊어졌더라면, 오늘 강우와 혜영의 대화를 듣고 그 자리에서 울어 버렸을지도 몰랐다. 벌써 눈가가 뜨끈했다.

성준이 큰 손으로 채린의 머리를 쓱쓱 쓰다듬었다. 꼭 개를 쓰다듬는 느낌이었지만 채린은 별말 하지 않았다.

"7월까지만 참아라."

"7월이요? 9월도 아니고⋯⋯."

9월에 4년 차들은 응급실 근무를 끝내고 전문의 시험공부를 하러 은둔한다. 그 전까지는 백강우를 계속 마주쳐야 했다. 그런데 9월도 아니고 웬 7월?

"7월, 8월 두 달은 내가 치프거든. 백강우가 태우려고 하면 내가 막아 줄게."

"괜찮습니다."

농담 같은 소리에 채린이 배시시 웃으면서 고개를 꾸벅 숙이고 성준을 지나쳐 갔다.

"으음, 거기 가면 안 될 텐데."

그녀의 뒷모습을 가만히 보던 그가 중얼거렸다. 신채린은 앞으로 일반외과 진료를 받을 환자 명단을 살피기 위해 응급실 바깥쪽 환자분류소로 가고 있었다. 그리고 그 근처에는 지금 심각한 표정으로 두 사람이 대화 중이기도 했다.

구급대원들이 다급히 오가는 응급실 출입문에 서 있을 수도 없어서 강우와 준기는 로비 구석에서 이야기를 나누었다.

"ER도 바쁠 텐데 정말 미안하네. 내가 시간이 지금밖에 안 나서."

"전 이미 은수 통해서 제 의사 말씀드렸습니다. 더는 안 하겠다고요."

단호한 강우의 대답에 준기가 한숨을 내쉬었다. 아무래도 아버지의 허술한 계획은 실패인 모양이었다. 생각보다 조카는 군세고 단단했다. 그렇다고 해서 사실을 그대로 아버지에게 보고할 수도 없었다. 그랬다가는 경을 칠 테니 말이다.

"그래, 이런 걸 우리가 강요할 수는 없는 거지. 채린이도 잘하고 있다고 하니까. 그렇지만……."

준기가 강우를 다시금 설득해 보려던 때였다. 준기의 뒤에서 기겁하는 목소리가 들렸다.

"삼촌?"

채린은 막내 외삼촌인 준기와 강우가 대화하는 광경을 보고 넋이 나갔다. 채린이 두 사람에게로 후다닥 다가왔다. 안색이 썩 좋지 않은 게 대충 상황을 눈치챈 모양이었다. 똑똑한 조카는 눈치 하나는 빨랐으니까.

두 사람이 왜 이야기를 하고 있지? 이미 아는 사이였던 걸까? 아니, 그보다 준기가 강우를 찾아올 용건이라고 해 봤자 하나뿐이었다. 틀림없이 백강우에게 집안을 들먹이면서 신채린을 잘 대하라고 엄포를 놓았을 것이다.

"여, 여기서 뭐 하시는 거예요?"

"아, 아니, 그게……."

권위 따위는 어디다 버리고, 준기는 채린을 보자마자 쩔쩔매기 시작했다. 강우는 자상한 삼촌으로 돌변한 준기를 흥미롭게 관찰했다.

"설마 백강우 선생님한테……."

핏기가 싹 사라진 얼굴로 채린이 울먹이자 준기의 여유가 완전히 사라졌다.

"백 선생은 나중에 말하지."

준기는 일단 집안싸움에 제3자인 강우를 끌어들이고 싶지는 않은 듯했다. 강우는 고개만 꾸벅 숙이고 응급실 안으로 향했다. 강우의 등 뒤에서 채린의 경악 어린 말이 계속 이어졌다.

"백강우 선생님한테 나중에 말하실 것 없어요! 저랑 얘기해요. 도대체 뭐 하시는 거예요!"

얼굴이 새파래진 채린이 준기의 팔을 잡고 질질 끌었다. 직장에 외삼촌이 찾아오게 만들다니…… 일곱 살도 아니고 스물일곱 살인데! 채린은 무척 창피해서 사람이 많은 곳에 있고 싶지 않았다.

응급실 건물 바깥, 구석으로 나간 채린이 목소리를 낮추었다.

"설마 백 선생님한테 저 잘 봐 달라고 말씀하신 거예요?"

"아니, 그건 아닌데……."

정확히 말하자면 그 반대였지만, 준기는 사실대로 털어놓을 수가 없었다. 그랬다가는 지금보다 더 난리가 날 것이 분명했다. 채린은 거의 울 기세로 외삼촌을 타박했다.

"아니긴 뭐가 아니에요! 내가 못 살아. 저 이제 어떻게 얼굴 들고 다녀요?"

"그렇지? 채린아, ER 힘들잖아. 이제 포기해도……."

"안 힘들어요! 안 포기할 거고!"

채린의 눈에 핏발이 섰다. 막내 외삼촌도 할아버지와 똑같은 소리를 한다. 그리고 이렇게 그만두게 만들려면 백강우에게 조카를 잘 봐 달라는 청탁은 하지 말았어야지! 채린은 준기가 강우에게 조카를 괴롭혀 달라는 부탁을 했으리라고는 꿈에도 생각지 못하고 씩씩거렸다.

어금니를 깨물고 화를 겨우 삭이는 조카에게 조준기 교수는 아무 말도 할 수 없었다. 일단 도둑이 제 발 저린 것도 그렇고, 또 어디로 튈지 모르는 채린을 자극해 봤자 좋을 일이 없었다.

"음, 채린아……."

"다시 한 번만 여기 찾아오시면, 저 집에 절대 안 들어갈 겁니다. 엄마 아빠 유산도 한 푼도 안 쓰고 다 모아 뒀고, 집 정도는 얻을 수 있다고요."

"그건 안 돼! 그러면 할아버지 쓰러지신다!"

준기의 방문 이후로 채린이 집을 나갔다는 소식이 이어지면, 조대식 이사장은 막내아들을 가만둘 리가 없었다. 작년 말에 가여운 조카, 채린에게 대식의 계획을 흘렸다가 준기는 집과 병원에서 쫓겨날 뻔했다. 고작 언질을 주었다는 이유로 내쫓길 뻔한 불쌍한 조준기 교수는 몸을 사려야만 했다.

"그럼 다신 이렇게 청탁하러 오지 마세요!"

"청탁……."

준기가 할 말을 잃어버렸다.

청탁? 뭐 따지자면 '부정적인' 청탁이기는 했으나…… 사실과 180도 다르게 알고 있는 조카를 준기가 복잡한 시선으로 쳐다보았다. 일단 지금은 후퇴가 절실했다.

"그래, 알았으니까 너무 흥분하지 말고. 삼촌은 갈게."

응급실에 신채린이 근무하는 이상, 이제 백강우와 만나려면 병원 밖에서 따로 약속을 잡는 게 좋을 듯했다. 그나저나 앞으로 백강우와 만날 수는 있는 걸까? 백강우도 이 부탁을 들어주고 싶지 않은 듯한데. 한숨을 내쉬면서 준기는 후문 주차장으로 걸음을 옮겼다. 그러면서도 미련이 남아 언뜻언뜻 뒤를 돌아보았다.

응급실로 돌아온 채린은 제일 먼저 강우를 찾았다. 그가 의국에 있다는 소식을 듣자마자 그녀는 쏜살같이 의국으로 달려갔다. 백강우가 왜 신채린에게 차갑고 냉정했는지 이제 좀 알 것 같았다. 막내 외삼촌이 쓸데없는 소리를 해서 백강우가 화가 났던 것이 분명했다.

의국에 들어오자마자 채린은 강우를 발견하고 허리를 90도로 굽혀 사과했다.

"선생님, 정말 죄송합니다. 이번에 처음 오신 게 아닌 것 같던데……."

"조준기 교수님? 전에도 뵀었지."

강우와 준기의 어색하지 않은 분위기에 이번 준기의 방문이 처음이 아니지 않을까 했는데 정말이었다. 채린이 눈을 질끈 감았다. 되는 일이 하나도 없다. 이곳이 병원이 아니고, 백강우랑 함께 있는 게 아니라면 딱 울고 싶었다.

그런데 웬일인지 강우의 분위기는 한층 누그러져 있었다. 심지어 그는 그녀에게 뾰족한 소리도 하지 않았다.

"됐어. 신경 쓰지 마. 그동안은……."

강우는 채린이 조준기 교수의 부탁을 알게 되면, 그녀에게 꼭 미안하다는 말을 해 주고 싶었다. 어쨌든 신채린 입장에서는 부당한 취급을 받은 셈이었으니 말이다. 차라리 다 들통나게 되어서 마음이 편하기까지 했다.

그런데 웬걸? 그가 미안하다는 말을 하려던 찰나, 채린이 고개를 숙이고는 절실한 목소리로 이렇게 말하는 것이었다.

"선생님, 저 정말 열심히 하겠습니다. 민폐 끼치지 않는 의사가 되고 싶어요. 그러니까 실수를 하면 호되게 꾸짖어 주시고요, 제가 잘못한 건 넘기지 마시고 바로 지적해 주세요."

"……뭐?"

그 말은…… 그러니까 다시 원위치라는 뜻?

강우가 기가 막힌 듯 채린을 쳐다보았다. 아니, 지금 얘는 무슨 착각을 하고 있는 거지? 어이가 없어서 그는 말이 나오지 않았다. 그가 미간을 찡그린 채로 헛웃음을 터뜨렸다. 그의 헛웃음이 분노로 인한 것인 줄 알고 채린이 고개를 계속 조아렸다.

"정말 죄송했습니다. 외삼촌 일은 제가 사과드릴게요."

채린은 강우가 더 이상은 자신을 미워하지 않았으면 했다. 좋은 감정 따위는 바라지도 않았다. 그는 오랜 연인이 있으니 어차피 마음도 접어야 했다. 그저 평범한 후배로만 여겨 주었으면, 하고 바랄 뿐이었다. 어차피 9월까지 4개월가량 남았다. 채린은 그 짧은 시간에 백강우의 머릿속에 신채린이라는 후배의 이미지가 부디 호감으로 남아 주었으면 싶었다.

"그리고 GS(일반외과) 김혜영 선생님께도…… 너무 칭찬만 하지 않으셔도 된다고 말씀 주세요. 제가 부족한 점이 많을 텐데……."

채린은 혜영이 자신에게 보이는 호의에도 외삼촌의 입김이 작용했다고 넘겨짚었다. 직접적으로 지시하지는 않아도 강우를 통해

혜영은 경고를 받았을지도 몰랐다. 어쩐지 일반외과나 외상외과 사람들이 모두 신채린을 칭찬한다 했다. 1년 차는 당연히 혼이 나기 마련인데…….

'난 내가 엄청 잘하는 줄 알았지.'

그동안 쌓아 왔던 자신에 대한 신뢰가 이번 준기의 방문으로 인해 와르르 무너져 내렸다.

안다. 인턴 때, 모두가 입을 모아 신채린이 유능하다고 말했었다. 하지만 그건 인턴에게 많은 것을 기대하지 않기 때문이었다. 인턴과 전공의 시절은 천지 차이였다. 3월부터 백강우에게 얼마나 지적을 받았던가?

"김혜영?"

웬 김혜영? 혼자 열심히 납득하고 수긍하는 채린과 달리 강우는 채린의 이야기 흐름을 도통 따라갈 수가 없었다. 느닷없이 김혜영이 왜 튀어나왔는지 모르겠지만, 진짜 골 때리는 공주님이었다. 강우가 황당한 음성으로 대꾸했다.

"김혜영한테 내가 왜? 그런 건 네가 말해."

"네? 그, 그래도 되나요?"

고개를 번쩍 든 채린이 눈을 동그랗게 뜨고 되물었다. 미간을 찌푸린 강우가 채린을 위아래로 훑어보았다. 대체 저 작은 머릿속에 뭐가 들었기에 신채린은 이런 헛소리만 하는지 모르겠다. 강우는 두통이 생기는 것만 같아 손을 내저었다.

"내가 무슨 상관이야? 네가 알아서 해."

"네, 알겠습니다."

채린은 강우의 대답에 꾸벅 인사를 하고 그의 눈치를 보다가 의국을 나갔다. 강우는 닫힌 출입문을 황당하다는 듯 보면서 다시금 헛숨을 터뜨렸다.

"쟤, 뭐야?"

하지만 백강우가 어이없다는 얼굴로 뱉은 말은 채린에게 닿지 못하고 흩어졌다.

소중한 가운 챙겨 오기

　외상외과로 파견 나와 일반외과에 종종 신세를 지는 채린은 외과계 중환자실에서 아는 환자를 볼 수 있었다. 며칠 전, 교통사고가 나서 응급실로 실려 온 젊은 엄마였다. 환자 셋 모두 수술은 성공적으로 끝이 났고, 아이와 아빠는 회복과 경과 관찰만이 남아 일반 병실로 옮겨 갔지만 엄마만큼은 아직도 중환자실에서 죽음과 다투고 있었다.

　슬쩍 중환자실 담당 간호사에게 아이 엄마의 상태를 물어본 채린은 나쁘지 않다는 대답에 기분이 좋아졌다. 환자를 살리기 위해서 외상외과와 신경외과, 응급의학과 교수들이 머리를 맞대고 수술을 했었다. 많은 사람이 퍼부었던 노력을 위해서라도 채린은 그 환자가 깨어나기를 바랐다.

파견도 막바지였다. 웬일로 비어 있는 일반외과 의국 구석에서 이제는 손에 익은 보고서를 작성하는 채린의 곁에 수술로 지친 혜영이 다가와 앉았다.

"멀었어? 빨리 확인하고 쉬고 싶은데."

"얼른 써서 드릴게요."

채린이 교재와 모니터를 번갈아 가면서 보는 동안 혜영이 기지개를 켜며 중얼거렸다.

"난 차가 제일 무서워. 오늘도 TA(교통사고)환자가 너무 많았거든."

혜영의 말에 채린 역시 동감이었다. 교통사고로 부모를 한 번에 잃어버렸다. 아픈 기억은 혼자 살아남은 신채린을 평생 따라다닐 것이다. 채린이 자조하듯 말했다.

"엄마란 참 대단한 것 같아요."

"응? 아, 그 환자?"

중환자실에 누워 있는 그 환자뿐만이 아니라 채린은 자신의 엄마를 떠올렸다. 엄마는 딸을 보호하려고 망설임 없이 손을 뻗었던 것 같다. 채린으로서는 아직 이해가 되지 않았다.

"어떻게 자기가 죽을지도 모르는 순간에 아이부터 챙길까요?"

"글쎄? 신 선생 어머니한테 여쭤 봐."

아주 잠깐이었지만 채린은 대답하지 못하고 머뭇거렸다. 물어보고 싶은데 물어볼 수가 없었다.

만약 엄마가 10분이라도 살아 돌아온다면 꼭 물어보고 싶었다. 그 선택을 후회하지 않느냐고 말이다. 채린은 시선을 키보드 위로 떨어뜨렸다.

"그야 저도 여쭤 보곤 싶지만……."

힘이 없다기보다는 슬픈 듯 가라앉은 목소리의 대답이 나오자, 채린의 사정을 눈치챈 혜영이 난감한 표정을 지었다. 채린에게 어머니가 없을 거라고 상상하지 못한 탓이었다. 조은수 이놈은 이 중요한 사실을 왜 이야기하지 않은 건지! 괜히 은수에게로 잘못을 돌리면서 혜영은 어색하게 대꾸했다.

"내가 실수했네. 미안해."

"아닙니다."

부모를 잃은 아이에게는 항상 동정의 시선이 따라붙기 마련이었다. 동정이 딱히 싫지는 않았다. 그들의 따뜻한 마음을 꼬아 보고 싶지는 않았다.

그보다 채린은 혜영이 부러웠다. 엄마가 없다는 생각을 하지 못할 정도로 혜영에게 부모란 당연히 존재하는 존재였다. 그 외에도 깔끔하고 호탕한 성격이라거나, 좋은 연인이 있다는 거나…….

연인.

김혜영은 백강우와 10년가량을 사귄 듯했다. 강우의 얼굴이 떠오르자 채린의 눈가가 일그러졌다. 썩 좋지 않은 표정을 보여 주기 싫어서 채린은 눈을 길게 감았다가 떴다.

"저, 선생님. 남자 친구 있으시다면서요?"

"어? 엇! 그걸 어떻게 알았어?"

얼마나 당황했는지, 혜영의 목소리가 엇나왔다. 채린은 풀어지지 않는 입가를 억지로 끌어 올렸다. 이럴 땐 웃어야 했다. 채린의 미소를 본 혜영이 어쩔 줄 몰라서 눈동자를 이리저리 굴리며 말을 이었다.

"미안해, 신 선생. 일부러 막 숨기려는 건 아니었어. 가까운 사람인데 사적인 이야기는…… 말하고 듣기가 서로 불편하잖아."

혜영은 자신이 채린의 입장이라면 사촌 오빠의 연애사를 알아봤자 껄끄러울 뿐이라고 지레짐작했다. 실제로 가족의 연애사를 시시콜콜 아는 건 유쾌한 일이 아니기도 했고. 하지만 채린은 혜영의 변명을 다르게 받아들였다.

"네……."

역시 비밀이었구나. 곤란해 하는 혜영의 얼굴을 보자 채린은 괜히 말을 꺼냈나 싶었다. 공과 사가 뚜렷한 백강우라면, 병원에서 굳이 혜영과의 관계를 떠벌릴 리가 없었다.

"작성 끝났어?"

괜스레 창피해진 혜영이 일부러 화제를 바꾸었다. 채린은 다시 모니터로 시선을 돌렸다.

"아뇨, 잠시만요. 얼마 안 남……."

채린의 말이 끝나기도 전에 혜영의 휴대폰이 울리기 시작했다. 혜영이 빙긋 웃으며 자리에서 일어났다.

"잠깐 전화 좀 받고 올게. 다 하면 불러 줘."

"네."

"어, 수희 결혼식 토요일이라며?"

언제 지쳤냐는 듯, 혜영이 기운차게 전화를 받으며 밖으로 나갔다.

채린은 말없이 보고서를 작성했다. 반쯤은 기계적인 행동이었다. 두뇌의 반 정도를 백강우가 차지해 버려서 평소보다 집중이 잘 되질 않았다.

'미련해.'

속으로 자신을 탓하면서 그녀는 보고서 마지막 글자를 쓰고 마침표를 찍었다. 복잡한 한숨이 절로 흘러나왔다. 아직 혜영은 통화 중인 듯, 들어올 기미도 보이지 않았다. 결국 채린이 의자에서 일어나 살짝 출입문을 열었다.

"완전 동창회 같을 텐데, 너 그날 당직이야?"

문을 열고 빼꼼 고개를 내민 채린에게 혜영이 눈짓을 했다. 금방 들어가겠다는 눈빛이었다. 채린은 고개를 끄덕이고 문을 닫았다. 문이 다 닫히기 전에 혜영의 말이 이어졌다.

"⋯⋯애들 만나면 또 언제 결혼하냐고 들들 볶겠네. 이따 얘기하자."

출입문이 소리 없이 닫혔다.

동창회나 다름없는 결혼식. 아마 혜영과 강우에게 대학 동기들은 언제 결혼할 거냐며 애정 어린 구박을 할 것이다. 백강우는 뭐라고 할까? 역시 '네가 상관할 일 아니야' 하고 딱 잘라서 말할까?

채린이 강우의 목소리를 떠올리며 실없이 웃고 있는데 혜영이 들어왔다. 불장난을 하다 들킨 아이처럼 채린은 깜짝 놀랐다. 머릿속 상상 따위를 들킬 리가 없는데도 채린은 혜영에게 죄스러웠다.

출력한 보고서를 받아서 가볍게 훑어본 혜영이 피식 웃었다.

"신 선생 보고서는 확인할 것도 없어, 사실."

"아닙니다. 저도 실수 자주 하는걸요."

3월 초부터 백강우한테 얼마나 탈탈 털렸는지 모른다. 차라리 그때가 좋았던 것도 같다. 혼나기만 해도, 아무것도 모르는 때가 나았다. 이렇게 절망적인 기분을 느낄 필요도 없고 말이다.

"내가 1년 차 땐 맨날 혼나고 맨날 울었는데……."

과거를 되짚어 보면서 혜영이 허탈하게 중얼거렸다. 신채린은 1년 차 때의 김혜영과 비교해 보면 차원이 달랐다. 채린은 꼭 전공의 수련을 두 번째 하는 양 매사에 여유를 잃지 않았다. 실수라고 해봤자 자잘해서, 실수 취급도 하지 않을 정도였다. 은수의 사촌 동생이라 감싸 주는 마음도 없잖아 있었지만 그것도 일단 능력이 받쳐줘야 가능한 일이었다.

그때, 채린이 혜영의 눈치를 보다가 입을 열었다.

"저, 선생님."

"응?"

"저 잘 봐주지 않으셔도 돼요."

신채린이 마치 김혜영의 속내를 읽은 것처럼 말하자 깜짝 놀란 혜영이 마른침을 삼키고 어색하게 하하, 소리 내어 웃었다.

"그래 보였어? 아, 아닌데…… 신 선생 진짜 잘하는데."

혜영은 평소와 다르게 움찔 놀라고 말까지 더듬었다. 역시 백강우에게 뭔가 전해 들은 모양이었다. 경고라도 들은 걸까? 신채린의 집안이 대단하다고? 채린의 안색이 어두워졌다.

"이런 말씀 드리면 건방지다고 생각하실 수도 있지만, 저랑 집안은 따로 생각해 주셨으면 해요. 응급 상황에 실수하는 의사가 되고 싶지는 않습니다."

채린이 진심을 가득 담아 말했다. 보고서를 끝까지 읽어 본 혜영이 테이블 위에 문서를 내려놓고 채린을 물끄러미 응시했다.

"신 선생이 3년 차쯤 되었으면 모를까, 이제 겨우 석 달 됐는데? 많은 거 기대 안 하는 거 알잖아. 그리고 1년 차치고 정말 잘한다니까?"

그것만큼은 사실이었다.

응급의학과 소속인 신채린에게 외상외과 교수들도 관심을 보였다. 특히 보고서를 격일마다 받는 정희정 선생은 채린이 학자로서의 능력도 출중하다고 칭찬했다.

일반외과 의국장인 혜영 역시 채린이 일반외과로 들어왔으면 어땠을까 상상해 보기도 했다. 그랬더라면 1년 차의 뒷수습을 할 일이 반쯤은 줄어들었을 것이다.

그런 신채린이 왜 자신의 능력에 자신이 없을까? 혜영은 의아했다. 주변 사람들 모두 그녀를 칭찬했다. 은수에게 전해 듣기로는 인턴 때도 똑똑하고 빠릿빠릿하기로 유명했다고 그랬다. 병원 이사장인 할아버지의 방해만 아니었어도 채린은 여기까지 올 필요가 없었다.

"나 그렇게 호락호락한 사람 아니야. 강우한테 가서 내 성격 한번 물어봐. 엄청 욕할걸?"

채린은 말없이 고개를 숙였다. 백강우 치프한테 물어볼 일은 없을 것이다. 아무리 안 좋은 이야기라 하더라도 강우의 입에서 나오는 혜영의 이야기는 별로 듣고 싶지 않았다.

'이 정도 심술은 괜찮겠지?'

채린이 무슨 생각을 하는지 꿈에도 모르는 혜영은 채린쪽으로 보고서를 밀어 주었다.

"확인은 끝냈고…… 이거 제출한 다음에 나랑 같이 ER(응급실) 내려가자. 백강우한테 할 말도 있고."

문득 채린은 본의 아니게 엿들은 혜영의 전화 통화를 떠올렸다. 이따 이야기하자던 그 말은 백강우에게 했던 말인가 보다. 그와 사적인 통화를 할 수 있는 사이라니, 채린은 혜영이 또 부러워졌다.

외상외과 세부 전문의인 정희정 선생에게 보고서를 제출한 다음, 채린은 혜영과 함께 외과 병동을 나섰다. 새로 리모델링을 해서 번쩍번쩍한 외과 건물과 달리, 후문 쪽에 자리한 응급의료센터 건물은 후줄근했다.

"난 신 선생하고 잘 지내고 싶어. 앞으로도 계속 볼 테고."

응급실로 가는 길에 혜영이 슬그머니 본심을 꺼냈다.

4년 차인 혜영은 올해를 끝으로 일반외과 수련이 끝난다. 내년 2월이면 전문의 시험 결과도 나오는데, 계속 볼 사이라면 병원에 전임의로 남겠다는 건가?

"병원에 남으세요?"

"응? 아, 그러고 싶긴 한데 모르겠네."

확신 없는 대답이 이어지자 무슨 근거로 계속 볼 사이라는 건지 모르겠어서 채린이 고개를 갸웃거렸다.

한편, 혜영의 머리는 복잡했다. 은수와 결혼을 하게 된다면 수도 중앙 병원으로 옮겨야 하는 건지, 익숙한 미강에서 전임의 과정을 보내야 할지, 친분 있는 선배들과 개원가에 뛰어들어야 할지 아직 감이 잡히지 않았다. 연인의 집안에 비해 상대적으로 부족한 집안을 상쇄할 만한 무기를 가지고 싶었다. 하다못해 조은수가 의사가 아니었더라면 나았을지도 모르겠다. 하지만 그 역시 일반외과에 소속되어 있었다.

채린과 혜영은 서로 다른 생각을 하면서 응급실에 도착했다. 마침 환자분류소 쪽에 나와 있는 강우를 보고 혜영이 씩 웃으면서 농담을 건넸다.

"오늘은 ER이 한가한가 봐?"

"제정신이야? 안 보여?"

백강우다운 대답에 혜영이 키득거렸다. 강우는 사람이 워낙 진지해서 놀리는 재미가 있었다.

채린은 본체만체하고 혜영과 스스럼없이 대화를 나누던 강우가 아직까지도 혜영의 옆에 서 있는 채린을 곁눈질했다. 마치 왜 여기 가만히 서 있느냐는 눈빛에 채린은 꾸벅 고개를 숙이고 응급실 안으로 들어갔다.

"야, 수희 결혼식 갈 거지? 내일 두 시래. 나랑 은수는 가기로 했는데."

낯선 이름에 강우가 미간을 좁혔다.

"수희가 누구야?"

"청첩장 안 받았어? 전수희. 동창이잖아."

"안 돼."

미안하지만 강우는 청첩장을 받았는지 기억도 나지 않았다. 게다가 오늘은 당직이라 내일 푹 쉴 예정이기도 했다. 백강우는 자신의 스케줄이 흐트러지는 것을 썩 좋아하지 않았다. 칼 같은 거절에 혜영이 콧방귀를 뀌었다.

"하긴, 넌 안 가는 게 낫겠다. 수희가 너 3년이나 짝사랑했거든."

강우가 혜영에게 황당하다는 시선을 보냈다. 전수희의 얼굴도 떠오르지 않기 때문인데, 꼭 그럴 줄 알았다는 양 혜영이 키득거렸다.

"몰랐지?"

"알 게 뭐야."

"넌 어째 성격이 갈수록 더 까칠해지니? NS(신경외과) 던트들도 너 정도는 아니겠다."

고도의 집중력을 요구하는 신경외과 전공의들은 살짝만 건드려도 빵 터질 것 같은 이미지가 있었다. 게다가 수련 과정이 워낙 힘들고 고되어서 지원율도 바닥을 치는 바람에 서너 명이 분담해야 할 일을 거의 한 사람이 맡기도 했다. 해가 지날수록 성격이 날카롭고 까칠해지기 충분했다.

대답할 가치도 없는 말에 강우는 입도 뻥긋하지 않았다. 이제 그만 응급실로 들어가려는 그를 혜영이 세 치 혀로 붙잡았다.

"그보다 신 선생이 다 눈치챘더라."

"뭘?"

오늘 처음으로 백강우의 눈빛이 날카롭게 반짝거렸다. 혜영이 코끝을 찡그리면서 솔직하게 털어놓았다.

"나랑 은수 사이."

"아, 그래?"

신채린이 알든지 말든지 백강우는 관심이 없었다. 그러나 중요한 건 이 다음부터였다.

"응. 잘 봐주지 않아도 된다고 그러던데, 내가 아부하려는 마음이 없지는 않았지만 신 선생이 또 워낙 일을 잘하잖아."

강우는 며칠 전 헛소리를 하던 채린을 생각하며 고개만 끄덕였다. 조준기 교수의 방문을 어떻게 받아들였는지 하얗게 질린 채린은 계속 질책해 달라고 부탁했었다. 쓸데없이 사람을 괴롭히는 데 기운을 쓰기 싫던 강우로서는 황당할 따름이었다.

"그런데 왜 저렇게 자신감이 없는지 모르겠어. ER에서 무슨 일 있었어?"

순간, 백강우의 양심이 찔렸다. 아마 신채린이 자신감을 잃은 이유의 8할 정도는 백강우 때문일 것이다. 사소한 일에도 꼬투리를 잡아 활활 태웠으니 자신감이 뚝뚝 꺾일 만도 했다. 그러나 강우는 모르는 척 오리발만 내밀었다.

"글쎄……."

"이따 집에 가면서 은수한테 물어봐야겠네. 성격이 원래 좀 소심한가?"

신채린의 성격은 절대 소심하지 않을 것이다. 열아홉 살 때, 사촌 오빠에게 달려들던 소녀의 모습을 떠올리자 강우의 표정이 죄책감으로 딱딱하게 굳을 때였다.

"아, 맞다!"

워낙 무표정한 강우의 표정 변화를 감지하지 못한 혜영이 짝, 박수를 쳤다. 과거의 기억에서 현실로 돌아온 강우가 혜영을 못마땅하게 쳐다보았다.

"나 말실수했는데."

"뭐? 말실수를 왜 해?"

"너도 조심해. 신 선생 어머니 안 계신가 보더라."

"이미 알고 있어."

무뚝뚝하게 대꾸했으나 강우는 눈물로 번져 있던 채린의 얼굴이 또렷하게 기억났다. 그때 얼마나 당황스러웠는지 모른다. 우는 여자를 달래는 방법을 알 리 없는 백강우는 신채린을 내쫓기나 했다. 그 뒤로도 종종 그는 채린의 기분이나 눈치를 몰래몰래 살피곤 했다. 신채린은 전혀 모르고 있었지만 말이다.

"그럼 됐고. 넌 은근히 무딘 구석이 있어서 말조심 좀 해야 돼."

"뭐 또 한 이야기 없어?"

강우는 채린이 자신에게 하지 않을 이야기를 조금 더 듣고 싶었다. 하지만 혜영도 채린과 깊게 친한 건 아닌지 고개만 저을 뿐이었다.

"없는데."

"알았어. 간다."

"야, 은수 얼굴 봐서라도 신 선생 너무 태우지 마."

혜영이 강우의 등 뒤에 대고 부탁했다. 그 은수라는 놈이 문제라는 말이 목구멍까지 치밀었지만 강우는 차마 입 밖으로 내뱉지 못하고 응급실 안으로 들어갔다.

파견을 나갔다고 해도 응급의학과 소속인지라 채린은 응급실에서 당직 중이었다.

당직이라고 해서 새벽 내내 눈을 똑바로 뜨고 있는 건 아니었다. 새벽 한두 시쯤 되면 환자가 줄어들고 꾸벅꾸벅 졸 시간이 나곤 했다. 채린은 너스 스테이션 구석, 사람들 눈이 닿지 않는 의자에 앉아 졸았다.

마침 전자 차트 확인을 위해 들어온 강우는 채린이 고개를 숙이고 자는 모습을 가만히 지켜보았다. 곱게 감긴 눈이 오늘은 평화로워 보였다.

보통 신채린은 백강우를 볼 때 겁에 질린 눈빛을 보이곤 했다. 아니면 난처해서 어쩔 줄 몰라 하거나, 눈물로 젖어 있거나. 또 혼이 날까 봐 두려워한다는 걸 이해하면서도, 그런 눈빛이 마음에 들지 않았다.

팔짱을 낀 채 강우가 채린을 내려다보고 있자, 당직 간호사가 깜짝 놀라 후다닥 너스 스테이션 안으로 들어왔다.

"어머, 신채린 선생님이 많이 피곤하셨나 봐요. 제가 깨울게요."

불쌍한 1년 차 신채린을 변호하기 위해 간호사가 어색하게 웃으면서 강우의 눈치를 살폈다. 사정을 모르는 사람들은 의사고 간호사고 간에 다들 채린을 가엾게 여겼다. 1년 차치고 일은 엄청 잘하는데 뭐가 마음에 안 드는지 의국장이 툭하면 신채린을 구박하니, 같은 인간으로서 측은지심이 생기지 않을 리가 없었다.

"신채린 선……."

간호사가 채린을 막 깨우려던 참이었다. 강우가 손을 내저었다.

"내버려 두세요."

"네?"

상상도 못 한 대답에 간호사가 눈을 휘둥그레 떴다. 옆에서 모르는 척 일지를 작성하던 다른 간호사도 고개를 들어 강우를 쳐다보았다. 그러나 강우는 차트 확인을 미루고 도로 너스 스테이션을 나갔다.

간호사들이 서로를 보며 소곤거렸다.

"웬일이야? 백강우 선생님?"

"오늘 신 선생님 제삿날 되는 줄 알았네."

벼락같은 호통이 떨어질 거라고 예상했던 두 간호사는 가슴을 쓸어내렸다. 무슨 일이 있었는지도 모른 채 채린은 소리 없이 잘도 자고 있었다.

그때 스트레처(Stretcher, 이동식 침대)를 타고 기절한 젊은 여자가 응급실 안으로 실려 들어왔다. 오늘도 불철주야 일하는 구급대원에게 강우가 가까이 다가갔다. 이미 안면이 있는 터라 구급대원이 바로 강우에게 상황 설명을 시작했다.

"자살 시도 환자입니다."

"약물 복용입니까?"

"네. 보호자는 이쪽에."

얼굴이 새파랗게 질린 남자가 어쩔 줄 몰라 발을 동동 굴렀다. 20대 초중반 정도? 무척 어린 보호자였다. 환자의 오빠나 남동생쯤 될까 싶어서 강우가 보호자에게 말을 붙였다.

"관계가 어떻게 되십니까?"

"남…… 남자 친군데요."

가족이 아니었다니.

"상황 설명 좀 해 주세요. 시간은 얼마나 지났죠?"

강우가 보호자에게 설명을 듣는 동안 훈련된 의료진은 척척 제할 일을 했다. 간호사는 커튼을 치고 정맥을 찾아 주삿바늘을 꽂은 뒤 바로 소변 줄도 꽂았다. 인턴이 환자의 동맥에서 동맥혈 가스 분석을 위해 일정량의 혈액을 채취했다.

무엇보다 다행인 건 활력 징후가 일단 안정적이라는 점이었다. 환자는 지금 잠들어 있는 듯했다. 하지만 보호자는 환자에게 큰일이라도 난 것처럼 덜덜 떨고 있었다.

"모르겠어요. 아! 전화, 전화를 30분? 한 시간 전쯤에 했어요. 헤어지면 죽을 거라고……."

"약 가지고 오셨습니까?"

"아뇨, 없어요. 다 먹어서……."

초조해하는 보호자와 다르게 강우는 여전히 침착했다.

"약통이나 포장지는요?"

"아! 네, 이거요."

구급대원이 챙기라고 말한 덕분에 약 포장지를 챙겨서 병원에 올 수 있었다. 보호자가 강우에게 포장지를 내밀었다. 약국에서 판매하는 독시라민(Doxylamine succinate) 계열 수면 유도제였다. 강우가 환자 쪽을 힐끔 쳐다보고 나서 다시 물었다.

"혹시 약하고 술을 같이 먹었나요?"

"모르겠어요."

"복용량은 아십니까?"

"아뇨."

아는 게 너무 없었다. 그래도 한 시간 정도 지났다고 하니, 흡수를 막기 위해서라도 위세척을 하는 게 좋았다. 활성탄 사용은 혈액 검사 결과가 나온 다음에 생각해 볼 사안이었다.

"일단 이리게이션(세척) 하고 불러."

위세척은 4년 차인 자신이 하기보다 후배들에게 맡기는 편이 나았다. 2년 차 전공의 장민석에게 위세척을 지시한 다음 강우는 보호자에게 약 포장지를 돌려주고 너스 스테이션으로 돌아왔다.

그때까지도 채린은 졸고 있었다. 팔짱을 낀 채 그는 그녀를 가만히 내려다보았다. 한차례 소란이 일었는데도 신채린은 부동자세로 잘도 자고 있었다. 이쯤 되면 기가 막히기 마련이었다.

다시금 겁에 질린 당직 간호사들이 두 사람을 힐끔거렸다.

"깨울까요?"

"아뇨."

조금 더 바빠지면 깨울 생각으로 강우가 대답할 찰나였다. 너스 스테이션 밖에서 인턴이 강우를 애타게 불렀다.

"선생님!"

인턴의 큰 목소리에 채린이 고개를 번쩍 들었다. '선생님!'이라는 그 호칭은 모든 의료진에게 알람과도 같았다. 침을 흘리지도 않았건만 그녀는 입가를 닦다가 자신을 내려다보고 있는 강우를 발견했다.

'뭐, 뭐, 뭐야?'

강우와 눈이 마주친 순간 채린은 볼썽사납게 의자에서 굴러떨어졌다.

"으윽……."

신채린은 바닥에 복사뼈를 쾅 내리찧고 말았다. 발목이 부스러질 듯 아파서 채린이 발목을 부여잡고 끙끙 앓았다. 신채린의 원맨쇼를 감상한 백강우는 기가 막힌 표정을 감추지 않았다.

"……뭐 하는 거야?"

"죄, 죄, 죄송합니다."

강우의 낮은 음성에 채린은 아픔도 잊고 주춤주춤 몸을 일으켰다. 한심한 시선이 부끄러워서 그녀는 고개를 들 수가 없었다. 옆에 있던 간호사들이 채린을 안타깝게 응시했다. 그러거나 말거나 강우는 인턴 쪽으로 고개를 돌렸다.

"아까 약 먹고 들어온 박소연 환자, 랩 결과 나왔습니다. CPK(근육효소 수치)가 8천이 넘는데요. 마이오글로빈(Myoglobin)도 천이 넘고요. LDH(Lactate dehydrogenase, 젖산 탈수소 효소)도 꽤 높습니다."

"독시라민 중독이다 했더니. 한 시간이 아니라 약 먹은 지 좀 됐나 보네. 줘 봐."

이미 약이 몸에 흡수가 된 모양이었다. 검사지를 받아 든 강우가 미간을 찌푸렸다.

독시라민 중독 환자들이 가끔 가다 횡문근융해증 소견을 보이곤 했다. 독시라민 계열 약물을 다량 복용하면 근육 세포가 손상되어서, 그 성분인 마이오글로빈이 혈액을 타고 신장을 망가뜨리는 경우가 있었다.

"랩도마이올라이시스(Rhabdomyolysis, 횡문근융해증) 의심 소견 보인다고 내과 당직한테 콜 해."

당황할 일은 아니었다. 운동을 격하게 한 이튿날, 횡문근융해증으로 병원을 찾는 환자들이 많았다. 약물 중독으로 온 사례도 이미 몇 번 겪어 보았기에 강우는 인턴과 다르게 침착했다.

"환자 정신 차렸어?"

"네, 근데 좀 상태가 별로……."

인턴이 고개를 설레설레 저을 때였다. 한차례 위세척을 끝낸 환자가 소리를 질렀다.

"하지 마! 그만해……."

"이리게이션 멈춰."

어차피 흡수가 다 되어서 굳이 괴로운 위세척을 진행할 필요는 없어 보였다. 강우가 검사지를 손에 들고 환자 쪽으로 걸어갔다. 환자는 눈물 콧물을 흘리면서 서럽게 울었다.

"죽게 내버려 둬. 헤어지느니 죽을 거야."

"이러지 마, 소연아."

"환자분, 지금 당장 생명에는 지장이 없고요."

백강우는 서러워하는 환자와 이를 말리는 보호자를 무감정하게 쳐다보며 딱딱하게 말했다.

"치료 거부하시면 평생 투석 받으면서 사셔야 할지도 모르겠습니다."

"네?"

"드신 약 때문에 신장이 계속 망가지고 있거든요."

그의 말에 환자와 보호자 모두 단숨에 조용해졌다. 무겁고 권위 있는 목소리는 신뢰성이 높았다. 힘들다고 소문이 난 혈액 투석이라는 단어를 듣자마자 환자의 안색이 더욱 나빠졌다. 만약 이 자리에 정신건강의학과 전공의가 있었다면 분명 백강우를 말렸을 것이다. 자살 기도까지 한 환자에게 왜 겁을 줘서 불안하게 만드느냐고 말이다.

하지만 이 환자는 강우의 예상치를 벗어나는 사람이었다.

"오빠, 나 아파도 버리지 마."

"소연아……."

영화의 한 장면처럼 애절하게 손을 붙잡은 젊은 연인이 서로 사랑을 속삭이기 시작했다. 응급실 침대 위에서 시든 줄 알았던 사랑이 꽃피는 동안, 눈을 비비면서 내과 당직이 다가왔다.

"어…… 괜찮아 보이시는데."

분위기를 읽지 못한 내과 전공의가 머리를 긁적였다. 강우가 내과 전공의에게 검사지를 건네주었다.

"이제부터 CPK 수치, 계속 올라갈 겁니다."

"그래도 뭐, 플루이드 테라피(Fluid therapy, 수액 요법) 하면서 지켜보는 수밖에 없어요. 저희 과로 입원시키세요."

운이 좋게도 내과에 입원실이 있었다. 이제 저 환자는 내과와 정신과 전공의들에게 치료를 받게 될 것이다. 강우는 고개를 끄덕이고 내과 당직의를 보내 주었다. 불쌍하게도 얼굴에 피곤이 덕지덕지 묻어 있었다.

너스 스테이션에도 피곤이 묻은 의사가 한 명 있었다. 1년 차 전공의, 신채린이었다. 강우는 방금 내원한 환자의 차트를 작성했다. 슬금슬금 그의 눈치를 보다가 채린이 조심스럽게 입을 열었다.

"선생님, 죄송합니다. 입이 열 개라도 할 말이 없……."

"말만 잘하는데."

입이 열 개라도 할 말이 없다는 채린은 입 하나 가지고 잘도 말했다. 왠지 평소와 다른 강우의 태도에 그녀는 그의 기분과 눈치만 열심히 살폈다. 하지만 그는 더 이상 아무 말도 하지 않고 차트를 저장한 다음 너스 스테이션을 나갔다. 가만히 있을 수 없다고 판단한 그녀가 그를 졸졸 쫓아갔다.

등 뒤로 박히는 절실한 시선에 강우가 귀찮은 듯 고개를 돌렸다. 절뚝거리면서 그를 따라가던 채린이 멈칫, 걸음을 멈추었으나 이미 그의 시선이 그녀의 발목으로 내려갔다.

"왜 그렇게 걸어?"

"네? 아…… 아닙니다."

차마 채린은 아까 의자에서 떨어졌을 적, 바닥에 발목을 부딪쳐서 그렇다고 말할 수가 없었다. 창피한 것도 그렇고 졸았다는 걸 그에게 상기시키고 싶지 않아서였다.

"따라와."

하필이면 복사뼈가 신발에 딱 닿아서 욱신욱신 계속 아팠지만 채린은 애써 멀쩡하게 걷도록 노력했다. 강우를 따라 의국에 들어온 채린은 소리가 나지 않도록 출입문을 닫았다. 하나라도 백강우 심기를 거스르지 않도록 그녀는 신경을 쓰고 있었다.

"누가 당직 때 졸아도 된다고 그랬어? 앉아."

강우가 턱짓으로 가리키는 의자에 앉은 채린은 죽을죄를 지은 양 고개도 들지 못했다. 그러나 그는 그녀의 발목에 관심을 보이고 있었다. 그가 그녀의 다리를 잡아 의자 위에 수평으로 올렸다.

"스프레인(Sprain, 염좌) 아니야?"

"아, 아닌 것 같습니다."

기껏해야 타박상쯤일 것이다. 부러진 것 같지도 않았다. 그가 환자를 보듯 무표정한 얼굴로 그녀의 발목을 이리저리 살펴보았다.

"멀리얼러스(Malleolus, 복사뼈)에 컨투전(타박상) 정도만 있을 거예요. 부딪친 거라……."

채린의 말대로 뼈가 톡 튀어나온 부분에 멍이 들어 있었다. 물론 겉으로는 타박상만 보이더라도 뼈에 손상이 갔을지 몰랐다.

"이상하면 엑스레이 찍어 봐."

"네."

"그러게 왜 의자에서 굴러떨어져?"

잠에서 깨자마자 호랑이 같은 백강우를 보고 의자에서 굴러떨어진 채린은 이번에는 정말 입이 열 개라도 할 말이 없었다. 주변에서 좀 깨워 주지 싶다가도 졸았던 건 분명 자신의 잘못이었다.

채린의 발목을 놓고 강우가 몸을 일으키며 말했다.

"피곤하면 여기서 잠깐 자."

"네…… 네?"

백강우가 이런 소리를 하다니! 동정이라 할지라도 채린은 기뻤다. 평소라면 조는 모습을 들키자마자 호통을 쳤을 텐데, 심지어 잠깐 눈을 붙이라고 배려까지 해 줄 줄은 몰랐다. 감격스러워서 눈물이 날 것 같았지만, 그녀는 이 자리에서 긍정할 수는 없었다.

"아닙니다."

"아니면 말고. 나가 봐."

그는 같은 소리를 두 번 다시 하지는 않았다. 채린은 꾸벅 묵례를 하고 절뚝거리면서 의국을 나섰다. 왠지 그가 등 뒤에서 지켜보고 있다는 착각이 들어, 그녀는 뒤를 돌아보지 못했다.

다시 너스 스테이션에 돌아온 채린을 간호사들이 가엾게 바라보았다. 아마 의국에서 엄청 깨지고 왔겠지. 사소한 이유로 혼나는 채린을 불쌍하게 생각하는 걸 알고 이제는 남들 눈에 띄지 않는 데서 태우는 것이리라. 간호사들은 강우의 못된 성격을 넘겨짚으며 착각하고 있었다.

"아까 백강우 선생님이 선생님 엄청 쳐다보고 계신 거 아세요?"

"많이 혼나셨죠?"

"어…… 아뇨. 괜찮습니다."

채린이 어색하게 웃으면서 고개를 저었다. 물론 아무도 그녀의 말을 믿어 주지 않았다. 오늘도 당직 근무가 끝나면, 간호사들은 응급의학과 의국장 욕을 질펀하게 할 것이 분명했다.

반면, 채린은 웬일로 다정한 강우의 태도를 다르게 해석하고 있었다.

'어이가 없어서 화도 안 나나 보다.'

당직 날 조는 거야 종종 있는 일이지만, 정신을 똑바로 차려야 할 1년 차가 겁도 없이 졸고 앉아 있으니 그는 기가 막혀서 화를 내지도 않은 듯했다. 게다가 의자에서 굴러떨어져 발목 부상까지 당했으니 얼마나 황당할까?

채린은 발목을 쳐다보았다. 세심하게 살펴보던 강우의 모습이 눈동자에 새겨진 듯 어른거렸다. 아, 자꾸 다정하게 대해 주면 겨우 접은 마음이 다시 활짝 펴지고 말 텐데. 진짜 큰일이었다.

이튿날, 케이스 스터디도 끝났으니 이제 자는 일만이 남았다. 침침한 눈을 깜빡거리면서 채린은 비틀비틀 걸었다. 그때, 누군가가 채린의 어깨를 덥석 잡아 세웠다. 깜짝 놀란 그녀가 고개를 홱 돌렸다. 누군가 했더니, 4년 차 유성준이었다.

"아, 선생님……."

스킨십에 거리낌이 없는 건지 성준은 툭하면 손을 뻗었다. 불쾌한 건 아니었지만 지금처럼 놀랄 때가 있었다. 채린이 어깨를 움츠리자 성준이 눈치껏 손을 떼었다.

"신 선생, 다리 왜 그래?"

성준이 채린의 다리를 의아하게 응시하며 물었다. 백강우나 유성준이나 관찰력 하나는 끝내준다.

"아닙니다."

"아니긴? 걷는 게 이상한데."

"신발에 뼈가 자꾸 닿아서요."

타박상 정도로 걸음걸이가 이상해질 일은 없었다. 바닥에 박았을 적에나 아팠지, 그 이후로는 자극이 없으면 통증도 없었다. 문제는 신발 때문이었다. 단화 끄트머리가 살짝 부은 복사뼈를 자꾸 건드리는 바람에 걸음걸이가 이상해졌다. 채린의 신발을 흘깃 본 성준이 피식 웃었다.

"그러니까 그냥 슬리퍼 신어."

다른 전공의들과 다르게 채린은 꼬박꼬박 단화나 운동화를 고집했다. 운동화를 신는 사람은 많았다. 의국장인 백강우도 이곳저곳을 뛰어다니느라 운동화를 신었으니 말이다. 하지만 오래 신발을 신고 있다 보면 발에 압력이 많이 실려서 다른 전공의들은 대개 사방이 뻥 뚫린 슬리퍼를 신곤 했다.

"슬리퍼 하나 장만해."

인사 대신 손을 저으면서 성준이 너스 스테이션으로 향했다. 그의 뒷모습을 보던 채린이 막 고개를 돌릴 참이었다. 언제 다가왔는지 눈앞에 강우가 떡하니 서 있었다.

성준이 채린에게 말을 붙이는 모습을 멀리서 확인한 강우는 두 사람을 가만히 지켜보았다. 유성준은 성격이 워낙 능글맞아서 스스럼없이 신채린의 이곳저곳을 만져 댔다. 평소라면 신경도 쓰지 않을 일이 자꾸 거슬려서 결국 강우는 채린에게 가까이 오고 말았다.

"파스라도 붙이지 뭐했어?"

"네? 아……."

새벽녘 있었던 일은 당직 간호사 둘과 백강우, 그리고 신채린만이 아는 일이었다. 채린이 왼쪽 발목을 힐끔 내려다보고는 힘없이 웃었다.

"괜찮습니다."

괜찮다는 말만이 그녀가 할 수 있는 최선의 말이었다. 졸다가 의자에서 떨어진 게 자랑도 아니니, 아프다며 징징거릴 수는 없으니까!

자잘한 정리까지 마친 다음, 채린은 전공의 숙소에 들렀다가 오랜만에 본가로 향했다. 운이 좋게도 오프가 토요일이라 채린은 여름옷도 챙길 겸 빨랫감을 들고 본가로 돌아온 것이다. 눈이 자꾸 감겨서 어쩔 수 없이 택시를 타고 이동한 채린은 집안일을 도와주는 가정부에게 세탁을 부탁하고 바로 침실로 들어갔다.

"으, 진짜 바보 같아. 백 선생님 앞에서 넘어질 건 뭐래."

침대에 걸터앉은 채린은 그제야 양말을 벗고 복사뼈를 살펴보았다. 멍도 들고 살짝 부어 있었다. 일주일 정도는 갈 타박상이었다. 그리고 보니 백강우가 발목을 잡고 이리저리 확인했었다.

발목을 주의 깊게 보던 강우의 모습이 떠오르자 그녀의 얼굴이 묘하게 일그러졌다. 그가 왠지 다정해진 것 같은 착각이 들었다. 예전이라면 조는 모습만 봐도 그 자리에서 호통을 쳤을 텐데, 의국에서 자라고 하질 않나!

'아니야, 기가 막혀서 그런 거겠지.'

강우의 잔상을 털어 내기 위해 채린이 고개를 설레설레 저었다. 물론 그렇게 쉽게 털어질 생각은 아니었다. 머릿속을 그의 얼굴과 목소리가 꽉 채운 것 같은 착각이 들어 채린은 울적해졌다.

백강우는 다른 사람의 연인이었다. 다른 사람에게는 냉정하지만 연인에게만은 다정한 구석이 있는 꽤 좋은 남자이기도 했다. 하긴, 그는 처음 만났을 때도 상냥했다. 몇 푼 하지도 않는 가운을 절대 뺏기지 않으려던 은수와 다르게 흔쾌히 자신에게 가운을 건네주었었다.

'가운⋯⋯.'

오늘 본가에 온 이유는 옷 정리 말고도 한 가지 더 있었다. 침대에서 몸을 일으킨 채린이 드레스 룸으로 들어가 옷장 구석에 있는 가운을 꺼냈다.

'이것도 버려야지.'

낡았지만 고이 간수하고 있던 그 가운이었다. 추억의 물건으로 간직하고 있었으나, 이 가운의 존재를 혜영이 알면 무척 싫어할 것이다. 물론 김혜영은 성격이 호탕한 편이라 이해해 줄지도 모르지만 미련을 버리기 위해서라도 가운은 정리하는 편이 나았다.

"고마웠어."

꼭 이 가운이 자신을 의사의 길로 인도해 준 것 같았다. 힘없이 웃으면서 낡은 소매를 매만지던 그녀는 마지막이니까, 싶어서 가운을 걸쳐 보았다. 혜영에게는 미안한데, 왠지 백강우에게 등 뒤에서 안긴 기분이 들었다. 긴 소매가 손가락까지 덮였다. 채린은 가슴 주머니에 새겨진 강우의 이름을 쓸어 보았다.

"아까운데."

잠깐만 더 가지고 있어 볼까? 갑자기 채린의 마음이 약해지고 말았다. 추억이 담긴 가운이라 쉬이 버릴 엄두가 들지는 않았다.

어제 밤을 새워서 피곤한 채린은 가운을 걸친 채로 터덜터덜 침대가로 갔다. 지금 몇 시간만이라도 마지막으로 입고 버리자. 자고 일어나서 정신이 맑아지면 가운을 정리할 용기가 날 것이다.

채린이 눈을 떴을 때는 창밖에 노을이 드리워졌을 즈음이었다. 너무 오래 자는 건 좋지 않았다. 내일도 아침 일찍 출근을 해야 하니 말이다.

"휴……."

사실 눈을 뜨고 싶지 않기도 했다. 아직 피로가 덜 풀리기도 했으나 무엇보다 가운을 정리할 용기가 아직도 생기지 않아서였다. 그래도 그녀는 구겨진 가운을 벗어 곱게 접기 시작했다.

침실이나 욕실 쓰레기통에 가운을 버리면 다시 주워 올 것이 뻔해서, 채린은 가운을 안고 바깥으로 나왔다. 우울한 마음을 애써 무시하면서 3층 복도를 지나던 그녀는 은수의 방문 사이로 새어 나오는 목소리에 걸음을 우뚝 멈추었다.

"조은수, 너 이거 반칙이야. 갑자기 집으로 데려와서 인사시키는 건 뭐니?"

어디서 많이 듣던 목소리였다. 그러니까 일반외과 의국에서 듣던…….

'김혜영 선생님?'

혜영이 왜 이 집, 본가에 있는지 채린은 이해가 되지 않았다. 채린이 고개를 쭉 빼고 은수의 방문 틈새를 들여다보았다. 치마 정장 차림의 뒷모습이 보였다. 아마 혜영일 것이다.

이내 은수의 목소리가 이어졌다.

"고집 그만 부려. 어차피 결혼할 건데, 도대체 뭐가 문제야?"

"내가 보드 따고 말씀드리자고 했잖아!"

"난 그게 이해가 안 돼. 내년 2월에 보드 따고 인사를 드리든, 지금 5월에 인사를 드리든 무슨 차이야? 우리가 결혼 안 할 것도 아닌데?"

채린은 두 사람의 대화를 따라가지 못했다. 이상했다. 은수와 혜영은 꼭 결혼을 앞둔 연인처럼 대화를 나누고 있었다. 하지만 김혜영의 연인은 백강우 아닌가? 채린이 눈살을 찌푸릴 때였다. 갑자기 혜영이 폭탄 같은 소리를 했다.

"결혼할지 안 할지 어떻게 알아? 마음이 변할 수도 있는 건데?"

"김혜영, 너 지금 말 다 했어?"

'히익?'

항상 바보 같기만 하던 사촌 오빠, 조은수의 화난 목소리는 처음이었다. 채린이 저도 모르게 입가를 가렸다. 품에 안은 가운 깃이 목을 스쳤다. 어린 나이에 부모를 잃은 막내 사촌 동생이 불쌍해서인지 다른 사촌 오빠들처럼 은수 역시 채린에게는 한 수 접어주었다. 그러니 이처럼 진심으로 화내는 모습은 처음이나 다름없었다.

혜영이 한숨을 길게 내쉬더니 지친 듯 말했다.

"솔직히 말할게. 나 너희 집안, 좀 부담스러워."

"뭐가 부담스러워, 대체?"

"스무 살 때는 몰랐지. 근데 서른이 되니까 알겠더라. 집안 차이가 뭔지."

두 사람의 언성이 높아질수록 채린의 머릿속은 뒤죽박죽이었다. 뭐지? 왜 저 두 사람이 결혼 이야기를 하고 있는 거지? 일반외과 치프 김혜영은 백강우와 연인 관계가 아니었나? 채린은 강우의 가운을 품에 꼭 안고 눈만 깜빡거렸다.

채린의 복잡한 머릿속과 달리, 은수와 혜영의 분위기는 흉흉하기 그지없었다. 한참 침묵하던 은수가 헛웃음을 터뜨렸다.

"그게 무슨 소리야? 설마 헤어지자는 거야? 집안 차이 때문에?"

"네가 그냥 평범한 집안 아들이었으면 좋았을 텐데……."

혜영의 목소리가 쓸쓸하게 울렸다. 채린은 왠지 두 사람의 다툼을 엿보면 안 될 것 같아서 몸을 돌렸다. 두 사람의 사적인 대화를 엿듣는 것이 불편해졌다.

아무래도 김혜영의 연인은 백강우가 아니라 조은수였나 보다. 하긴, 혜영은 강우가 자신의 연인이라고 한 번도 콕 집어 말한 적이 없었다.

"내가 무슨 재벌집 아들이라도 돼? 이상한 걸 따지고 있어. 앉아서 머리 좀 식혀."

"됐어. 갈 거야."

"못 가."

은수의 말에 혜영이 고집스럽게 대꾸했다. 물론 은수도 지지 않았다.

'아, 그래서 그때…….'

이제야 채린은 혜영이 했던 말이 전부 이해가 갔다. 올해가 수련 마지막 해임에도 혜영은 채린에게 앞으로도 계속 볼 사이임을 강조했다. 그땐 혜영이 전임의로 남는 줄 알았는데, 은수와의 결혼을 염두에 둔 말이었나 보다.

'근데 결혼을 안 하면 계속 볼 일도 없을 텐데?'

지금 두 사람의 상황은 결혼은커녕 연인 관계마저 끝장나기 직전이었다. 어쩌다 혜영의 마음이 변했을까 싶어서 채린이 막 고개를 갸웃거릴 참이었다. 혜영의 씩씩거리는 목소리가 들렸다.

"못 가긴 뭘 못 가? 저리 꺼져, 조은수!"

말이 끝나기 무섭게 퍽, 하고 부딪치는 소리가 났다. 왠지 으윽, 하고 사촌 오빠가 신음을 흘리는 소리가 들린 듯도 했다. 깜짝 놀란 채린이 고개를 돌리자 막 밖으로 나온 혜영이 채린을 보고 난처한 표정을 지었다.

"어…… 신 선생…… 있었네?"

"아…… 안녕하세요."

떨떠름한 인사가 오고 갔다. 창피한 일을 들킨 양, 혜영이 얼굴을 붉히고 어색한 미소를 지어 보였다.

"미안, 나 지금 신 선생하고 이야기 할 정신이 없다. 먼저 갈게."

"아, 네. 그러세……."

채린의 말은 끝까지 이어지지 못했다. 뒤따라서 은수가 나온 탓이었다.

"야, 김혜영. 사람을 발로 차면 어떡해?"

방금 들은 은수의 신음 소리는 환청이 아니었다. 정강이를 부여잡고 한 발로만 깡충깡충 뛰는 가여운 사촌 오빠를 채린이 한심한 눈으로 응시했다. 벌써 계단을 내려가고 있는 혜영만을 쫓다가 뒤늦게 채린을 발견한 은수가 미간을 찌푸렸다.

"넌 왜 여기 있어? 1년 차가 병원에나 가 있지."

"……남이사."

"혜영아!"

혜영에게 차인 정강이를 몇 번 문지른 다음, 은수는 연인을 쫓아서 계단을 뛰어 내려갔다. 두 사람은 2층쯤에 있을까? 채린에게까지 잔뜩 화가 난 혜영의 목소리가 들려왔다.

"나 따라오지 마. 따라오면 우리, 오늘부로 끝이야."

정말 엉망진창이었다. 망부석처럼 2층 계단에 선 은수는 망연히 혜영을 놓쳤다. 은수가 세상이 무너진 듯한 표정을 지었다. 말을 잃은 사촌 오빠를 힐끔 보고 나서 채린은 혜영을 쫓아가기 위해 은수를 스쳐 지나갔다. 혜영은 1층에 있던 은수의 어머니를 발견하고 꾸벅 고개를 숙였다.

"어머, 벌써 가는 거예요? 차 준비하고 있었는데."

"죄송합니다. 급한 일이 생겨서……."

겨우겨우 예의 바른 모습으로 혜영이 대강 둘러대고는 현관에서 신발을 찾아 신었다. 채린은 강우의 가운을 끌어안은 채 인사했다.

"조심히 들어가세요."

"응. 나중에 병원에서 보자."

1분 1초라도 이 집에 있고 싶지 않은 듯, 혜영은 재빨리 저택을 벗어났다. 현관문이 닫히고 채린은 눈만 깜빡거렸다. 김혜영의 연인이 조은수라는 게 아직도 현실감이 들지 않았다.

'그러면 백강우는 싱글? 연인이 없는…… 걸까?'

멍하니 상황 정리를 하고 있을 무렵 막내 외숙모가 채린에게 다가와 물었다.

"채린이, 거기 서서 뭐 하니? 그거 빨래야?"

"아뇨."

채린이 단호하게 대답했다. 이제 소중한 가운을 버릴 필요가 없어졌다. 신채린이 백강우의 가운을 가지고 있다한들, 김혜영이 기분 나빠할 일은 없으니 말이다. 채린은 가운을 안은 팔에 힘을 주었다. 버리기 싫었는데 잘됐다. 안도감과 더불어 기분이 좋아진 채린은 미소가 자꾸 배어 나왔다. 백강우를 향한 마음도 버릴 필요가 없었다.

"근데 어떻게 된 거예요? 저 선생님, 저도 아는 분인데."

"어머, 그래? 은수가 갑자기 결혼할 여자가 있다고 하더라고. 대학 다닐 때부터 오래 사귀었다던데, 4년 차 전공의라며?"

백강우와 김혜영의 대화를 멋대로 오해한 게 이 착각의 시작이었다. 대학 때부터 10년가량 혜영과 연애한 남자는 조은수였다! 백강우는 그저 친구, 대학 동기일 뿐이었다. 채린은 체구가 작은 외숙모를 내려다보며 고개를 끄덕였다.

"……네. GS(일반외과) 선생님이에요."

"어머나, 은수랑 똑같은 과네. 저녁이라도 같이 먹었으면 좋았을 텐데."

은수가 발로 차이기까지 한 걸 모르는 외숙모를 채린이 복잡하게 바라보았다. 소녀 같은 성품의 외숙모가 채린에게 빙그레 웃어 주었다.

"은수까지 딱 장가보내면 이제 채린이만 남네?"

현재 손자, 손녀 중 미혼인 사람은 조은수와 신채린이 유일했다. 채린이 어색한 미소를 지으며 슬그머니 고개를 돌렸다. 결혼이라는 단어는 아직 신채린에게 너무 먼 이야기였다. 다시 응접실로 돌아오면서 외숙모가 계속 조잘거렸다.

"참, 은수 아빠한테 말해야 하나? 너무 갑작스러워서……."

"아버지한테 말씀하지 마세요."

어느새 은수가 굳어진 얼굴로 다가와 끼어들었다. 채린은 얌전히 입을 다물었다. 상황을 모르는 외숙모만이 의아해했다.

"왜?"

"나중에 다시 제대로 인사 올게요. 오늘은 제가 억지로 데려온 거라서요."

"어머……."

우울해하는 은수에게 아무도 말을 붙이지 못했다. 애교가 있어서 실없이 웃거나 장난도 곧잘 치던 막내아들이 웬일인지 비참한 표정을 짓고 있었다. 애인을 데려왔을 때만 해도 의기양양했는데 말이다.

등 뒤로 꽂히는 따가운 시선에도 불구하고 은수는 더 이상 아무 설명 없이 계단을 올랐다.

다시 3층으로 올라간 은수는 방 안을 정리하고 침대에 드러누웠다. 사촌 오빠를 따라 올라온 채린이 눈치를 보다가 슬그머니 그를 불렀다.

"오빠."

"말 걸지 마. 나 지금 기분 최악이니까."

결혼 이야기가 오가던 연인에게 발로 차이고 따라오면 이별이라는 소리까지 들은 조은수가 기분이 좋을 리는 없었다. 물론 사촌 오빠의 경고 따위를 들을 신채린도 아니었다. 채린은 확신을 위해 은수의 아픈 마음을 헤집었다.

"김혜영 선생님하고 사귀어?"

"몰라. 이러다 헤어지면 끝이고."

은수의 말끝이 떨렸다. 자기가 말해 놓고 훌쩍거리는 은수를 채린이 가만히 내려다보았다. 어렸을 적에는 종종 은수도 울곤 했지만, 성인이 되어서 우는 모습은 처음 보았다. 그만큼 상심이 큰 모양이었다.

"그만 나가 줘. 나 기운 없어."

조은수가 너무 불쌍해서 채린은 오랜만에 얌전히 나와 주었다. 여전히 그녀는 강우의 낡은 가운을 품에 안은 채였다. 절망에 빠진 은수에게는 미안하지만 채린의 우울했던 기분은 백강우와 김혜영이 연인 관계가 아니라는 사실에 좋아져 있었다.

'뭐야, 10년 넘게 사귀었다는 것도 조은수 얘기었어? 나 참.'

도로 가운을 들고 침대에 누운 채린은 새어 나오는 웃음을 참지 못했다. 옆방에서 사촌 오빠가 훌쩍거리고 있는데 웃는 모양새가 썩 정상적인 것 같지는 않으나, 웃음이 나오는 걸 어떡한담?

'나 진짜 이기적이고 나쁜 사람인가 보다.'

자기 성찰을 하면서도 채린은 얼굴에서 미소를 지우지 못했다. 어쩐지, 그때 혜영을 언급하자 백강우가 이상하게 쳐다보더라.

두 사람은 그저 대학 동기일 뿐이었다. 단순한 대학 동기! 친구! 채린은 버리려던 가운을 다시금 품에 소중히 안았다. 버렸으면 정말 큰일 날 뻔했다.

　　　　　　*　　　*　　　*

　외상외과 파견도 끝물이었다. 멀리서 수척해진 얼굴로 혜영이 채린을 불렀다. 무슨 이야기가 나올지 알 것도 같아 채린은 군말 없이 혜영에게로 향했다.

　"신 선생, 은수는 어때?"

　혜영의 걱정 어린 표정에서 채린은 아직 혜영이 은수를 좋아하고 있다는 걸 눈치챌 수 있었다. 두 사람의 모습을 보니 다행히 결혼할 생각이 아예 없다기보다는 시기 조율이나 결혼 계획의 문제가 아니었을까 싶었다.

　"은수 오빠, 토요일 이후로 안 보셨어요?"

　"응. 내 성격, 진짜 이상하지?"

　혜영이 자조하듯 웃었다. 그렇게 집으로 돌아가 버린 이후로 혜영은 연인에게 전화는 물론 메시지 한 통 보내지 않았다. 은수가 끈질기게 연락을 했지만 왠지 미안하기도 하고 무섭기도 해서 전화를 받지 못했다. 대범하고 호탕한 김혜영도 이렇게 소심해질 때가 있었다.

　"저도 전공의 숙소에서 지내서…… 그날 이후론 오빠 못 봤어요."

　"그랬구나."

　채린에게 더 이상 은수에 관한 이야기를 들을 수 없게 되자 혜영이 어깨에서 힘을 뺐다. 힘없이 처진 어깨를 물끄러미 보던 채린이 조심스럽게 말했다.

"선생님 가시고 나서 오빠 우는 것 같더라고요."

"울어?"

뜻밖의 소식에 혜영이 눈을 크게 떴다. 막내아들이라 징징거리는 면모가 보이기는 했어도 울기까지 줄은 몰랐다. 기가 막혀서 혜영이 헛웃음을 뱉었다.

"걔는 서른이나 먹어가지고 울긴 왜 울어? 자기가 잘못해 놓고."

"오빠가 잘못했어요?"

어쩐지 은수가 절절매더니. 채린은 은수가 도대체 무슨 잘못을 했는지 궁금해졌다.

혜영이 한숨을 푹 내쉬고 상황을 설명했다.

"동기 결혼식 다녀왔는데 잠깐 집에 들르자고 하더니 날 끌고 내리잖아. 그러더니 자기 엄마한테 날 소개했어."

"아, 네……."

그게 그렇게 화낼 일인가? 결혼 약속을 무를 정도로? 채린으로서는 은수보다 혜영의 마음이 이해되지 않았다. 족집게처럼 혜영이 그 점을 집어냈다.

"신 선생은 내 감정, 이해하지 못할 거야."

마음을 들킨 채린이 어깨를 움찔했다. 채린이 미안한 표정을 지어 보이자 혜영은 너그럽게 웃어 주고는 설명을 시작했다.

"우리 집 되게 평범하거든. 아버지 혼자 교사하시다가 정년퇴직 했고, 교직원 연금이랑 지금 사는 아파트 빼면 재산도 없어. 언니랑 내 교육비에 다 쏟아 부어서."

채린이 고개를 끄덕였다. 혜영의 집안은 평범하다면 평범한 집안이었다. 비슷한 집안이 대한민국에 천만 가구는 넘을 것이다. 부모님 두 분이 건강하게 살아 계시고 형제자매가 하나쯤 있는 그런 가족. 신채린에게는 꽤 이상적으로 보이는 가족이었다.

그러나 이어지는 혜영의 말은 채린의 예상과 달랐다.

"그런데 은수나 신 선생은 다르잖아."

"뭐가…… 다른가요?"

혜영이 꼭 선을 긋는 것 같아서 채린이 시무룩하게 되물었다. 혜영은 채린의 우울한 눈빛에 손을 내젓고 빠르게 대답했다.

"아니, 나쁘다는 건 아니야. 오히려 부럽다고 할까?"

꾸며 낸 소리는 아니었다. 혜영은 진심으로 채린을 부러워했다. 채린이 아무 대답도 하지 않자, 혜영이 말을 이었다.

"우리 언니가 교사거든. 시집을…… 세간에서는 그래. 시집을 되게 잘 갔다고."

자매가 하나는 교사, 다른 하나는 의사였다. 부모가 자식 농사를 잘 지었다고 모두들 입을 모았다.

똑똑하고 참한 교사 며느리를 원하는 집안은 참 많았다. 스무 살 때부터 남자 친구를 사귄 혜영과 반대로 조신하게 살던 혜영의 언니는 맞선을 봐서 부동산으로 알부자가 된 집안에 시집을 가게 되었다.

"근데, 우리 언니 사는 거 보면…… 잘 간 걸까 싶더라고."

겉으로는 참 완벽한 결혼이었는데, 속은 그렇지 못했다. 혜영이 쓰게 웃었다.

"조카 낳고 육아 휴직 중인데 시댁 가서 허드렛일하고 그래, 우리 언니."

그래서 남들은 예쁘다던 조카도 혜영은 마음에 들지 않았다. 착하고 목소리 한 번 높여 본 적 없는 언니는 시집 식구들에게 부당한 대우를 받아도 입을 다물기만 했다. 심지어 언니를 감싸 줘야 할 형부마저도 최악이었다.

"형부는, 그 새낀 언니 몸매 망가졌다고 밖으로 나돌고. 언니가 나한테는 말하는데 부모님한테는 말도 못 꺼내. 엄마 울까 봐."

채린이 믿을 수 없다는 듯이 혜영을 바라봤다. 정말 끔찍한 이야기였다. 혜영이 결혼에 부정적인 이유를 알 것도 같았다. 물론 혜영의 언니 사정은 안타까웠으나 은수는 그런 인간쓰레기가 아니었다. 은수와의 결혼이 걱정스러운 마음을 이해는 하지만, 채린은 불쌍한 사촌 오빠를 두둔해 주었다.

"하지만 은수 오빠는 그런 사람이……."

"그래, 알아. 은수 진짜 착하지. 내가 발로 차도 찍소리도 못하잖아."

토요일 일을 떠올린 혜영이 어색하게 웃다가 이내 얼굴을 도로 일그러뜨렸다. 푼수 같고 착한 조은수를 10년이나 봐 왔다. 나쁘게 변할 사람이면 이미 변했을 것이다. 평생의 동반자로 삼기에 은수는 적합한 남자였다. 강한 혜영의 성격에는 착한 은수처럼 쥐고 흔들만한 남자가 나았다.

"근데 모르겠어. 난 정말 모르겠어. 형부도 처음엔 진짜 괜찮은 사람이었거든. 젠틀하고 유머 감각 있고……."

하지만 불안은 계속되었다. 은수가 결혼 후에 달라져 버릴지도 모른다는 생각, 사람 앞일은 모른다는 생각 등이 혜영의 불안을 부채질했다.

은수의 집안이 대단하다는 것도 한몫했다. 언니의 시댁이 친정에 비해 워낙 부잣집이라 언니가 큰 소리를 내지 못하기도 했다. 대대손손 의사 집안인 은수의 집안 역시 혜영에게는 크나큰 부담이었다.

"언니는 맞선 보고 결혼해서 그런 거고 난 은수랑 10년을 연애했으니까 다를 텐데, 결혼하면 남자들 완전 뒤바뀌고 그런다니까……."

혜영이 말을 잇지 못하고 한숨을 내쉰 후 사과했다.

"미안. 그래도 신 선생한테는 사촌인데."

"괜찮습니다."

채린은 혜영의 불안을 알 것 같으면서도 완벽하게 이해하지는 못했다. 살아온 환경의 문제였다. 신채린은 어디 나가서 박대를 당한 적이 거의 없었다. 만약 채린에게 혜영의 언니 같은 일이 일어난다면 채린은 주저 없이 이혼을 선택하고 나왔을 것이다.

"차라리 결혼하지 말고 계속 연애나 하고 싶어. 나한테도 시댁이 생긴다는 게 아직은 싫어. 어쩔 때는 우리 부모님보다 시부모님을 우선해야 하더라. 나한테 희생한 쪽은 우리 부모님인데."

머리가 아픈지 책상 위에 팔꿈치를 올려놓은 혜영이 이마를 감쌌다. 반짝반짝 생기 있던 언니가 결혼하자마자 시들어 버린 모습이 혜영에게는 정신적 트라우마처럼 남아 버린 것이었다.

"은수한테는 말하지 마. 이런 이야기 들으면 속상할 거야."

"네."

"그래도 신 선생한테 털어놓으니까…… 괜찮네."

힘없이 웃고 있는 혜영을 보자 채린은 그날, 백강우가 혼자라는 사실을 알고 좋아했던 게 괜스레 부끄러워졌다.

토요일은 은수와 혜영에게 힘겨운 날이었는데, 자신은 새어 나오는 웃음을 참지 못하고 가운을 안은 채 침대를 데굴데굴 구르고나 있었다.

외상외과 교수에게 제출할 마지막 보고서를 작성한 뒤, 채린은 전공의 숙소로 돌아와 2층 침대에 누웠다. 오늘은 하루 종일 혜영의 이야기가 머릿속을 떠나지 않았다. 같은 여자로서 다정은 어떤 생각을 하고 있을까, 궁금해진 채린은 아직도 책상 앞에 붙어 있는 다정에게 슬쩍 말을 붙였다.

"선생님."

"왜?"

제 이름답게 무덤덤한 안다정의 목소리는 꼭 백강우를 여자로 치환해 둔 듯했다. 그래서 채린은 다정이 좋았다. 무슨 일이 있어도 절대 동요하지 않을 것처럼 다정은 굳센 느낌이었다. 채린이 조심스럽게 물었다.

"결혼하실 생각 있으세요?"

"아니? 없어."

다정은 단번에 부정했다. 한 번도 '결혼'이라는 것을 생각해 본 적이 없는 양, 다정은 잠시도 머뭇거리지 않았다. 오히려 놀란 쪽은 채린이었다.

채린은 단 한 번도 결혼을 하지 않는다는 선택지를 생각해 본 적이 없었다.

"어…… 왜요?"

"신 선생은 왜 그런 걸 물어봐?"

되레 질문이 돌아올 줄 몰랐던 채린은 혹여 다정의 기분이 상했을까 싶어서 바로 사과했다.

"아, 죄송합니다. 사생활인데……."

"죄송할 일은 아니고."

다정이 의자를 뱅글 돌려서 채린을 정면으로 올려다보았다. 갑자기 왜 결혼 이야기를 꺼내느냐는 눈빛에 채린은 혜영의 사정을 대충 에둘러 말했다.

"아는 분한테 차이 나는 결혼은 하고 싶지 않다는 말을 들었거든요."

"그런 건 안 하는 게 좋겠지."

고개를 끄덕이는 다정을 채린이 이해할 수 없다는 눈으로 바라보았다. 혜영이 은수의 소식을 조심스럽게 묻던 것만 봐도 두 사람은 아직 서로를 사랑하고 있었다. 조은수도 그렇다. 얼마나 혜영을 사랑하면 다 큰 성인 남자가 눈물을 훌쩍거리겠느냔 말이다.

"정말 사랑하는데도요?"

"사랑?"

어린애들의 허황된 이야기를 들은 것처럼 다정이 피식 웃었다.

"신 선생, 은근히 소녀 감성이네."

왠지 다정이 자신을 비웃는 느낌이라 채린의 입술이 뾰로통해졌다. 소녀 감성이면 어때서? 아직 불타는 연애를 해 본 적이 없어서 사랑에 환상 정도는 가질 수도 있지. 그 환상을 채워 주기에 적합한 사람도 있고 말이다. 그 사람이 신채린을 별로 안 좋아하는 것 같다는 게 문제지만.

"사랑이라는 감정은 절대적인 게 아니잖아. 언제든 변할 텐데 그것만 믿고 인생을 베팅하기에는 위험 요소가 너무 많아."

"그런가요……."

말을 마친 다정이 도로 의자를 돌렸다. 다정의 말을 들으니 또 그런 것도 같았다. 혜영의 언니는 변한 남편 때문에도 상처를 받고 있었으니까.

그러나 채린은 다정의 의견이나 혜영의 걱정을 마음 깊이 이해하지는 못했다. 채린은 자신이 혜영의 입장이었더라도 감정을 숨기지 않고 솔직하게 행동했을 것이다. 아직 시작도 못 한 연애에 쓴맛을 보지 못했기 때문일지도 모른다.

다정의 등을 말없이 바라보던 채린은 본가에서 들고 온 강우의 가운을 만지작거렸다. 그녀는 일부러 가운을 침대 옆자리에 두었다. 길쭉한 소매를 허리에 두르자 그의 품에서 자는 착각까지 들었다.

'조금 변태 같기는 한데, 내가 좋으면 됐지.'

채린이 흡족하게 미소를 지으며 가운을 한참 동안 매만졌다. 룸메이트인 다정의 시선이 닿지 않는 2층이라 천만다행이었다.

포근하고 말이 없는 가운과 다르게 백강우는 여전히 냉기가 폴폴 풍겼다. 파견 근무를 마친 1년 차들을 나란히 앉혀 놓고 강우가 담담하게 말했다.

"한 달짜리 파견이지만 다들 수고 많았다."

파견이라고 해 봤자 응급실에 내원하는 그쪽 환자를 진료하고 보고서를 작성하는 게 전부였다. 노력한 만큼의 대가가 돌아올지는 앞으로 응급실에서 생활을 해 봐야 했다. 그때, 놀기 좋아하는 재희가 손을 번쩍 들고 물었다.

"선생님, 파견 끝나고 1박 2일로 MT 간다는 소식을 들었는데요."

"올해는 4년 차가 바빠서 MT는 무산이야."

4년 차 전공의였던 공경훈이 폐암으로 병원을 그만두는 바람에 4년 차 두 사람의 몫이 반씩 늘어나고 말았다. 그러니 중요하지도 않은 MT를 갈 여유가 없었다.

"아……."

재희가 눈에 띄게 아쉬워했다. 시무룩해진 재희 대신 충직이 나섰다.

"그럼 저희는 MT 못 갑니까? 1년 차 때만 가는 거라면서요."

4년 동안 딱 한 번 가는 MT를 못 가게 생겼다. 하긴, 운이 좋으면 셋 중 하나는 갈 수도 있었다. 4년 차 때, 1년 차 후배들을 인솔할 의국장으로서 말이다. 아쉬워하는 두 동기와 달리 채린은 별 생각이 없었다. 현재 의국장인 백강우와 교외로 놀러 가면 좋기야 하겠지만 응급실에서도 오래 볼 수 있어서인지 굳이 바깥으로 나가야 할 필요는 느끼지 못했다.

"MT 대신, 1년 차들끼리 술자리 한 번 가질까 해."

"술자리요?"

1년 차 세 사람의 시선이 강우에게 동시에 꽂혔다. 어차피 1박 2일로 가는 MT에서는 술이나 마시기 때문에 시간 낭비였다. MT에서 마실 술을 근처 술집에서 마시면 되겠지, 싶어서 강우는 따로 일정을 짜 두었다.

"너희 셋 다 다음 주 수요일에 당직 아니지?"

"하필 주중입니까……."

"싫으면 말고."

부담스러워하는 충직의 말에 강우가 바로 대꾸했다. 공짜 술을 마실 기회를 놓치기 싫은 재희가 충직의 입을 막고 고개를 저었다.

"아닙니다."

"그럼 그렇게 알고 있어. 나가 봐."

"넵!"

재희는 충직이 허튼소리를 하지 못하게끔 입을 막은 채 질질 끌고 의국을 나섰다. 채린도 동기들을 따라 조용히 출입문을 나가려던 참에, 벼락 같은 강우의 말이 이어졌다.

"아, 신채린은 남아."

'또 왜?'

혼날 일이 있나? 채린은 덜컥 겁을 집어먹었다. 요즘은 실수를 한 적이 없었다. 기껏해야 당직 날 졸다가 의자에서 굴러떨어진 것 정도? 그 이후로는 조용히 살았는데 어째서! 채린이 불안한 듯 눈동자를 굴릴 무렵이었다.

"김혜영 선생, 요즘 어때? 멀쩡해?"

"네? 네, 왜요?"

"멀쩡하면 됐어."

얼굴이 수척해지기는 했어도 겉으로 보기에 혜영은 멀쩡하기는 했다. 물론 속사정을 알기 때문에 채린은 혜영의 마음 상태가 썩 좋지 않다는 사실도 알고는 있었다.

백강우가 김혜영에게 관심을 갖는 이유는 아마 조은수 때문일 것이다.

"은수 오빠 연락, 받으셨어요?"

"뭐 좀 들은 거 있어? 김혜영이 왜 그러는지."

채린이 잠시 멈칫했다. 혜영은 은수에게 언니와 관련된 이야기를 하지 말아 달라고 부탁했었다. 은수가 아닌 강우에게는 말을 해도 되는 걸까 싶었으나 이내 그녀는 마음을 접었다. 솔직하게 말하면 강우가 은수에게 전해 줄 것이 분명했다. 그래서 채린은 겉으로 드러난 사실만을 말했다.

"저희 집안이 조금 부담스러우신가 봐요."

"그건 나도 알아."

"……네."

입이 근질거렸으나 채린은 비밀을 지키기 위해 마음을 꾹꾹 눌렀다.

"집안 차이가 나서 결혼 결심이 잘 안 서시는 것 같더라고요."

"10년이나 만나 놓고 이제 와서 왜 그래?"

가지가지 한다는 투로 강우가 미간을 찌푸린 채 투덜거렸다. 그의 새로운 모습에 채린이 눈동자를 반짝였다.

신채린을 앞에 둔 백강우가 미간을 좁힌 적은 많았으나 불평하듯 투덜거리는 건 처음이었다. 무뚝뚝하기 그지없는 백강우가 감정을 드러낼 때마다 채린의 가슴은 두근거렸다. 그래서 궁금한 것이 생겼다.

"저, 선생님도…… 그렇게 생각하세요?"

"뭘? 넌 꼭 하나씩 빼먹고 말하더라."

아차, 하면서 채린이 바로 덧붙였다.

"집안 차이가 나면 결혼을 안 하는 게 나은가요?"

강우는 바로 대답하지 않았다. 갑자기 웬 결혼? 아직 신채린은 스물일곱밖에 되지 않았다. 전공의 수련도 이제 막 하는 주제에 설마 결혼할 남자가 있는 건가? 신채린에게 남자가, 그것도 집안 차이가 나는 남자가 있나 싶어서 백강우의 기분이 점점 바닥으로 고꾸라졌다. 공주님이라 불릴 만큼 아쉬울 것 없는 채린이 모자란 놈과의 결혼을 생각하고 있을지 모른다는 상상을 한 그가 얼굴을 굳혔다. 그런 강우의 생각을 모르는 채린은 꿈을 꾸는 것처럼 말을 이었다.

"저는…… 사랑하는 사람이라면 집안 같은 거 안 보일 것 같아서요."

"사랑하는 남자한테 가서 물어봐, 그런 건."

강우의 무뚝뚝한 대꾸에 채린의 뺨이 붉어졌다. 그래서 지금 백강우한테 묻고 있는 건데, 정작 당사자인 백강우는 눈치도 채지 못했다. 이렇게 된 거 대답이나 듣고 가자 싶어서 채린이 막 입을 열 때였다.

"선생님은 어떻게 생각……."

"둘이 뭐 해?"

벌컥, 갑자기 의국 출입문이 열리더니 성준이 들어왔다. 가능하면 유성준 근처에 신채린을 두고 싶지 않아서 강우는 그녀를 내쫓기로 했다.

"이야기 다 끝났으니까 나가 봐."

"……네."

결국 백강우의 결혼 생각을 듣지 못했다. 이런 기회는 쉽게 오는 게 아닌데, 아쉬웠다. 시무룩한 표정으로 채린이 고개만 까딱거리고 의국을 나가자 성준이 혀를 쯧쯧 찼다.

"또 태웠냐?"

"안 태웠어. 이제 일부러 안 태워."

괴롭히기는커녕, 요즘은 그동안의 죄책감을 덜기 위해 잘해 주려고 강우는 나름대로 노력 중이었다. 물론 상대인 신채린은 꿈에도 생각하지 못했지만 말이다. 또 하나, 유성준도 백강우의 말을 믿어 주지 않았다.

"공주님 좀 울리지 마. 또 울상이 되어서 나가잖아."

"울상? 시력 검사 좀 해 봐라."

황당하다는 투로 강우가 받아쳤으나 성준은 듣는 시늉도 하지 않았다. 대신 그는 콧노래를 흥얼거리다가 강우 쪽을 홱 돌아보고는 화제를 돌렸다.

"공주라 그런가? 신 선생한테 감히 찝쩍거리는 놈들이 영 안 보이네."

"좋은 거지, 귀찮지 않고."

강우가 별 생각 없이 대꾸했다. 성준은 그런 동기의 얼굴을 빤히 쳐다보더니 의미심장하게 웃으면서 공용 책꽂이로 걸어갔다.

"뭐…… 좋겠지."

성준의 혼잣말이 무슨 뜻인지 강우는 이해하지 못했다. 애초에 타인의 혼잣말 따위에 민감하게 반응하는 백강우도 아니었다. 1년 차 전공의들의 파견 근무 관련 서류를 정리하는 강우에게 성준이 넌지시 말했다.

"9월 전에 어떻게 잘해 봐야 하는데."

"잘해 봐? 뭘?"

"집안 좋지, 청순하지, 섹시하고 똑똑하기까지 해. 저런 여자 보기 힘들거든. 순진할 때 낚아채야지."

성준의 입에서 나온 묘사는 분명 신채린을 가리키고 있었다. 성준의 말뜻을 깨달은 순간 강우의 얼굴이 파삭 구겨졌다. 강우는 능글맞게 웃는 성준에게 경고했다.

"너 지금 좀 쓰레기 같거든? 수련하기도 바쁜 1년 차한테 쓸데없는 짓 하지 마."

"그건 두고 봐야. 누가 쓰레기가 될지."

"뭐?"

의미심장한 성준의 대답이 마음에 들지 않아 강우가 뭐라고 한마디를 할 찰나였다. 성준이 먼저 선수를 쳤다.

"아, 찾았다! 먼저 간다."

두툼한 전공 서적을 책꽂이 맨 마지막 칸에서 찾은 성준이 걸음을 재촉해 의국을 나갔다. 후배들에게 내과적 질병에 대해 얼른 설명을 해 주기 위해서였다.

한편, 강우는 닫힌 출입문을 기가 막힌 표정으로 한참 바라보았다. 진짜 유성준 근처에 신채린을 풀어놓으면 안 되겠다.

대처 방법 6.

서로 술 먹이기

너스 스테이션에서 업무를 보고 있는 간호사들이 환자분류소 쪽을 힐끔거리면서 수군댔다.

"그 환자, 또 왔대."

"진짜? 미친 거 아니야?"

"미쳤으니까 그렇지. 전에도 봐. 남자하고 헤어졌다고 죽겠다며 쇼한 사람이야."

워낙 환자를 많이 보다 보니, 간호사들끼리 치료를 받고 나간 환자에 대해 이야기를 하는 경우는 드물었다. 그러나 이번처럼 이상한 사람이라면 입방아에 오르내리기 마련이었다. 그때, 응급실에 밤새 남아 있던 환자들의 차트를 확인하기 위해 채린이 너스 스테이션으로 다가와 간호사들에게 인사했다.

"안녕하세요."

"어머, 선생님."

이미 업무를 시작한 간호사들과 달리, 매일 오전에 있는 케이스 스터디를 마치고 나온 채린은 간호사들의 이야기에 끼어들지 못했다. 대신, 채린은 직접적으로 물어보았다.

"아까 트리아지(환자분류소) 쪽 시끄럽던데, 무슨 일이에요?"

환자분류소와 벽 하나만 사이에 둔 의국에도 보안 요원들이 오가는 소리가 근근이 들렸다. 무슨 일인지 궁금해서 채린은 나오자마자 간호사들에게 물어봤다. 그리고 그게 방금 전까지 간호사들이 대화하던 화제였다.

"아…… 좀 이상한 환자분이 오셔서요. 아프지도 않은데 응급실 들어가야겠다고 고집부렸대요."

"아, 네."

그런 사람이 워낙 많아서 채린은 더 이상 캐묻지 않았다. 응급실은 환자분류소에서 응급 환자와 비응급 환자를 분류한 다음 응급 환자부터 진료를 보았다. 그러다 보니 상대적으로 경중 환자들은 오래 기다려야 했고, 아예 진료가 필요 없는 경미한 수준의 환자에게는 환자분류소에서 2차 이하의 병원으로 인도하기도 했다.

대부분은 기다리느니 다른 곳으로 가기 마련이었지만 가끔 이상한 고집을 부리는 사람들이 있었다. 오늘도 그런 일 중 하나겠지, 싶었다.

"근데 되게 웃기지 않아? 그날 이리게이션(세척)은 장민석 선생님이 하셨는데 왜 백강우 선생님을 물고 늘어지냐고."

하지만 이어지는 간호사의 말에 채린의 걸음이 우뚝 멎었다. 강우의 이름에 채린은 예민하게 반응했다. 고개를 홱 돌린 채린이 눈을 동그랗게 뜨고 물었다.

"누가 치프 선생님한테 뭐라고 해요?"

"어머, 선생님 그 환자 모르셨어요? 아…… 파견 때문에 트라우마 (외상) 환자만 봐서 그런가?"

정확히는 조느라 그 상황에 있었음에도 몰랐던 거지만 채린은 물론 간호사들도 그 사실을 알지는 못했다. 간호사가 설명을 계속했다.

"저번에 수면 유도제 먹고 들어온 환자 있었거든요. 내과에서 치료받고 하루 만에 퇴원했는데, 사람 살려 났더니 식도랑 입 안이 불편하다고 고객의 소리에 불만 남기고 간 환자요."

"아, 고객의 소리 일은 들었어요. 근데 그거 끝난 일 아니에요?"

며칠 전, 백강우가 응급의학과 과장의 사무실에 불려갔다가 똥을 씹은 표정으로 돌아온 적이 있었다. 응급실을 이용한 환자가 백강우의 불친절에 고객의 소리에 길게 불만을 남겼다는 이유에서였다. 입이 싼 유성준이 이유를 알려 주지 않았다면 의국원 모두가 공포로 덜덜 떨었을 것이다. 어차피 일회성인 불만이었고, 야간 응급실 특성상 완벽하게 친절한 상황을 만들 수 없다는 판단하에 특정한 조치는 없었다.

그런데 끝난 일이 아니었다.

"끝난 줄 알았는데 툭하면 저렇게 찾아온대요. 백강우 선생님 나오라고."

"……네?"

채린은 이 상황이 이해가 가지 않았다. 그 환자가 무엇을 원하는지 이해하지 못하는 건 간호사들도 마찬가지였다.

"처음엔 담당 의사가 직접 와서 사과하라고 하도 난리쳐서 장민석 선생님이 사과하러 갔는데, 직접 이리게이션 한 장민석 선생님은 신경도 안 쓰고 백강우 선생님만 부르잖아요. 구강이랑 식도가 불편하다면서 왜 백강우 선생님을 찾느냐고."

"뭔가 있어. 그렇지?"

간호사들끼리 눈빛을 교환했다. 뭔가 다른 꿍꿍이가 있는 것도 같은데, 이랬다저랬다 하는 그 환자의 속내를 도통 알 수가 없었다. 석연치 않은 환자의 태도에 채린이 눈살을 찌푸리고 말했다.

"치프 선생님은 가만히 계세요?"

"눈도 깜짝 안 하시죠. 전에도 비슷한 일 몇 번 있어서요."

"전에도요?"

아무리 응급실이라지만 이상한 사람들이 백강우에게 몇 번이나 붙었다니, 채린이 화들짝 놀랐다. 도대체 어떤 사람들이기에 백강우에게 불평불만을 표하는지 모르겠다. 신채린은 무서워서 가끔은 눈도 잘 못 마주치는데.

"전엔 국회 의원 딸이라는 여자가 와서 의사가 고분고분하지 않다고 소리 지른 적도 있거든요. 백강우 선생님 자존심 엄청 세서, 바로 진료 중단하고 다른 병원으로 전원시킨 적도 있어요."

그때 응급실은 정말 아수라장이었다. 그 환자는 자신이 국회 의원 아무개의 딸이라면서 술을 먹고 응급실 바닥에 드러눕질 않나,

보안 요원이 내보내려고 하면 침대의 철제 다리를 붙잡고 버티질 않나, 원하는 게 뭔지 말은 하지 않고 응급실에서 난동만 부렸다. 얼마나 난동이 심했는지 술에 취한 아저씨들마저 욕을 한마디씩 할 정도였다.

하필이면 그 환자의 담당이 백강우였는데, 백강우 성격상 말이 통하지 않는 사람은 인간 취급도 하지 않아서 그 환자의 분노는 하늘을 찔렀다. 자신의 아버지 이름을 들먹이며 환자는 백강우의 의사 생활을 끝장내겠다고 협박까지 할 정도였다. 물론 백강우는 눈썹 하나 까딱이지 않고 환자를 바로 타 병원으로 보내 버렸다. 사지가 묶인 채 앰뷸런스에 오르는 환자의 차트에 정신 이상이 의심된다고 한 줄을 남기는 것도 잊지 않았다.

"이상한 사람들이 많네요."

온갖 인간군상을 인턴 때 응급실에서 봤던 채린이 황당하다는 투로 대꾸했다. 턱을 괸 간호사가 동료에게 소곤거렸다.

"근데 난 그런 생각도 해. 백강우 선생님한테 여자만 꼬이는 거보면, 왜 그런 거 있잖아? 잘난 남자 기 꺾어 가지고 마음대로 휘두르려는 거. 그러려는 거 같다니까, 가끔은."

"어머, 미쳤어."

깜짝 놀란 간호사가 주책이라는 양 동료의 어깨를 찰싹 때렸다. 백강우의 기를 꺾어? 자신으로서는 상상도 못 할 일에 채린은 어색한 표정으로 너스 스테이션에서 멀어졌다.

채린은 멀리 서 있는 강우를 힐끔 보았다. 오늘도 이상한 환자가 찾아왔다는데 그는 평소와 다르지 않았다. 세상에 두려울 것 없다는 듯 그는 곧게 서서 간호사와 대화를 나누고 있었다.

그동안 신채린이 스토커처럼 지켜본 바에 따르면 오랫동안 함께 일한 간호사도 백강우 치프를 볼 때는 눈이 반짝거렸다. 특별히 이성적 호감이 있어서 그런 것은 아니었다. 멋진 이성 앞에서 자연스럽게 보이는 반응이었다.

'안다정 선생님만 빼고.'

룸메이트인 2년 차 전공의는 백강우 치프를 바라볼 때나, 지나가던 환자를 바라볼 때나 변함없이 무덤덤했다. 그래서 채린은 더욱 다정이 좋았다. 겉과 속이 한결같은 사람처럼 느껴지기도 했다. 한편으로는 백강우의 여자 버전인 것 같기도 하고 말이다.

"뭐해? 가만히 서서?"

그때, 뒤에서 나직한 목소리가 들렸다. 누군지 돌아보지 않아도 정체를 알 수 있었다. 채린의 어깨에 턱을 떡하니 올릴 수 있는 남자는 4년 차 선배인 유성준뿐이었다.

"누굴 보고 있나……."

채린과 비슷한 눈높이에서 쭉 주변을 스캔한 성준이 멀리 보이는 자신의 동기를 발견했다.

"흐음? 백강우?"

"네? 아, 아니, 아닌데요."

본심을 들킨 채린이 발뺌했으나 성준이 믿어 줄 리는 없었다. 채린이 앞으로 한 걸음 크게 내딛고는 성준에게서 벗어났다. 성준이 굽혔던 허리를 펴고 씩 웃었다.

"좀 평범하게 말을 거세요!"

확실히 성준의 앞에 있는 채린은 강우의 앞에서 주눅 들어 있는 모습과 달랐다. 솔직히 성준이 조금 더 편하기도 했다. 유성준이 백강우보다 편한 건 어쩌면 당연했다. 백강우처럼 이성적으로 끌려서 긴장을 해야 하는 것도 아니고, 실수를 할까 봐 전전긍긍할 필요도 없었으니 말이다.

"좋겠다. 내일 한잔한다며? 강우랑."

"1년 차 다른 선생님들도 함께거든요!"

성준은 채린이 강우랑 단둘이 술을 마시는 것처럼 말을 했다. 그의 묘한 화법이 싫지는 않았지만 가끔은 부담스럽기도 했다. 성준이 가운 주머니에 양손을 푹 꽂고 채린에게 속삭였다.

"내가 백강우 약점 하나 알려 줄까?"

"네? 무슨 약점이요?"

오랜만에 솔깃한 이야기였다. 채린의 눈동자가 호기심으로 반짝였다. 백강우의 약점? 간지럼을 잘 탄다, 이런 걸까? 그러나 성준의 입에서 나온 말은 너무 현실적이고 낭만이 없었다.

"폭탄주에 엄청 약해. 소맥 말아서 먹여. 맥주잔으로 세 잔이면 죽어."

"아, 네……."

채린은 성준의 말을 반만 믿었다. 백강우가 술에 약하다고? 술이라면 어디 가서 지지 않을 만큼 먹게 생긴 백강우가 고작 폭탄주 세 잔에 쓰러질 것처럼 보이지는 않았다. 성준이 어깨를 으쓱거렸다.

"진짠데."

"제가 치프 선생님 취하게 만들어서 뭘 하겠습니까?"

"왜 그동안 쌓인 거 있잖아?"

어느새 얄미운 감정은 다 죽고, 백강우에게 쌓인 건 짝사랑뿐인 신채린의 마음을 아는지 모르는지 성준은 험한 조언을 해 주었다.

"어디 으슥한 데 가서 패 버려."

상상도 못 한 소리라 채린의 얼굴이 기괴하게 일그러졌다.

"그럼 제가 제일 먼저 용의자로 지목될 걸요?"

"그런가?"

성준이 고개를 갸웃거렸다. 일리 있는 말이기도 했다. 1년 차 전공의 중에서 백강우에게 원한이 깊을 사람은 신채린이 유일했으니까.

백강우를 짝사랑하는 이상, 성준에게는 미안하지만 채린은 술 마시고 뻗은 강우를 때릴 자신은 없었다. 오히려 그를 곱게 집에 보내 주지 않을까? 숙취에 시달리지 말라고 해장국이라도 사 놓고 말이다.

"그래도 요즘은 백 치프가 안 태우지?"

"글쎄요."

채린이 옅은 미소를 지었다. 지나가던 사람들이 다들 한 번씩 돌아보는 예쁜 얼굴에 웃음까지 지어지자 중성적인 의사 가운을 걸치고 있음에도 채린의 분위기가 청초하니 부드러워졌다. 이렇게 예쁜 후배를 억지로 태우느라 백강우가 수고가 참 많았다. 성준은 속으로 동기를 동정했다.

"실수하면 혼나는 건 당연하니까요."

"신 선생은 실수도 잘 안 하잖아?"

"……저도 1년 차인데요."

"아, 그랬지?"

채린이 쓸쓸하게 시선을 떨구자 성준이 능글맞게 웃었다.

처음에는 선배들의 칭찬이 그저 칭찬으로만 들렸다. 신채린은 1년 차인데도 침착하고 여유롭다, 선배들 못지않게 일을 잘한다, 실수도 적고 1년 차라고는 믿기지 않는다 등등.

그러나 어느 순간부터 그 말들은 부담이 되었다. 그래서 일부러라도 채린은 자신을 배울 것이 한참 남은 1년 차라고 꼬박꼬박 덧붙였다.

"어, 백강우?"

쓸쓸해하던 채린이 고개를 번쩍 들어 뒤를 돌아보았다. 멀리서 간호사와 대화를 하던 강우가 어느새 등 뒤에 다가와 있었다. 성준을 돌아보느라 잠깐 강우에게서 시선을 뗀 참에 일이 커져 버렸다.

"여기서 뭐 하는 거야? 바쁜 거 안 보여?"

"말은 바로 하라고. 이게 바쁜 거면 그전에는 전쟁터였냐?"

강우가 미간을 좁히고 채린을 내려다보았다. 채린은 가슴이 덜컥 내려앉는 듯했다. 누가 보면 놀기만 하는 줄 알겠다. 강우가 혹여 오해할까 봐 그녀가 고개를 푹 숙이고는 잽싸게 걸음을 옮겼다.

"저, 전 먼저 가 보겠습니다."

채린은 강우에게서 도망치듯 멀어져갔다. 그런 그녀의 등 뒤로 강우와 성준의 눈길이 모였다. 성준이 먼저 입을 열었다.

"공주님은 나한테는 바락바락 말대답도 잘하는데, 우리 백 치프하고는 말도 섞고 싶지 않나 보네."

"시끄러워."

미간을 좁힌 강우가 채린에게서 시선을 돌렸다. 괜히 기분이 나빠졌다. 신채린을 유성준 근처에서 떨어뜨려 놓기 위해 일부러 이쪽으로 다가왔는데, 그녀는 자신을 보자마자 후다닥 자리를 떴다. 신채린이 백강우를 싫어한다고 해도 이상하지는 않았다. 3월에 워낙 괴롭혔어야지. 그 점은 강우도 이성적으로 인정하지만, 기분이 나쁜 건 어쩔 수 없었다.

감정을 갈무리한 강우가 예의 그 덤덤한 목소리로 성준에게 말했다.

"네가 놀면 다른 애들이 고생하잖아."

"뭘 얼마나 놀았다고……."

강우는 게을러 빠진 유성준을 흘겨보았다. 유성준은 전생에 분명 베짱이였을 것이다. 얼른 진료나 보라는 듯 강우가 성준의 어깨를 밀었다.

수요일 저녁에는 MT를 대신한 술자리가 있었다. 술자리에 참석할 사람들은 여덟 시까지 정규 근무를 마치고 근처 예약된 술집으로 아홉 시에 모이기로 했다. 그러니 술자리라고 해 봤자 서너 시간 술을 마시는 것뿐이었다.

"맞다. 들었어? 목요일 출근은 두 시래."

"진짜?"

소식통이나 다름없는 재희의 말에 충직과 채린의 눈이 동그래졌다. 1박 2일 MT 대신 고작 서너 시간짜리 술자리인가 했는데 그보다 훨씬 좋은 오전 오프였다. 평일 술자리에 참석해야 해서 일찍부터 피곤해하던 충직의 얼굴이 확 폈다.

"응. 그래서 1년 차 너스들 축제 분위기잖아."

"와! 정말 술도 안 깨고 새벽부터 근무할까 봐 걱정했는데."

충직이 안도의 한숨을 푹 내쉬었다. 평소처럼 근무하면 아침 여섯 시에는 일어나야 했다. 술이 다 깨지도 않은 채 여섯 시부터 근무하는 건 상상만으로도 끔찍한 일이었다. 말없이 가만히 있던 채린이 입을 열었다.

"그럼, 치프 선생님도 두 시 출근이야? 아니면 1년 차만?"

"그건 모르겠는데."

재희가 고개를 젓자 채린이 동기의 옆구리를 쿡 찔렀다.

"네가 한 번 물어봐."

"싫어. 무섭단 말이야. 그리고 치프 선생님이야 알아서 하시겠지."

하긴, 재희의 말도 맞았다. 1년 차인 신채린이 4년 차인 백강우를 걱정할 필요는 없었다. 그런데도 꼭 백강우에게 사로잡힌 것처럼 채린의 눈길은 계속 강우를 향했다. 그는 후배들에게 무언가를 설명하고 있었다.

그때, 끈질기게 따라붙는 채린의 시선을 알아챈 양 강우가 채린 쪽을 돌아보았다. 눈이 마주친 듯한 착각이 들어서 채린이 고개를 돌렸다.

"또 혼날라. 얼른 가자."

물론 강우의 시선에 깜짝 놀란 건 신채린만이 아니었다. 재희와 충직이 어깨를 움츠리고는 살금살금 걸음을 옮겼다. 전공의 숙소로 돌아가서 외출할 채비를 해야 했다.

2인실 숙소에는 이미 룸메이트인 다정이 돌아와 있었다. 가볍게 화장을 고친 채린은 얇은 카디건을 걸쳤다. 늘 병원에 갇혀 있다시 피 해서 몰랐지만 벌써 날이 더워졌다. 그보다 채린의 머릿속에 맴 도는 말이 하나 있었다.

'폭탄주 세 잔…….'

강우와 동기인 성준이 슬쩍 흘린 정보. 처음에는 믿지 않았는데 왠지 점점 신뢰가 갔다. 생각해 보면 입국식 때 백강우는 소주만 딱 세 잔을 마셨다고 했다. 자신의 노래를 대신 불러 주고 나서 두 귀 로 똑똑히 들었다.

'진짜 술을 못 하나?'

생긴 건 알코올에 지지 않게 생겼는데…… 성준의 정보를 반신반 의하고 있을 찰나, 다정이 채린의 상념을 깨뜨렸다.

"신 선생, MT 대신 저녁만 먹는다며?"

"네. 거의 술자리죠, 이 시간에."

"아쉽겠네. 그래도 MT, 4년 동안 한 번뿐인데."

"아니에요. 괜찮습니다."

채린이 웃는 낯으로 고개를 저었다.

MT나 술자리나 어차피 술만 먹고 오는 거라 그렇게까지 서운하 지는 않았다. 다만, 선배들이 전부 해 본 경험을 못 했다는 점만 조 금 아쉬울 뿐이었다.

"그래. MT 가느니 저녁만 먹는 게 낫기는 해. MT도 재미없고 귀 찮거든."

물론 작년에 경기권 어디로 MT를 다녀왔다던 선배, 안다정은 진 심을 담아 말했다. 1박 2일짜리 MT에서 기억나는 거라고는 보드카

병으로 피라미드를 쌓았던 장면뿐이었다. 술이 센 편이라 다행이지, 아니었으면 응급의학과 전공의가 급성 알코올 중독으로 응급실에 실려 갈 뻔했다.

"잘 다녀와. 나 당직이니까 아무 때나 들어와도 괜찮아."

"네. 다녀오겠습니다."

오늘은 당직인 데다가, 응급의학과와 외상외과가 함께하는 콘퍼런스 준비까지 하느라 다정은 정신이 없었다. 채린이 꾸벅 인사를 하기 무섭게 다정은 책상에 널려 있는 교재를 추리기 시작했다.

어느 회사나 마찬가지겠지만 병원 역시 협업이 중요한 분야라 가장 오래 봐야 할 사람들끼리 친목을 다지는 편이 좋았다. 어느 병원은 진료 과목 별로도 사이가 나쁘고, 또 어느 병원은 의사와 간호사들 사이가 좋지 않다는데 여기는 달랐다. 1년 차들은 벌써 똘똘 뭉쳐서 서로를 위해 주기 바빴다.

문제는 이 1년 차들의 사이가 그 어느 때보다도 좋아서, MT를 대체한 술자리의 목적이 바뀌었다는 데 있었다.

"선생님, 신채린 선생님 좀 그만 태우세요."

친목을 다지라고 만든 술자리가 단숨에 백강우 성토장으로 변해 버렸다. 그럴 만도 한 것이, 백강우는 3월부터 부당하다 싶을 정도로 신채린을 구박했었다. 조준기 교수의 부탁을 모르는 응급실 의료진들은 모두 상대적 약자인 신채린을 동정했고, 일도 어려운데 선배들한테까지 치이느라 서러운 1년 차들은 특히 채린의 기분을 잘 알아주었다.

"맞습니다. 너무하세요."

채린에게 종종 도움을 받았던 1년 차 간호사, 우선미가 제일 먼저 나서자 재희가 그녀를 거들어 주었다. 성토를 당하는 강우가 눈을 가늘게 뜨고 재희 쪽을 쳐다보았다. 강우의 시선을 받자마자 재희가 입을 쏙 다물었다.

그런데 정작 두둔을 받고 있는 채린은 어쩔 줄 몰랐다.

"하지 마, 하지 마."

팔꿈치로 동기의 옆구리를 치며 채린이 소곤거렸다. 그나마 재희와 충직은 말렸지만 간호사들까지 말릴 수는 없었다. 선미를 시작으로 다른 1년 차 간호사들이 그동안 쌓아 두었던 말을 한마디씩 돌아가면서 했다.

따지자면 백강우는 1년 차의 공공의 적이나 다름없었다. 흥미롭다는 눈빛으로 강우는 1년 차 간호사들의 이야기를 들어 주었다. 정말 듣는 건지, 아니면 마음속에 두고두고 담아 두려는 건지 알 수는 없었다.

"신채린 선생님도 한마디 하세요. 지금 아니면 언제 말하겠어요?"

선미가 갑자기 화살을 채린에게 돌렸다. 강우를 비롯해서 룸 안에 있는 모든 사람들의 시선이 신채린에게 쏠렸다. 아무리 멍석을 깔아 주었다지만 신채린이 감히 백강우에게 무슨 소리를 할 수 있을까?

"저, 저는 괜찮은데……."

결국 이렇게 대충 모면이나 하고 말았다. 힐끔힐끔, 강우의 눈치를 보면서 채린이 조심스럽게 덧붙였다.

"제가 모자라서 그런 거니까요."

하지만 선미에게 채린의 말은 통하지 않았다.

"선생님이 어디가 모자라요! 일도 잘하고, 예쁘고, 성격도 좋고……."

"선미 잔 좀 뺏어."

아무래도 우선미 간호사는 술에 잔뜩 취한 모양이었다. 말투가 평소와 조금도 다르지 않아 위화감을 느끼지 못한 게 문제였다. 다른 간호사가 냉큼 선미의 술잔을 빼앗았다. 그제야 선미가 조용해졌다.

선미가 술에 취해서 무서운 걸 몰랐구나, 싶자 채린은 기운이 쭉 빠졌다. 술에 취하면 저렇게 변하는 건가? 그렇다면 백강우도…….

'정말 치프 선생님 주량이 폭탄주 세 잔일까?'

그렇다고 치기에 그는 이미 재희와 충직에게 소주잔을 몇 번 받았다. 심지어 성토당하는 주제에 안색도 멀쩡하고 표정도 여전히 무표정했다. 그리고 지금 역시 표정 변화는 없었다. 그때 재희가 술을 더 주문했다.

"저희 맥주 세 병만 주세요."

"왜 맥주 마셔?"

테이블 위를 훑어본 채린이 의아하게 물었다. 아직도 소주가 한 병 반이나 남아 있는데 왜 술을 더 주문하는지 모르겠다. 재희가 알코올로 찌든 한숨을 내쉬고 솔직히 말했다.

"소주는 이제 토할 것 같아."

"그럼 그만 마셔."

"맥주는 괜찮아."

정말 괜찮은 걸까? 채린이 불안한 눈으로 재희를 쳐다보았다. 조명이 워낙 어두침침해서 안색은 잘 모르겠는데, 구재희의 눈동자가 어째 살짝 풀려 있는 듯했다. 반면, 신채린은 멀쩡하기 짝이 없었다. 재희가 그 점을 지적했다.

"넌 어떻게 그렇게 멀쩡하냐?"

와인 한 잔만 마셔도 픽 쓰러질 것처럼 생긴 신채린은 말술이었다. 약한 체력과는 반대로 간은 튼튼한지 술을 아무리 마셔도 취할 일이 없었다. 대학 때도 듬직한 남자 동기들보다 오랫동안 살아남아 종종 뒷정리를 할 때도 있었다. 하지만 일부러 못 마시는 척은 하지 않아도 잘 마신다는 사실 역시 드러내지 않아 주변 사람들은 몰랐다.

"오늘은 괜찮네."

"술 버린 거 아니야?"

가녀린 채린이 말술이라는 사실은 꿈에도 모른 채, 재희가 히죽 웃으며 폭탄주를 만들었다. 소주와 맥주가 섞인 술잔을 채린이 복잡하게 쳐다보았다. 정말 백강우가 이걸 마시면 세 잔에 아웃일까? 아까부터 채린은 그 생각뿐이었다. 재희는 채린이 술을 마시기 싫어서 딴청을 피운다고 여기고 손에 술잔을 쥐어 주었다.

"너 옹호해 준 우선미 선생님은 기절하기 직전인데, 혼자 멀쩡한 건 의리 없지."

"무슨 논리야, 그게?"

"원샷하라는 논리."

채린이 술잔을 떨떠름하게 쳐다보았다. 못 마실 건 없지만 배가 부를 것 같았다. 그래도 동기가 직접 만들어 줬는데 마셔야겠지 싶어서 그녀가 고개를 끄덕였다.

"알았어. 이거 한 잔만."

신채린이 술을 못 마신다고 생각하는 재희와 충직은 신이 났다. 동기들의 장난기 가득한 시선을 받으며 채린이 잔을 반 정도 비워 갈 즈음이었다. 백강우가 이 술을 마시면 기절할지만을 생각하던 채린은 술을 물처럼 마시면서 흘깃 강우 쪽을 곁눈질했다. 그러다 그녀는 불쌍한 동기에게 술을 뱉고 말았다.

"풉!"

술을 꿀꺽꿀꺽 마시는 모습이 이상해 보였던 건지, 자신을 향한 강우의 경악 어린 눈빛에 채린은 그만 사레가 들리고 말았다. 그녀만큼 당황스러운 쪽은 옆에 앉아 있던 재희였다. 장난 한 번 치려다가 재희는 술 세례를 맞았다.

"아, 더러워! 진짜! 신채린!"

그러나 재희의 목소리는 채린에게 닿지 못했다. 강우의 경악 어린 그 눈동자는…… 진심이 틀림없었다. 채린은 성준의 정보에 신뢰가 느껴졌다.

"미안……."

한참을 콜록거리던 채린이 냅킨으로 입가를 닦고 재희에게 사과했다. 피해를 보지 않은 충직만이 킥킥거렸다.

"벌주 제조해 줘, 벌주."

"또 뱉기만 해 봐."

"미안하다니까."

인상을 찌푸린 재희가 소주와 맥주를 콸콸 섞기 시작했다. 그래도 술을 반 잔은 마셔서 배가 좀 부른데 꼼짝없이 한 잔을 더 마시게 생겼다.

채린이 소리 없이 한숨을 내쉴 무렵, 등 뒤에서 강우의 목소리가 들렸다.

"술 못 마시는 사람한테 강권하지 마."

강우의 목소리가 들리자마자 재희의 행동이 뚝 멎었다. 충직도 강우의 눈치를 보면서 들썩이던 어깨를 축 늘어뜨렸다. 기가 죽은 동기들을 보던 채린이 강우의 시선을 피하면서 기어들어 가는 목소리로 말했다.

"네? 아, 아닙니다. 괜찮습니다."

그 순간, 강우는 문득 부아가 치밀었다.

나름대로 신채린을 위해서 나서 주었다. 응급의학과는 술을 못 마시는 사람들에게 강제로 술을 먹이는 일은 하지 않았다. 과장인 웅진부터 강압적인 분위기를 싫어했고 자연스럽게 그런 분위기가 이어져 내려왔다. 그러니 하지 말라고 주의를 주는 건 당연했다. 게다가 체력도 약한 채린을 동기 둘이서 괴롭히는 것처럼 보여 마음이 불편하기도 했다.

그런데 정작 신채린은 동기들과는 잘도 웃고 떠들면서 백강우를 보자마자 하얗게 질려 고개를 돌렸다. 도와주려는 건 이쪽인데 말이다. 그래, 3월에 악마 같이 괴롭히기는 했지만 이제는 좀 다른 후배들처럼 똑같이 대해 주고 싶었는데.

"공주님은 나한테는 바락바락 말대답도 잘하는데, 우리 백 치프하고는 말도 섞고 싶지 않나 보네."

채린의 태도에 실실 웃던 성준의 모습까지 떠오르자 백강우의 이성적 사고 능력이 휙 돌아 버렸다. 그가 코웃음을 치더니 대뜸 재희를 밀어내고 그 자리를 차지했다. 옆에 앉은 강우를보고 채린이 눈을 크게 떴다.

"그래? 괜찮다고?"

백강우는 호랑이 굴에 들어간 쪽이 자신이라고는 전혀 상상도 못했다. 채린이 난처한 듯 강우를 곁눈질하다가 시선을 떨구었다. 쳐다도 보기 싫은 양 시선을 피하는 신채린이 괘씸하다는 생각도 들었다.

물론 슬프게도 채린의 심장은 평소보다 빠르게 뛰고 있었다. 술도 얼마 마시지 않았는데 눈앞이 핑글 돌았다. 자신의 옆에 다가온 그를 용기 있게 바라보지도 못했다. 가슴이 터질 것 같아서. 이런 일이 앞으로 없을지도 모르는데, 지금이 기회인데, 신채린은 너무 수줍었다.

어쩌다가 자리에서 밀린 재희와 충직이 슬금슬금 간호사들 곁으로 도망쳤다. 결국 한 테이블에 신채린이 백강우와 단둘이 남고 말았다. 조마조마한 마음으로 두 사람을 지켜보며 1년 차들이 벌벌 떨었다.

"갑, 갑자기 왜 저러시는 거야?"

"빠쳤겠지, 다들 치프 선생님한테 불평했잖아."

"그렇다고 신채린 선생님만 잡고 늘어져? 너무한 거 아니야?"

"구재희."

소곤거리는 그들의 말소리 사이로 강우의 목소리가 들렸다. 강우는 1년 차 전공의를 직접 지명했다.

"소주 두 병 가져와."

"네?"

"소주 두 병. 안 들려?"

서슬 퍼런 선배의 명령에 재희는 후다닥 룸을 나가 소주 두 병을 손에 들고 돌아왔다.

'이러면 곤란한데⋯⋯.'

자신의 앞 테이블에 놓인 초록색 병을 응시하며 채린이 마른침을 삼켰다. 소주 두 병 정도야 취기만 살짝 올라올 뿐, 괜찮은데 문제는 옆에 앉아 있는 남자였다. 이 남자 때문에 평소보다 두 배는 빠르게 취할 것 같은 느낌이 들었다.

"그동안 나 때문에 많이 힘들었다며?"

백강우가 웬일로 다정하니 웃음 섞인 말을 건넸다. 얼굴이 뜨거워진 채린은 홍조를 숨기고자 고개를 수그렸다. 조명이 어두워서 안색이 잘 보이지는 않았지만, 부끄러움 탓이었다.

"아, 아닙⋯⋯ 괜찮습니다."

"한잔하면서 다 털어."

"네⋯⋯."

작고 맑은 소주잔에 술이 가득 채워졌다. 멀리 앉은 간호사들이 목소리를 낮추고 소곤댔다.

"신채린 선생님 죽일 생각인가 봐."

"야비하게 신채린 선생님만 마시…… 읍!"

"우선미 선생님 너무 많이 취했다. 그렇죠?"

재희가 고삐 풀린 선미의 입을 막고 어색한 웃음을 지어 보였다. 더 이상 치프를 자극해 봤자 신채린만 죽어날 뿐이었다.

채린이 이상함을 느낀 것은 소주를 혼자 반 병을 마셨을 즈음이었다. 주는 대로 받아 마시기는 했는데 옆에서 턱을 괴고 자신을 바라보는 남자는 전혀 취하지 않은 듯 보였다. 그제야 채린이 의문을 표했다.

"저만 계속 마시나요?"

"난 별로 신 선생한테 악감정이 없거든."

악감정? 신채린이 백강우에게 악감정을 가질 일은 없었다. 오히려 그녀가 그에게 가진 것은 수줍은 연심뿐이었다. 창피해서 얼굴도 제대로 바라보지 못할 만큼 순진해 빠진 연심 말이다. 채린이 눈을 깜빡거리며 대꾸했다.

"저도 그런데요."

"그래? 그런데 다른 사람들은 그렇게 생각을 안 하나 봐."

그제야 채린이 입을 반쯤 벌렸다. 백강우는 신채린에게 웬일인지 미소를 지어 주고 있었지만, 그 눈만큼은 평소와 다르지 않게 차가웠다. 혼자 설레고 혼자 부끄러워했는데……. 그의 눈빛에 찬물이라도 맞은 양 채린은 정신이 번쩍 들었다.

강우의 기분은 좋은 게 아니라 나빠 보였다. 다른 사람들을 끌고 오는 걸 보아하니, 술자리가 친목의 장이 아니라 성토의 장이 된 게 마음에 들지 않았던 것 같았다.

'일부러 술 먹이는 거야, 이거.'

채린은 의대생일 때, 실습 나갔던 선배들이 해 준 이야기가 떠올랐다. 마음에 들지 않는 후배를 괴롭히기 위해서 억지로 술을 먹인다는 이야기였다. 그게 정형외과인지 이비인후과인지 기억은 잘 나지 않았다.

'아까 재희한테는 억지로 술 먹이지 말라면서?'

다시 가득 채워진 소주잔을 보자 채린도 울화가 치밀었다.

잘못하거나 실수를 해서 혼났던 건 인정한다. 막내 외삼촌의 청탁에 백강우 치프가 신채린이라는 1년 차 전공의를 색안경 쓰고 봤을 것도 이해한다. 하지만 마음에 들지 않으면 그냥 그렇다고 말이나 하지…….

'쫀쫀하게 이게 뭐야?'

악감정 같은 건 없었는데, 지금 막 생길 것 같았다. 채린은 속이 타서 소주잔을 단숨에 비워 버렸다.

지쳐 나가떨어진 건 쪽수가 많은 쪽이었다. 간호사들이 먼저 자리에서 일어났다. 초반부터 술을 많이 마신 선미는 이미 정신을 잃은 채였다. 쭈뼛거리면서 대표로 다가온 간호사가 조심스럽게 물었다.

"선생님, 저희 그만 들어가도 되죠?"

"그러세요."

강우가 고개를 끄덕이자 테이블 건너편이 부산스러워졌다. 가방을 챙기러 돌아가려던 간호사가 아차 하면서 고개를 돌리고 말을 더했다.

"신 선생님 너무 잡지 마세요."

강우가 대답 대신 미소만 지었다. 흔치 않은 미소에 그에게 꽂히던 불만스러운 시선이 쏙 들어갔다. 미인계가 통한 모양이었다.

"정신 차려, 우선미!"

선미의 어깨를 잡아 흔들어 보았지만 이미 꿈나라로 여행을 간 선미는 깰 기미가 보이지 않았다. 결국 간호사들은 힘 좋은 전공의에게 선미의 부축을 부탁했다.

"재희 쌤, 충직 쌤하고 같이 선미 부축 좀 도와주세요."

재희와 충직이 선미의 양팔을 하나씩 어깨에 멨다.

"먼저 가 보겠습니다."

1년 차 햇병아리 간호사와 의사들이 우르르 몰려 나갔다. 룸 안이 금세 조용해졌다. 홀로 남은 강우는 테이블을 톡톡, 손가락으로 쳤다. 이럴 때 끊은 담배가 생각이 나곤 했다. 이내 담배 대신 더 재미있는 상대가 곧 돌아왔다.

화장실에 다녀온 채린은 갑자기 텅 빈 룸 안을 멍하니 쳐다보았다.

"가, 가는 거예요?"

"아니? 넌 이거 다 마시고."

백강우는 신채린을 호락호락하게 놔줄 생각이 없는 듯했다. 채린이 못마땅하게 소주병을 쳐다보았다. 그냥 빨리 마시고 나가 버릴까? 괜히 좌불안석하느니 그게 나을 듯했다.

채린은 자리에 앉아서 가방을 정리하는 척 재희에게 메시지를 보냈다.

의리도 없냐?

—미안해. 치프 선생님이 계속 갈구면 술 대충 버려. 알
았지?

하긴, 구재희나 오충직도 백강우 앞에서는 하룻강아지일 뿐이었
다. 동기들에게 백강우의 서슬 퍼런 기세를 감당하라고 할 수는 없
었다. 채린은 벌써 채워져 있는 소주잔을 시무룩하니 쳐다보다가
입을 열었다.

"선생님."

"왜?"

"전 정말 악감정 같은 거 없습니다. 전에도 말씀드렸잖아요. 제가
잘못하면 바로 지적해 달라고요."

채린은 진심으로 말했지만, 강우는 그녀의 말을 온전히 믿지 못
했다. 지금 이 상황을 모면하고 도망가려는 걸로 보일 뿐이었다.

"악감정 없다는 사람이……."

눈이 마주치면 피하고, 표정도 딱딱하게 굳고, 다가오면 도망가
고 그러느냐고 덧붙이려던 강우는 겨우 말을 참았다. 이어지지 못
한 그의 말에 채린이 고개를 갸웃거렸다.

"네?"

"아니."

강우가 미간을 찡그렸다. 구질구질하게 저런 소리를 해 봤자 좋

을 건 하나도 없었다.

채린은 소주잔을 비우고 나서 그를 응시했다. 뭐가 그리 마음에 안 드는지 자신의 말을 통 믿어 주지 않는 남자가 그녀는 답답하기도 하고, 울적하기도 했다.

'악감정이 아니라 좋아한다고!'

……라고는 차마 말할 수는 없었다. 백강우를 이성적으로 좋아하는 마음을 드러내면 한심하다는 시선을 보낼 테니 말이다. 채린이 비운 술잔에 강우가 맑은 술을 또다시 채워 주었다. 괜스레 그가 미워진 그녀는 이대로 당하고 있기가 싫어졌다.

"저 혼자는 술 다 못 마시겠습니다."

당돌한 눈빛으로 그를 쳐다본 채린이 사용하지 않은 맥주잔을 집고는 거기에 소주를 부어 버렸다. 맥주잔 아래 투명한 액체가 찰랑거렸다.

"그러니까 치프 선생님도 제 잔 받으세요."

'유성준 선생님, 믿습니다.'

지금 신채린이 믿을 것은 유성준의 정보뿐이었다. 갑자기 얄미워진 남자를 완벽하게 쓰러뜨릴 수 있는 기회를 그녀는 놓치고 싶지 않았다. 그녀는 재희가 남겨 놓고 간 맥주를 따서 소주 위에 부었다. 그 순간, 강우가 움찔했다.

"……왜 술을 섞어?"

"소주만 마시면 역겹더라고요."

말을 마친 채린이 강우의 앞에 맥주잔을 쾅 내려놓았다. 강우의 얼굴이 구겨졌다. 폭탄주를 보기만 해도 진저리가 나는 모양이었다.

"난 됐……."

"제 잔도 안 받아 주시면서 악감정이 없다고 말하시면, 누가 믿을까요?"

소주를 한 병이나 마셨으면서도 신채린은 논리적이었다.

채린은 강우의 말을 들어 주지 않았다. 이글거리는 눈빛으로 그녀가 자신을 바라보자, 백강우 체면에 폭탄주는 못 마시겠다고 고백할 수도 없고 어쩔 수 없이 그는 떨떠름하게 술잔을 집었다.

"한 잔만이야."

강우가 미간을 찌푸리고 대답했다. 소주만 마시거나 맥주만 마시는 건 괜찮은데 이상하게 백강우는 섞어 마시면 일찍 쓰러졌다. 한 잔 정도는 괜찮을 테니 아무렇지 않은 척 마셔 줄 생각으로 그가 술잔을 입에 가져다 댈 무렵이었다.

물론 신채린은 쉽게 넘어갈 생각이 없었다.

"제가 마신 만큼은 드셔 줬으면 좋겠어요."

"뭐?"

채린은 경악 어린 강우의 시선에도 아랑곳하지 않고 남은 맥주잔에 폭탄주를 만들었다. 노란색 독배가 백강우 앞에 쪼르르 놓였다. 지금 들고 있는 것까지 합치면 네 잔. 슬프게도 백강우의 폭탄주 주량은 맥주잔으로 세 잔이었다.

"그래도 소주보다는 소맥이 낫죠?"

일단 손에 든 잔을 비운 강우가 한숨을 겨우 참고 눈을 길게 감았다 떴다. 속 타는 강우의 마음을 모르는 척 채린이 빙그레 웃었다. 점점 성준의 정보에 신뢰가 갔다.

술기운이 도는 건지 강우는 채린의 미소가 예뻐 보였다. 불그스름하니 도톰한 입술과 언제 창백했냐는 듯 살짝 홍조가 올라온 얼굴까지…… 반짝거리는 눈동자도 올곧게 그를 향하고 있었다. 아마 백강우가 신채린의 선배가 아니었다면 그녀의 눈웃음에 벌써 홀딱 넘어갔을지도 몰랐다.

"소맥은 됐어."

"그럼 만들어 둔 것만 드세요."

만들어 둔 술의 양이 주량을 초과한다고 말은 못 하고 강우는 지끈거리는 머리를 손으로 감싸 쥐었다. 채린은 여유로운 웃음을 지으면서 한마디 더 보탰다.

"선생님 생각해서 만든 거니까요."

"너."

'설마 이거 알고 반격하는 거 아니야?'

백강우가 폭탄주에 약하다는 건 4년 차 동기들만 아는 사실이었다. 공경훈은 기침을 하다 피를 토하고 폐암으로 병원을 떠났으니 남은 용의자는 유성준뿐이었다. 성준이라면 채린에게 그 사실을 흘릴 만도 했다.

채린이 반짝거리는 눈으로 강우를 빤히 쳐다보았다. 순진한 눈빛을 보면 꿍꿍이가 있는 것 같지는 않았다. 그 순진함마저 가장하고 있을 거라고 백강우는 꿈에도 생각하지 못했다. 강우가 선뜻 술잔을 잡지 않자, 채린이 걱정스럽게 물었다.

"아, 혹시 술 잘 못하세요?"

테이블 밑에 놓여 있던 강우의 손이 움찔했다. 채린이 그를 안쓰럽게 바라보며 말을 이었다.

"죄송해요. 그런 줄도 모르고. 치프 선생님은 뭐든지 다 잘할 것 같았거든요. 제가 마실게요."

신채린은 백강우의 자존심을 사정없이 짓밟으면서 여유롭게 술잔을 들고 반쯤 마셨다. 그때, 그가 그녀의 손목을 잡아 저지했다.

"됐으니까 내버려 둬."

백강우는 이렇게 덫에 걸려들고 말았다. 채린은 속으로 웃으면서도 겉으로는 착하고 순진한 척 말했다.

"다시 말씀드리지만 전 치프 선생님한테 악감정 같은 거 없어요."

"그런데 왜 사람을 피해?"

결국 강우는 속에 감춰 두었던 말을 꺼내고 말았다. 채린이 붉어진 입술을 삐죽거렸다.

"제가요? 그런 적 없다고는 말 못 하지만…… 저도 혼나는 상황은 좀 피하고 싶어서요."

"말이 다르잖아. 잘못한 게 있으면 지적해 달라며?"

그는 툭하면 그녀를 구박했다. 혼나는 것을 좋아하는 변태가 아니어서, 그녀는 3월 내내 그의 눈에 띄지 않도록 가슴을 졸이면서 지냈다. 그 이후에는 어째 점점 혼나는 빈도가 줄어드나 싶었는데 그가 무시하기 시작했다. 그의 무시에 채린은 상처를 받기 일쑤였다. 좋아하는 사람이 자신에게 냉정하게 구느니, 차라리 쓴소리라도 듣는 편이 나았다.

"선생님이야말로 저한테만 냉정하시잖아요."

"내가 언제?"

"맨날 그러면서."

문득 강우는 눈앞에 있는 채린의 얼굴이 열아홉 살 때의 모습과 겹쳐지는 듯한 착각을 받았다. 청순하니 예쁜 얼굴과 정반대로 사촌 오빠인 은수의 등 뒤에 매달릴 만큼 왈가닥이었던 강렬한 모습 말이다. 그가 아무 말 없이 침묵하자 그녀가 투덜거렸다.

"저만 보면 인상 찌푸리고 말도 바로 끝내 버리잖아요. 사람 무시하고."

"무시? 그건 네가 먼저……."

"제가 뭘요? 제가 언제요?"

채린은 강우의 말을 끝까지 들어 주지 않고 쏘아붙였다. 씩씩거리는 모습이 8년 전 그때와 똑 닮아 있었다. 분리된 룸 안이라 다행이었다. 하마터면 언성이 높아져서 다른 손님들에게 구경거리가 될 뻔했다.

"그러니까 서로 남은 나쁜 감정 여기서 털자고."

그래도 나이 세 살 더 먹었다고, 백강우가 져 주기로 했다. 그가 한숨을 내쉬고 이 난처한 상황을 매듭지었다. 채린도 그의 제안을 반기며 그에게 폭탄주가 든 잔을 내밀었다.

"네! 그럼 드세요."

"……이거 말고."

강우가 혐오스러운 눈으로 폭탄주를 노려볼 때였다.

"제가 만들어 드린 게 싫으시죠? 그거 보세요. 선생님이……."

"너 다시는 술 섞지 마라."

어금니를 꽉 깨문 백강우가 채린에게서 맥주잔을 받아 한 번에 비웠다. 조은수의 말이 맞았다. 신채린은 한 번 물면 절대 놓지 않는 짐승이었다. 지금도 백강우에게 폭탄주를 먹이겠다는 일념 하나로 아득바득 버티고 있지 않은가.

모든 걸 포기한 강우는 남은 한 잔도 끝까지 다 마시고 나서 한숨을 길게 내쉬었다. 백강우의 한계, 소맥 세 잔. 알코올이 흡수가 되면 심장이 충실하게 온몸의 말초 혈관까지 알코올 섞인 혈액을 공급할 것이다. 그 혈액은 뇌로도 갈 것이고 백강우는 정신을 잃겠지. 그때까지 시간은 얼마 남지 않았다.

'세 잔짼데…….'

한편, 채린은 초조하게 강우를 살펴보았다. 폭탄주 세 잔이면 기절한다던 성준의 말을 믿었는데 어째 백강우는 멀쩡해 보였다. 그러고 보면 유성준은 전적이 있었다. 전에 백강우가 음치라고 거짓말을 한 적이 있었는데, 설마 이번에도 거짓말이었을까?

"신채린, 너 진짜 후회할 거야."

음산하다 싶을 정도로 낮아진 목소리가 바로 곁에서 들렸다. 채린은 솜털이 곤두서는 기분이었다. 그녀가 고개를 조심스럽게 돌리고 마른침을 삼킨 다음 아무것도 모르는 척 물었다.

"뭐…… 뭐가요?"

하지만 대답은 이어지지 못했다. 어떻게든 정신줄을 붙잡고 싶었던 백강우는 풀썩, 소파에 쓰러지고 말았다.

"히익! 선생님!"

깜짝 놀란 채린이 강우의 어깨를 잡았다. 그는 잘생긴 얼굴을 잔뜩 찌푸린 채로 기절한 상태였다. 당황한 그녀가 어쩔 줄 몰라서 룸 이곳저곳을 둘러보았다. 물론 그녀를 도와줄 사람은 아무도 없었다. 채린이 양손에 얼굴을 묻었다. 백강우가 얄밉기는 했지만 정말 이렇게 푹 쓰러지는 것을 보자 가슴이 불안으로 흔들리기 시작했다.

"이, 이, 이번에는 진짜였잖아?"

그나저나 이번 성준의 그 정보는 진실로 판명되었다. 아, 왠지 성준의 키득거리는 웃음 소리가 들리는 듯한 착각이 들었다.

강우의 지갑을 털 용기가 없어서 채린은 자신의 신용 카드로 술값을 지불해야만 했다. 혹시 몰라 영수증을 챙긴 그녀는 기절해 있는 남자를 두려운 눈으로 응시했다.

'어떡하지?'

감정적으로 대응하느라 앞일 따위는 생각도 하지 않았다. 앞으로 어떻게 해야 할지 눈앞이 캄캄했다. 처음에는 병원으로 돌아갈까 하다가 그녀는 고개를 저었다. 콧대 높은 백강우라면 오늘 당직 중인 후배들에게 술에 취한 모습을 보이고 싶지는 않을 듯했다.

　　—신채린 살아 있음?

그때, 재희의 메시지가 날아왔다. 채린은 귀찮은 듯 대충 액정을 두드려서 답장을 보냈다.

　　양호

―치프 선생님은?

　택시 정류장 벤치에 앉은 채린은 자신의 옆에서 정신을 잃은 강우를 복잡하게 바라보았다. 그나마 날이 따뜻해서 다행이었다. 6월, 초여름이라 그런지 바깥 날씨를 즐기기에 안성맞춤이었다. 심지어 의식 없는 강우를 부축하느라 진땀이 다 날 지경이었다.

　　―아직도 마심?

　채린의 답장이 없자 재희가 다시금 메시지를 보냈다. 그녀가 한숨을 내쉬었다.

　아니?

　　―헤어졌어? 늦었으니까 얼른 들어가.

　그걸로 재희의 메시지도 끝이 났다. 정확히는 채린이 더 이상 답장을 하지 않은 셈이었다. 채린은 휴대폰을 가방에 대충 집어넣고 강우를 걱정스럽게 쳐다보았다. 그의 컨디션도 문제지만 앞으로 9월까지 얼마나 태워질지 걱정이 되었다.

　'치프 선생님 깨어나면 난 죽었다.'

　앞으로 또 얼마나 구박을 당할지 상상만으로도 숨이 턱턱 막혔다. 그래도 지금은 일단 그를 집이든 어디든 데려다 놓아야 했다. 서른 살이나 먹어 가지고 택시 정류장 벤치에서 자게 둘 수는 없으니 말이다.

'치프 선생님 집 주소도 모르고……'

그렇다고 본가로 남자를 데리고 갈 수도 없었다. 만일 강우를 데리고 들어가면 1차적으로는 조은수가 놀랄 것이고, 2차적으로는 다른 가족들이 신채린과 백강우의 사이를 의심할 것이 뻔했다. 그런 의심을 받는 건 자신으로서는 환영이지만 백강우는 치를 떨 것이다.

이내 멀리서 다가오던 택시가 정류장에 앉아 있는 손님을 발견하고 멈추어 섰다. 가녀린 채린에게 강우가 버거워 보였는지 기사는 고맙게도 운전석에서 내려 부축을 도와주었다. 무서운 의국장 백강우는 짐짝처럼 택시 뒷좌석에 넣어졌다.

"애인이 술 많이 잡쉈네. 어디로 모실까요?"

안전벨트를 매면서 택시 기사가 물었다. 애인이라는 말에 채린의 얼굴이 뜨끈해졌다. 제3자들 눈에 신채린과 백강우는 연인 사이로 보이는 모양이었다. 자꾸 웃음이 비집고 나왔지만 채린은 정신을 차리고 짐짓 태연한 척 행선지를 말했다.

"가까운 호텔로 가 주세요."

집도 병원도 아니면 선택지는 숙박업소 하나뿐이었다.

택시는 금세 호텔 앞에 채린과 강우를 내려 주었다. 로비에 있던 호텔 직원과 몇몇 손님들이 채린과 강우를 의심스럽게 쳐다보았다. 남녀가 바뀌지 않아서 천만다행이었다. 체크인을 마치고 채린은 호텔 직원의 도움을 받아 강우를 객실까지 데리고 올 수 있었다.

겨우 강우를 침대에 던져 놓고 채린은 참아 왔던 한숨을 터뜨렸다. 감정적으로 행동한 대가는 피로였다. 채린은 가방을 들 힘도 없어서 테이블에 올려 두었다.

'치프 선생님, 다신 술 먹이지 말아야겠다.'

아니면 먹이더라도 다른 사람이 있을 때 먹여야지.

의식을 잃은 사람이 무겁다는 건 알았지만, 신채린 혼자 백강우를 부축하기란 여간 쉬운 일이 아니었다. 잔뜩 지친 채린은 냉장고에서 냉수를 꺼내 벌컥벌컥 마셨다. 물병을 반 정도 비우고 나니 그제야 정신이 좀 돌아왔다. 그녀는 가방 옆에 생수병을 놓고 침대가로 다가갔다. 숨소리 하나 없이 백강우는 죽은 사람처럼 잠들어 있었다.

"쳇, 누군 호텔에서 자는데 누군 병원 가서 자네."

이제 그만 돌아가야겠다 싶어서 채린은 화장대 거울을 보고 흐트러진 옷자락을 정리했다. 얇은 카디건은 강우 때문에 왕창 구겨져 있었다. 쭉쭉 잡아당겨 펴 보았지만 주름은 쉽게 펴지지 않았다.

가방을 들고 나가려던 채린은 강우의 상태를 살피기 위해 침대에 조심스럽게 앉았다. 그녀는 그의 이마를 덮고 있는 머리카락을 치우고 이마를 짚어 보았다. 체온은 살짝 높은 정도였다. 그때, 감겨 있던 강우의 눈이 번쩍 떠졌다. 그가 미간을 찌푸리자 그녀가 그의 이마에서 화들짝 손을 뗐다.

"너."

반쯤 쉬어 버린 목소리가 강우의 입에서 흘러나왔다. 그에게서 손을 거두려던 채린의 손목이 덥석 잡혔다. 술에 취한 남자가 뭐 이리 날샌지 모르겠다.

"정신 드세요? 체온 좀 재려고…… 혹시 열 있나 해서요."

채린은 머뭇머뭇 자신의 행동을 설명했다. 그래도 그가 정신을 차려서일까? 놀라거나 창피하기보다는 안심이 되었다. 강우는 여전히 미간을 찌푸린 채로 채린의 손을 올려다보았다. 손이 서늘해서 기분이 좋았던 것도 같다. 그가 떨어지지 않으려는 입술을 떼고 물었다.

"여기 어디야?"

"호텔이에요. 선생님 집 주소를 몰라서……."

채린은 아직까지 손목을 쥐고 있는 강우의 손을 힐끔거렸다. 그는 그녀의 손목을 놓아줄 생각이 없는 듯했다. 술에 취해서인지 그의 손은 유난히 뜨겁게 느껴졌다.

"호텔?"

그가 늘어지려는 몸을 겨우 일으켜 앉았다. 그가 침대 헤드에 몸을 기대자 손목이 잡힌 채린도 덩달아 그에게 가까이 끌려갔다. 그제야 그가 그녀의 손을 놓아주었다. 맞닿은 부분에서 느껴지던 온기가 단숨에 사라졌다. 그녀는 괜히 아쉬운 느낌이 들었다. 그가 마른세수를 하고 황당하다는 투로 말했다.

"그럼 ER(응급실)에 갖다 놓지 왜 호텔을 와?"

"죄송합니다. 그래도 다른 선생님들한테 이런 모습 보이기 싫어하실 것 같아서요."

신채린은 나름대로 이유를 가지고 이성적으로 행동했다. 아니, 이성적인 건지는 잘 모르겠다. 제정신이라면 아무 사이도 아닌 남자와 단둘이 호텔 방에 들어올 여자는 없을 테니 말이다. 그녀의 빤한 시선이 부담스러워서 그가 냉장고를 가리켰다.

"찬물 좀 갖다 줘."

"네!"

채린은 새로 생수병을 열어서 강우에게 건넸다. 찬물이 들어오자 정신이 한층 더 맑아진 그는 이 상황이 더욱 이해가 되지 않았다. 대체 왜 재랑 단둘이 호텔 방에 있는 거지? 그리고 침대도 왜 싱글이 아니라 더블 크기인 거고? 그가 빈 물병을 침대 옆 사이드 테이블에 올려 두고 그녀를 쳐다보았다.

"……넌 안 가고 왜 여기 있어?"

"이, 이제 가려고 했는데요."

시무룩하게 대답한 채린이 가방을 집어 들었다. 그녀의 뒷모습을 지켜보던 강우가 대뜸 그녀를 불렀다.

"잠깐. 신채린."

그가 자신을 멈춰 세우자 그녀의 가슴이 두근거렸다. 무슨 말이 나올지 궁금해진 그녀가 냉큼 고개를 돌렸다. 그러나 백강우는 너무나도 이성적인 사람이었다.

"계산 어떻게 했어?"

"계산이요?"

"술값 말이야."

강우는 바로바로 알아듣지 못하는 채린에게 답답한 시선을 보냈다. 강우의 지갑을 뒤질 용기가 없던 채린이 솔직하게 대답했다.

"일단 제 카드로 했습니다."

"왜 네 카드로…… 아니, 알았어. 영수증 챙겼지?"

"네."

웬일로 백강우는 신채린의 일 처리가 마음에 든다는 듯 고개를 끄덕였다.

"아, 그리고 객실비는 따로 내가 줄게. 여기 얼마지?"

채린은 대답 대신 강우를 물끄러미 쳐다볼 뿐이었다. 그 역시 그녀의 눈길을 피하지 않았다. 두 사람의 시선이 한참 허공에서 얽혔다. 침묵을 깨고 먼저 입을 연 쪽은 채린이었다.

"선생님. 하실 말씀이 그게 다예요?"

술값은 어떻게 했느냐, 호텔 객실비는 얼마냐…… 나중에는 아주 택시비도 주겠다.

그런 이야기를 듣고 싶지는 않았다. 차라리 혼이 나는 편이 나았다. 백강우는 신채린에게 아무것도 받고 싶지 않고 신세도 지고 싶지 않아하는 것 같아서 서운했다. 하지만 그는 헛웃음을 터뜨리기만 했다.

"내가 너 후회할 거라고 했지?"

"조금 힘들긴 했지만, 후회는 안 합니다."

사실 많이 힘들긴 했지만 채린은 왠지 많이 힘들었다는 말을 하려니 자존심이 상했다. 강우는 피식 웃지도 않고 흥, 하고 콧방귀도 뀌지 않았다. 대신 그는 진지한 표정으로 그녀의 이름을 또박또박 불렀다.

"신채린 선생."

"네."

강우가 팔짱을 끼고 말을 이었다.

"지금 이 상황이 위험한 상황이라는 거 몰라?"

그녀의 입술이 무의식적으로 벌어졌다. 빨갛고 촉촉한 입술이 꼭 유혹하는 듯했다. 순진하게 반짝거리는 눈빛 또한 이 상황에서는 자극적으로 보였다. 얘는 이런 걸 아는지 모르는지. 그가 답답한 마음을 풀어내기 위해 한숨을 내쉬었다.

"남자하고 단둘이 호텔 같은 데 오지 마. 차라리 길바닥에 버려."

정신을 차렸을 때, 버스 정류장이라거나 술집 출입문 앞이었더라면 강우는 오히려 덜 당황스러웠을 것이다. 두통을 이기지 못하고 눈을 딱 떴는데 어두침침한 조명 아래 자신의 이마를 쓸어 주고 있는 채린을 발견하는 것보다야 그게 훨씬 낫단 말이다.

신채린의 가느다란 손목을 한참 동안 놓지 못한 건 정신을 차리기 위해서였다. 이성이 채 로딩 되기 전에 그 손목을 놓았다가는 무슨 일이 생겼을지 자신도 장담하지 못했다.

"나니까 망정이지……."

"이미 왔는데요?"

그런 강우의 노력도 몰라 주고, 채린은 침대 헤드에 기대어 앉아 있는 그를 내려다보며 빙그레 웃었다.

"아니면 백강우는 그런 위험하고 나쁜 남자가 아니라는 건가?"

당돌하게 대꾸하는 채린을 강우가 황당한 눈빛으로 올려다보았다. 그러니까 지금 신채린이 백강우의 이름을 막 불렀다, 이거지?

"나 빼고 다 늑대?"

채린이 고개를 갸웃거리며 맹랑하게 덧붙였다. 얼마나 기가 막혔는지 강우는 말이 다 나오지 못했다. 느닷없이 채린이 왜 이러는 건지 모르겠어서 그의 눈가가 일그러졌다. 그러거나 말거나 채린은 코웃음만 치고 투덜거렸다.

"자기가 오빠나 아빠도 아니면서 설교하고 있어."

"너 진짜……."

그때였다. 말을 하다 만 강우가 침대에서 벌떡 일어났다. 술기운에 눈앞이 아찔했지만 그는 흔들림 없이 채린에게 다가가서 그녀의 손목을 덥석 잡아 침대로 이끌었다. 얼떨결에 침대에 눕게 된 그녀가 가까이에 보이는 그의 얼굴을 보고 눈을 질끈 감았다. 그가 그녀의 귓가에 대고 경고했다.

"조심하라는 소리를 괜히 하는 줄 알아?"

슬프게도 신채린은 단 한 번도 연애를 한 경험이 없었다. 그래서 앞으로 무슨 일이 생길지 그녀는 쉽게 상상하지 못했다. 키스를 하나? 아니면, 아니면, 뭔가 더…….

그러나 더 이상 아무 일도 일어나지 않았다. 감았던 눈을 슬그머니 뜬 채린은 눈앞이 휑한 것을 발견하고 눈을 번쩍 떴다.

'어?'

벌떡 상체를 일으킨 그녀가 두리번거리다가 침대 발치에 시선을 고정했다. 거기에는 팔짱을 낀 강우가 삐딱하게 서 있었다. 신채린에게 손끝 하나 대고 싶지 않은 건지 그는 어느새 침대를 벗어났다. 그는 위험을 모르는 순진해 빠진 그녀에게 단지 '위협'을 재현해 주었을 뿐이었다. 눈을 세게 감을 만큼 각오했던 키스도, 더 이상 숨결을 느끼는 것도 불가능해서 채린은 아쉬워졌다.

"병원으로 돌아가든지 거기서 자빠져 자든지 마음대로 해."

"선, 선생님은요?"

"이제 '선생님' 소리가 나와?"

아까는 잘도 백강우라고 부르더니, 이제 와서 선생님이란다. 강우가 기막힌 웃음을 터뜨렸다. 정신을 차린 채린이 주춤주춤 침대에서 내려왔다.

"피곤하실 텐데 여기서 주무세요. 전 이만 숙소로 돌아가겠습니다."

기절까지 했던 백강우보다는 신채린이 움직이는 게 나을 듯했다. 채린의 말에 강우는 더 이상 토를 달지는 않았다. 피곤해서 죽을 맛이었다. 만약 담배가 있었으면 인턴 때부터 끊었던 담배를 다시 손에 들었을지도 몰랐다.

카디건 자락을 정리하고 나서 채린은 가방을 도로 들었다. 무거운 걸음으로 출입문을 향해 걷던 그녀가 강우에게 고개를 돌렸다. 아무래도 이 남자가 자신을 여자 취급하는 것 같지 않았다. 사촌 오빠인 조은수의 친구이기 때문일까? 그 역시 신채린을 동생 정도로, 후배쯤으로만 생각하는 걸까? 오빠도, 아빠도 아니면서 말이다.

"중요하니까 다시 말씀드릴게요. 선생님한테 저, 악감정 없습니다."

"알았으니까 좀 가 봐."

그놈의 악감정! 강우는 그 단어가 이제 지긋지긋했다. 괜히 꼬투리를 잡아서 채린에게 술을 먹이려다가 된통 당해 이쪽이 기절까지 하고 말았다. 악감정이고 좋은 감정이고 간에 이젠 감정이라는 단어도 듣고 싶지 않았다.

채린은 힘없이 객실 출입문 손잡이를 잡았다. 등 뒤로 그의 초조한 시선이 느껴졌다. 그는 그녀를 빨리 내보내고 싶은 듯 보였다. 괜히 부아가 치밀어서 그녀가 고개를 살짝 튼 채로 말을 더했다.

"다른 감정은 있지만요."

"뭐?"

무슨 다른 감정?

"그럼, 주무세요."

자기 할 말만 하고 채린은 꾸벅 고개를 숙인 다음 객실을 나섰다. 평소 그녀는 문소리가 나지 않게 신경을 쓰곤 했으나 오늘은 온갖 감정을 섞어서 문을 쾅 닫았다. 큰 소리를 내면서 문이 닫히자 출입문을 황당하게 응시하던 강우가 헛웃음을 뱉었다.

"쟤 대체 뭐야?"

그가 복잡한 머릿속을 풀어내기 위해 한숨을 푹 내쉬었다. 신채린이 백강우에게 가질 만한 감정이 뭐가 있을까?

'존경심?'

하긴, 신채린은 저번 면담 때 백강우처럼 중증 외상 환자를 봐도 태연하고 싶다고 말하기는 했다. 어차피 연차와 경험이 쌓이면 다 그렇게 무던하게 변하는 건데 말이다.

'이상한 애야, 진짜.'

늦은 밤, 백강우는 또 헛다리를 짚고 있었다.

룸메이트인 안다정이 당직 근무 중이라 전공의 숙소는 텅 비어 있었다. 채린은 얇은 카디건을 의자에 대충 걸어 두고 2층 침대에 훌쩍 올라갔다.

'키, 키스하는 줄 알았잖아!'

병원으로 돌아오는 택시 안에서 채린은 정신을 차리지 못했다.

아까 강우가 손목을 낚아채서 침대에 눕혔을 때의 강렬한 기억이 계속 뇌리에서 재생된 탓이었다. 키스할 정도로 가까웠던 거리에 그만 눈을 감아 버리고 말았다.

어차피 키스도 안 한 거, 그때 눈을 감지 말았어야 했다. 가까이 다가온 그의 얼굴을 조금 더 지켜볼 것을!

물론 백강우가 미치지 않고서야 신채린에게 키스할 리는 없지만 꼭 그런 분위기였다. 첫키스도 못 해 본 불쌍한 신채린은 아직도 두근두근 심장이 떨렸다. 그녀는 제 입술을 슥슥 만져 보았다.

'키스했으면 어땠을까?'

……라는 상상만으로도 채린의 얼굴이 뜨거워졌다.

"으아아아아아!"

괴상한 소리를 내며 채린은 침대 구석에 박혀 있는 강우의 가운을 덥석 끌어안았다. 오빠도 아니면서 설교하는 그의 모습은 마음에 안 들었지만 귓가에 내려앉던 그의 목소리만으로도 채린은 정신을 차릴 수가 없었다.

'철판 깔고 호텔에 남아 있을 걸 그랬나?'

그러나 그녀는 이내 고개를 저었다. 자신이 침대를 차지하자마자 그는 침대 밖으로 나가 서 있었다.

'그럼 혼나고 쫓겨났거나 아니면 치프 선생님이 나가 버렸겠지.'

큰맘 먹고 변화구를 던졌는데, 객실 안이 밝지 않아 강우의 표정을 보지 못했다. 악감정은 없지만 백강우에게 남모를 연심이 있었다. 첫사랑은 꽤 끈질겨서 그의 박대에도 불구하고 꿋꿋하게 살아남아 싹을 틔우고 감정의 꽃을 피워 버렸다.

"어떡해! 내일부터 어떻게 봐, 그 얼굴을!"

백강우가 신채린의 감정을 다르게 해석한 줄도 모르고 채린은 혼자 들떠서 침대 위를 데굴데굴 굴렀다. 키스 대신 가운 소매를 입술에 가져다 댄 그녀가 혼자 히죽거렸다. 오늘 룸메이트인 안다정이 당직이라서 천만다행이었다.

대처 방법 7.
이상한 오해하기

끼익, 전공의 숙소 출입문을 여는 소리가 들렸다. 선잠에 들었던 채린이 부스스 눈을 떴다. 너울너울 그림자가 지는 벽을 게슴츠레하게 바라보던 채린은 무거운 몸을 일으켰다. 부스럭거리는 소리에 아래 있던 다정이 고개를 들었다.

"신 선생, 벌써 일어났어?"

"아…… 네."

정확히 말하자면 제대로 잠들지 못했다.

술기운도 올라오는데다가 자꾸 호텔 침대에서의 상황이 눈앞에 그려지는 탓이었다. 꿈속에 있는 것처럼 몽롱한 상태로 채린은 멍하니 허공만 바라보았다.

서로의 숨결이 느껴질 만큼 가까운 거리에서 백강우의 반듯한 콧

날을 보고 눈을 감아 버렸는데…….

채린이 생각에 빠져 있을 무렵, 다정이 걱정스럽게 물었다.

"피곤하지 않아?"

"괜찮아요."

"그래."

핼쑥한 표정으로 괜찮다고 한들, 믿어지지는 않았으나 채린이 보기에는 정작 당직 근무를 했던 다정이 피곤해 보였다.

"안 주무세요?"

"해야 할 거 있어서. 나 신경 쓰지 마."

"네……."

채린은 힐끔 다정을 곁눈질했다.

가끔 보면 선배인 안다정은 참 대단하다 싶었다. 당직을 서서 피곤할 텐데도 다정은 콘퍼런스 준비를 하고, 타 진료과에 파견 나갈 준비까지 꼼꼼하게 하고 있었다.

선배들이 신채린을 칭찬할 적에 안다정까지 몇 번 묶여 나오는 바람에 알게 된 건데, 안다정은 이제 겨우 2년 차임에도 불구하고 벌써부터 응급의학과 과장의 기대를 받고 있다고 했다.

하긴, 안다정은 백강우의 성별 반전 버전이었다. 그렇게 생각하면, 김웅진 교수가 다정에게 기대를 갖는 것도 충분히 이해가 되었다.

조금이라도 더 자기 위해 도로 드러누운 채린은 가운을 꼭 끌어안았다. 가운에서 왠지 백강우의 체취가 풍기는 듯한 착각이 들었다. 이상하게도 히죽거리는 웃음이 자꾸 새어 나왔다. 고백 아닌 고백을 해 버렸으니 이제 그 얼굴을 어떻게 보나 걱정되면서도 그와 다시 마주할 상황이 기대되었다.

'뭐라고 하려나?'

강우가 어떤 반응을 보일지 채린은 도통 감이 잡히지 않았다. 그때, 휴대폰이 진동했다. 콜에 예민한 1년 차답게, 채린은 베개 옆에 두었던 휴대폰을 재빨리 집고 메시지를 확인했다. 메시지는 무척 간결했다.

보면 전화해.

"어?"

저도 모르게 채린이 소리를 냈다. 백강우의 담담한 어투가 그대로 묻어나는 메시지를 그녀는 뚫어져라 쳐다보았다. 후배의 의아한 목소리 때문인지 다정이 흘깃 채린을 곁눈질했다. 채린은 휴대폰을 든 채 어쩔 줄 몰랐다. 전화를 하라니, 아직 마음의 준비가 되지 않았는데!

그래도 1년 차인 신채린은 4년 차 치프의 명령을 충실히 따라야만 했다. 휴대폰을 들고 채린이 침대에서 주춤주춤 내려왔다. 왠지 제3자인 다정이 있는 곳에서 통화를 하면 안 될 것 같아서였다.

"저 잠깐 전화 좀 하고 올게요."

"어? 그래."

그런 보고를 굳이 왜 하는지 이해가 되지 않아 다정이 떨떠름하게 대꾸했다. 물론 메시지에 정신이 팔린 채린은 선배의 표정을 읽지 못한 채 방 밖으로 조용히 빠져나왔다.

전공의 숙소 복도는 무척 고요했다. 오전 시간은 대체로 근무를 했고, 당직을 서고 돌아온 전공의들은 피곤을 이기지 못한 채 쓰러져 자고 있기 때문이었다. 그 조용한 복도에서 채린은 강우의 메시지를 들여다보며 한참 동안 갈팡질팡했다. 강우는 메시지를 보면 바로 전화를 하라고 했으나 마음의 준비가 되지 않아 통화 버튼을 누르는 게 힘겨웠다.

어제 마지막으로 나눈 대화는 살짝 돌려 말한 고백이었다. 백강우는 눈치가 빠르니까 그 고백을 알아들었을 것이다. 눈을 질끈 감았다 뜬 채린이 한숨을 길게 내쉬고 통화 버튼을 눌렀다.

신호음이 가는 동안 채린은 초조했다. 그가 무슨 대답을 할지 몰라 심장이 두근거렸다. 꼭 합격 발표일처럼 입 안이 바짝 말랐다. 그도 자신처럼 초조해하고 있을까? 그랬으면 좋겠다는 생각을 할 무렵, 상대가 전화를 받았다.

─전공의 숙소지?

하지만 이어 나오는 강우의 목소리는 무척이나 평온하고 또 담담했다. 혼자만의 기대에 푹 빠져 있던 채린은 그의 목소리에 현실 감각을 되찾았다.

"아, 네!"

─의국으로 와.

"네?"

그게 대화의 전부였다.

기대와 달리 전화는 너무나도 싱겁게 끝이 났다. 채린은 통화 시간이 1분도 되지 않는 화면을 어이없다는 듯 내려다보았다. 이내 화면이 어두워지더니 자신의 얼굴이 반짝 비쳤다. 그걸 본 채린이 입을 쩍 벌렸다.

베개에 눌려 있던 머리가 산발이었다. 피곤하다는 이유로 화장을 지우지 않고 누웠더니 입술이며 눈가도 엉망이었다. 복도에 사람이 하나도 없던 게 천만다행이었다. 그런데 지금 이 몰골로 백강우를 만나야 한다고?

큰일 났다!

이러고 있을 때가 아니었다. 채린은 후다닥 숙소 안으로 들어갔다. 문이 닫히는 소리가 크게 나서 다정이 문가를 쳐다보았다. 선배와 눈이 마주치자 채린은 황급히 사과했다.

"죄, 죄송합니다."

"괜찮아."

큰 소리를 듣고 반사적으로 바라본 것에 불과해서 다정은 그다지 언짢아하지는 않았다. 무덤덤한 성격답게 다정은 별로 신경 쓰지 않는 듯했다.

가슴을 쓸어내린 채린은 물티슈를 꺼내 얼굴부터 정리하기 시작했다. 지저분하게 번진 눈가와 입 주변을 닦아 낸 다음 브러시로 머리를 싹싹 빗어 내렸다.

'으…… 안 돼.'

가슴까지 내려오는 머리가 오늘따라 이리저리 뻗쳐 있었다. 머리를 감고 드라이를 할 시간 따위는 없었다. 어쩔 수 없이 머리를 얌전하게 하나로 묶은 채린이 색이 연한 립글로스를 발랐을 때, 다시 전화가 왔다. 휴대폰 화면에 뜬 번호를 보자마자 그녀가 헛숨을 들이 컸다.

"헉!"

평소와 다르게 신채린이 너무나도 부산스러워서 무표정하던 다정의 미간이 살포시 찌푸려졌다. 집중력이 강한 편이지만 밤을 새워 일한 데다 후배가 정신 사납게 만들고 있으니 짜증이 치밀 만도했다. 다정이 펜을 책상 위에 내려놓고 한숨을 쉴 무렵이었다. 잔뜩겁에 질린 채린의 목소리가 들렸다.

"네…… 네, 선생님."

기어들어 가는 목소리만으로도 다정은 채린의 통화 상대가 누군지 알아챌 수 있었다. 목구멍까지 치밀었던 짜증이 단숨에 사라지고 오히려 후배가 불쌍해졌다. 왜 신채린이 저토록 정신없이 쩔쩔매나 했더니 역시나 백강우 때문이었다.

─너 어디야?

바로 튀어 나오는 강우의 말에 채린이 마른침을 삼키고 주춤거렸다. 기대했던 핑크빛 전망 같은 건 아무래도 없는 모양이었다. 채린이 시무룩하게 대답했다.

"어, 저 아직……."

─내가 의국으로 오라고 했지?

"지, 지금 나갑니다. 죄송합니다."

굽실거리면서 전화를 받은 채린이 문을 홱 열어젖히고 나가자 드디어 홀로 남은 다정이 의자에서 일어나 문을 닫았다. 하여튼 4년차 백강우도 참 성격이 이상하다. 신채린의 피를 말릴 셈인지 유난히 그녀만 들들 볶았다. 왠지 또 혼날 듯한 채린을 속으로 동정하면서 다정은 다시 책으로 시선을 돌렸다.

그 시간, 신발을 반쯤 꺾어 신은 채 채린은 복도를 열심히 달렸다. 이미 두근거리는 마음은 사라진 지 오래였다. 무엇 때문에 혼나려나, 싶어서 눈앞이 캄캄했다. 짚이는 게 너무 많았다. 백강우를 이름으로 부른 거나, 억지로 폭탄주를 세 잔이나 먹게 만든 거나…….

채린이 응급실 안으로 뛰어 들어가자 성준이 눈을 동그랗게 뜨고 그녀의 팔을 덥석 붙잡았다. 놀라서 어깨를 움찔 떤 채린이 고개를 돌렸다. 싱글벙글 웃고 있는 성준을 보자 어째 잔뜩 들어차 있던 긴장이 빠져나갔다.

"신 선생? 아직 두 시 아닌데?"

"안녕하세요, 선생님. 저 바빠서……."

오늘, 1년 차들은 두 시부터 근무였다. 여유가 없어 보이는 채린의 모습에 성준은 그녀의 손을 기꺼이 놓아 주었다.

"바쁘다고?"

성준이 의아해했으나 숨을 몰아쉬면서 채린은 고개만 건성으로 까딱 숙이고 의국으로 달려갔다. 성준은 그녀의 뒷모습을 흥미롭게 살펴보았다.

"급하게 의국에 간다?"

지금 의국을 백강우 혼자 차지하고 있다는 걸 성준은 잘 알고 있었다. 재미있는 냄새가 났으나, 멀리서 간호사가 성준에게 손짓을 하는 바람에 채린을 따라갈 수는 없었다.

의국 출입문을 확 열어젖힌 채린은 미동 없이 앉아 있는 강우를 보고 냉큼 안으로 발을 들였다.

테이블 앞에 앉은 채 그가 고개를 들었다. 눈이 마주치자 초조해하는 그녀와 달리, 그는 담담해 보였다. 무표정한 그 덕분에 그녀 또한 천천히 침착해졌다.

채린은 소리가 나지 않도록 문을 닫았다. 오늘도 백강우는 머리털 하나 흐트러지지 않은 채였다. 새벽에 기절했던 사람으로는 보이지 않았다.

"몸은 좀 괜찮으세요?"

"컨디션 어때?"

동시에 두 사람이 말을 뱉었다. 서로를 걱정하는 말이었다. 강우에게 이런 말을 들을 줄 몰랐다는 듯 눈을 동그랗게 뜬 채린과 달리 강우는 눈을 가늘게 뜨고 중얼거렸다.

"남 걱정할 정도면 멀쩡한가 보군."

그렇게 술을 먹였는데도 신채린은 괜찮은가 보다. 겉으로 보기에는 멀쩡하지만 아직도 숙취가 만들어 낸 두통에 시달리고 있는 강우는 채린을 의외라는 양 바라보았다. 따지고 보면 신채린이 백강우보다 술을 많이 마셨던 것도 같은데……

'어떻게 괜찮은 거지?'

물론 채린은 강우의 속마음을 읽지 못하고 그의 앞에 공손한 태도로 섰다. 손을 모은 그녀가 조심스럽게 물었다.

"무슨 일로 부르셨어요?"

"받아."

상념에서 빠져나온 강우가 흰 봉투를 내밀었다. 뜬금없이 흰 봉투라니? 채린이 멍하니 봉투를 내려다보았다. 하얀 봉투에 든 건 보통 돈이거나 편지였다. 백강우가 미치지 않고서야 신채린에게 편지를 쓸 리는 없으니 현금일 것이다.

"이게 뭔데요?"

"술값. 일단 현금으로 받아."

"아, 네……."

역시 예상대로였다. 채린이 떨떠름하게 봉투를 받았다. 그의 전화를 받았을 때부터 각오하고는 있었지만 백강우는 신채린의 마지막 말을 기억에서 지운 건지, 그녀를 태연하게 대하고 있었다. 당장 핑크빛 미래가 펼쳐지리라고 생각하지는 않았는데, 기대가 푹 꺼져서 채린은 아쉽고 또 허탈했다. 어두운 안색으로 봉투를 쥔 그녀에게 그가 말을 덧붙였다.

"아, 그리고."

"네?"

아직 할 말이 남은 강우의 태도에 채린의 눈동자가 반짝거렸다. 그러나 설마 하던 일은 일어나지 않았다.

"호텔, 거기 얼마야? 물어보니까 1박 25만 원이라던데 맞아?"

결국 신채린은 객실 가격을 말해 주지 않고 떠났다. 밤에는 알코올을 이기지 못하고 기절하듯 다시 잠들긴 했으나 아침에 일어나자마자 강우는 마음이 찜찜했다. 뭐랄까, 후배를 등쳐 먹은 기분이랄까? 그 탓에 속은 울렁거리고 머리는 깨질 듯 아픈데도 그는 프런트 데스크에 가서 객실 가격을 물어보고 나서야 호텔을 나갈 수 있었다.

그런데 정작 당사자인 신채린은 뭐가 마음에 들지 않는지 불만스러운 표정을 겨우 숨기고 있었다. 호텔 이용과 거리가 먼 백강우는 객실 가격이 틀렸나 싶어서 되물었다.

"25만 원 아니야?"

"맞는데…… 괜찮습니다, 그건."

"내가 안 괜찮아."

그의 말이 차갑게 울리자 그녀가 고개를 수그렸다. 역시 백강우는 신채린에게 아무것도 받고 싶지 않은 걸까?

"계좌 번호랑 금액 문자로 보내 봐."

"호텔은 제가 가기로 결정한 거니까……."

물론 채린도 돈을 돌려받는 게 당연하다는 것쯤은 알고 있었다. 백강우랑 신채린은 선후배 사이일 뿐이었으니 말이다. 그런데 고집이 자꾸 생겼다. 고등학교 3학년 때, 은수의 실험 가운을 노릴 때처럼.

이해할 수 없는 고집에 강우가 눈살을 찌푸렸다.

"거기서 네가 잤어? 내가 잤지? 난 남한테 빚지고 사는 거 싫어해. 어쨌든 호텔은……."

그때였다. 의국 출입문이 벌컥 열렸다. 강우와 채린의 고개가 동시에 출입문 쪽으로 돌아갔다. 재미있는 구경을 하기 위해 진료가 끝나기 무섭게 달려온 성준이 싸늘한 분위기를 읽고 주춤 물러섰다.

"응? 내가 대화 끊었어?"

"나가 봐."

유성준 근처에 신채린을 풀어 두고 싶지 않아서 강우가 귀찮다는 투로 손을 내저었다. 기대가 산산조각 난 채린은 울적한 마음을 겨우 숨기고 성준에게 꾸벅 묵례를 한 다음 의국을 나섰다. 문이 닫히자마자 성준이 고개를 갸웃거렸다.

"호텔?"

하필이면 저 자식이 엿듣다니. 유성준은 분명히 이상하게 오해를 할 놈이었다.

강우는 성준의 능글거리는 눈빛을 무시했다. 그러나 유성준이 이 흥미진진한 이야깃거리를 놓칠 리가 없었다.

"내가 잘못 들은 거 아니지? 네 입에서 분명히 '호텔'이라는 말이 나왔는데……?"

"이상한 오해하지 마."

"누가 무슨 오해를 했다고?"

미간을 찌푸린 강우가 딱 잘라 말했지만 성준은 모르는 척을 할 뿐이었다. 슬그머니 발뺌하는 성준을 강우가 불만스럽게 흘겨보았다. 어깨를 으쓱거리면서 성준이 계속 종알거렸다.

"뭐…… 젊은 남녀가 단둘이 호텔에 가서 할 일은 몇 개 없지만."

"그런 거 아니야."

머쓱해진 강우는 애써 침착해지려고 노력하면서 부정했다. 거짓말은 아니었다. 자신이 정신을 차린 뒤, 채린은 무탈하게 호텔을 나섰으니 말이다.

"백강우가 먼저 쓰레기가 되다니, 훌륭하다."

"아니라니까?"

말이 통하지 않는 동기에게 강우가 핏대를 세우고 버럭 소리쳤다. 강우는 사람 말을 듣는 척도 하지 않고 제멋대로 상상하는 성준을 한 대 때려 주고 싶었다.

성준은 자세히 이야기를 해 보라는 양 의자를 빼고 자리에 앉았다. 강우가 한숨을 내쉬었다.

"신채린이 어떻게 알았는지 소맥을 말아 먹였어."

"오…… 그래? 한 건 했군."

뜻밖의 사실에 성준이 눈을 크게 떴다. 백강우가 워낙 멀쩡해 보여서 공주님이 자신의 조언을 무시한 줄 알았는데 의외였다. 역시 신채린도 쌓인 것이 많았던 모양이다. 속으로 킥킥 웃으면서 성준은 동기의 말을 기다렸다.

"필름 끊겼다가 일어나 보니까 호텔에 갖다 났더라."

"널?"

강우가 귀찮은 듯 고개만 끄덕였다. 성준이 턱을 괴고 물었다.

"왜? 병원으로 보내지 않고 호텔에 갔대, 걔는?"

"내가 어떻게 알아? 이상한 애라니까."

지난밤에 나누었던 대화를 더듬더듬 복기해 보면, 채린은 강우의 자존심을 지켜 주기 위해 병원이 아니라 호텔로 데려갔다고 했다. 오히려 그게 더 난처한 선택이라는 걸 생각도 하지 못한 양, 그녀의 눈동자는 순진무구했다. 정말 이상한 여자였다.

생각에 빠진 강우를 물끄러미 보던 성준이 웃음기 섞인 목소리로 정리했다.

"흐음…… 그래서 둘이 잤다고?"

"네 머릿속이 더 쓰레기 같은데."

강우가 눈살을 찌푸리고 비난을 해도 성준은 부정하지 않았다. 썩 믿지 않는 성준의 태도에 강우가 사정을 길게 늘어놓았다.

"걔는 병원으로 돌아가고 나만 거기서 잤어. 네가 생각하는 그런 일은 아예 없었다고. 호텔 이야기를 꺼낸 건, 숙박비를……."

"백강우. 너 오늘 되게 말이 많다?"

하지만 성준은 강우의 사정을 끝까지 들어 주지 않았다. 성준은 오히려 여유 만만하고 능글맞은 얼굴로 강우의 말을 도중에 잘랐다.

"뭐 찔리는 게 있나 봐?"

"사람 말을 좀 들어."

속이 답답해진 강우가 한숨을 터뜨렸다. 아무래도 유성준은 지금 백강우와 신채린을 지저분하게 엮고 싶은 모양이었다. 뭐 눈에는 뭐만 보인다더니, 결백한 백강우는 억울하기 그지없었다. 동기의 원망스러운 눈길에 성준이 슬그머니 말을 돌렸다.

"공주님, 은근히 겁이 없네? 남자랑 호텔 방에 들어가고. 너한테 마음 있는 거 아니야?"

"아니야."

성준이 은근슬쩍 떠보았으나 강우는 단칼에 부정했다. 성준은 강우의 수려한 얼굴을 한스럽게 바라보았다. 이놈은 다른 일에는 눈치가 빠른데, 왜 자신의 일에는 이토록 무심한지 모르겠다. 강우를 향한 채린의 눈빛에는 두려움만큼이나 연심이 스며 있었다. 그걸 알아챈 사람이 자신 하나라는 사실이 성준은 통탄스러웠다. 아마 신채린 역시 땅을 치고 있겠지.

"아니긴. 내가 물어볼까? 아, 백강우를 좋아하면 안 되는데. 아직 작업 계획도 못 짜서, 이렇게 놓치나?"

마음에도 없는 소리를 줄줄 뱉으면서 성준은 강우를 자극했다.

강우의 얼굴이 다시금 일그러졌다. 이렇게 옆구리를 쿡쿡 찌르면 예민하게 반응하면서도 백강우는 자신의 마음과 채린의 감정을 새까맣게 모르고 있었다.

"그런 게 아니라……."

백강우가 웬일로 말끝을 흐렸다. 창피해하는 것도 같고 난감해하는 듯도 했다.

보기 드문 강우의 태도에 성준은 다시금 흥미진진해졌다. 이어질 말을 기다리다 못해 성준이 먼저 재촉했다.

"아니면 뭔데?"

"……나를 존경하고 있댔어."

"뭐? 존경?"

성준이 잘못 들은 줄 알고 되묻자, 자신의 입으로 말하고서도 부끄러운 모양인지 강우의 얼굴이 붉어졌다. 강우는 성준과 눈이 마주치자 슬쩍 시선을 피했다. 기가 막힌 것도 잠시, 성준이 황당한 웃음을 터뜨렸다.

"존…… 풉!"

낄낄 웃는 성준을 지켜보면서도 강우는 말릴 수가 없었다. 강우는 붉어진 얼굴을 한 손으로 가리고 변명을 늘어놓았다.

"내가 환자 다루는 게 익숙해 보였나 봐. 자기도 나 같은…… 의사가 되고 싶다고."

파견 근무 전에, 채린은 강우와의 면담에서 그렇게 말한 적이 있었다. 중증 외상 환자를 보고도 침착하고 싶다고 말이다. 자신이 대단하다고 생각하지 않는 백강우는 자신을 띄워 주는 소리를 부담스럽게 여겼고, 지금까지도 마음속에 담아 두고 있었다.

"존경…… 푸흡!"

성준은 테이블 모서리를 손으로 꼭 잡고 끅끅거렸다. 백강우가 오해를 해도 너무 심하게 오해를 했다. 어떻게 신채린의 감정을 '존경'으로만 치부할 수 있는 건지 모르겠다. 저 두 사람 사이의 감정은 엉망진창으로 돌아가는 듯했다.

"공주님이 진짜 그렇게 말했어?"

긍정의 침묵이 이어지자 성준은 흐느끼다가 눈물을 닦았다.

"미치겠네! 생각을 해 봐. 왜 하필 백강우를 존…… 존경을 해? 그 집안사람들이 다 의사인데?"

"그건 그러네."

어느새 강우는 제 감정을 갈무리하고 평소의 낯빛으로 돌아왔다. 성준은 태연한 척 가장하는 강우를 복잡한 눈빛으로 쳐다보았다. 이쯤 되면 신채린뿐만이 아니라 백강우도 불쌍했다. 하지만 직접적으로 이야기해 주고 싶지는 않았다. 그러면 재미가 없으니까.

"어제 진짜 '존경심'이라고 딱 잘라 말했냐? 저는 선생님을 존경해요, 라고?"

"으음……."

사실, 채린은 악감정 이외의 다른 감정이 있다고 말했지만 그렇다고 해서 달라질 것도 없었다.

성준의 시선이 불편해진 강우는 더 이상 이 사안에 대해 이야기하고 싶지 않아 말을 돌리기로 했다.

"환자 없어? 여기서 계속 노닥거려도 돼?"

"하여튼 쓸데없는 데서 성실해."

강우와 오랜 기간 함께 해온 터라 성준은 강우의 말 속에서 숨은 뜻을 읽었다. 더는 대화하고 싶지 않다는 완곡한 표현에 성준이 아쉽다는 듯 눈을 흘기면서 나갔다.

*   *   *

백강우는 응급의학과 과장인 김웅진 교수의 사무실로 불려 갔다. 결코 좋은 일이 아니라는 건, 연락을 받았을 때 웅진의 침체된 목소리에서 알 수 있었다.

"또 고객의 소리에 올라왔어."

고객의 소리에 응급실 의사인 백강우가 불친절하다는 불만이 접수되었다. 예상했던 범위 내의 나쁜 일이었다. 당사자인 백강우는 담담한데, 정작 웅진이 한숨을 내쉬었다. 간이 큰 건지, 세상만사에 무심한 건지 앞에 서 있는 제자는 눈썹 하나 까딱하지 않았다.

"ER(응급실)은 툭하면 불만 접수되잖아요. 괜찮습니다."

"괜찮은 것도 정도가 있지, 너만 콕 집어서 몇 번째인지 알아?"

불만이 세 번 이상 접수되면, 병원 차원에서 경위서 작성이나 환자 응대 교육을 받아야 했다. 물론 백강우는 경위서든 교육이든 간에 앞으로 닥칠 일이 무엇이든 별로 개의치 않았다. 저 대담한 성품을 닮고 싶다고 생각하면서도 웅진은 강우가 걱정스러웠다.

"그나마 같은 사람이 이상한 이유로 시비 거는 거니까 넘어가는 거지."

"예."

저번에 자살을 기도하고 응급실에 실려 왔던 환자가 벌써 서른 번째 불만 접수를 넣었다. 거르고 거르다가 참다못한 CS팀에서 웅진에게 이 사실을 알렸고, 웅진은 기가 막혔다. 아무래도 그 환자에게는 정신 감정이 필요해 보였다.

"참 신기해. 다른 애들한테는 진상이 잘 안 꼬이는데, 왜 너한테는 그렇게 꼬이나 몰라? 그것도 꼭 여자들이."

백강우에게는 유난히 여자들이 많이 달라붙었다. 큰 병원 의사에 외모까지 출중해서 눈에 띄는 건 알겠지만, 4년 동안 백강우에게 남자들이 달라붙은 적은 단 한 차례도 없었다. 제일 머리 아픈 부류는 성 추문을 지어내는 환자였다. 다행히도 강우가 환자에게 손끝 하나 대지 않았다는 사실이 CCTV를 통해 밝혀져 무죄 입증을 할 수 있었다. 그때에 비하면 이번 환자는 귀여운 수준이기는 했다.

"제가 만만한가 보죠."

"만만해? 백강우가?"

웅진이 황당한 표정만 지었으나 강우는 대꾸하지 않았다. 응급실에서 온갖 인간군상을 보고 겪어 온 터라 그는 사람에게 그다지 기대 같은 건 없었다.

사람을 불신하는 것은 아니지만, 응급실에는 워낙 이상한 사람들이 많이 왔다. 섬망 증상을 보이는 환자, 알코올 중독 환자, 치매 환자, 그리고 생각이 이상하게 꼬인 정신 이상자까지.

그뿐만이 아니었다. 사람은 바닥을 보일 때, 본성을 쉬이 드러내곤 했다. 자신이 아플 때, 혹은 가족이 아파할 때 사람들은 이기적인 본성을 드러냈다. 응급실 근무 4년 차, 백강우가 사람에게 기대를 가질 리가 없었다. 그렇기에 백강우는 환자나 보호자들에게 무심할 수 있었다.

"OS(정형외과) 정 선생 말로는 네가 한 번만 상냥하게 응대해 보래. 바로 바뀔 거라고."

현재 정형외과에서 전임의 과정에 있는 정 선생은 한때 외모로 병원을 들썩이게 만들었었다. 지금은 고생을 하느라 외모가 살짝 시들기는 했으나, 정 선생이 결혼하는 날 남몰래 짝사랑하던 여자들이 결혼식장에서 눈물지었다고 소문이 날 정도였다.

"정 선생도 전공의 때 여자들이 그렇게 불친절하다고 항의했잖아. 알고 보니까 여자들이 다 관심 있어서 그런 거였다더라."

"전 그런 거 못 합니다."

그러나 강우는 그 제안이 썩 내키지 않았다. 일단 백강우 자체가 상냥한 편이 아니었다. 그는 여자에게만이 아니라 남자든, 동물이든, 어린애든 간에 친절하고 다정한 태도를 보이지 않았다. 타인을 대할 때, 강우는 사무적이고 공적인 태도 그 이상도, 이하도 보이지 않았다. 어쩌면 그래서 별일을 다 겪으면서도 무던하게 응급실에서 4년을 보낸 걸지 모른다.

"나도 알지, 네 성격. 아, 그럼 차라리 유부남인 척하는 건 어때? 반지를 낀다거나……."

확실히 결혼한 뒤로 정형외과 전임의인 정 선생의 피곤한 일이 줄어들었다고 했다. 물론 이번에도 강우는 떨떠름해 했다.

"근무 중에 반지를 끼고 있으라고요?"

"좀 그런가?"

"걸리적거려서 싫습니다. 그리고 전 괜찮습니다. 이러다가 마니까요."

웅진이 정 선생을 쫓아다니면서 여러 가지 비법을 전해 들었으나, 당사자인 백강우는 그 비법을 따를 생각이 없어 보였다. 웅진은 답답한 한숨만 내뱉고 황당한 소리만 했다.

"넌 의사 할 놈이 좀 못생기게 태어나면 좋잖아."

농담인지 진심인지 통 알 수가 없어서 강우는 할 말을 잃고 웅진을 쳐다보았다. 웅진이 마른세수를 하고 귀찮다는 투로 말했다.

"그만 나가 봐."

"예."

강우는 고개를 꾸벅 숙이고 웅진의 사무실을 나섰다. 강우는 복잡한 기분으로 계단을 내려왔다. 너무 기가 막혀서 코웃음도 나오지 않았다.

'어이가 없군.'

그 환자의 불만 신고가 어이없다는 것이 아니라, 웅진의 제안이 어이가 없었다. 환자에게 친절해 보라느니, 반지를 끼고 유부남 행세를 하라느니, 거기에 얼굴 탓까지. 어차피 9월이 되면 4년 차들은 전문의 시험 준비를 하느라 응급실 근무에서 빠지게 될 것이다. 얼마 남지 않았으니까 조용히 지내면 될 듯했다.

응급실 입구에 도착한 강우는 누군가와 이야기를 나누던 채린을 발견하고 걸음을 멈추었다. 채린은 흔해 빠진 가운을 걸쳤는데도 사람들의 이목을 끄는 매력이 있었다. 그의 시선을 느꼈는지 그녀가 고개를 돌렸다. 두 사람의 눈이 마주치기 무섭게 그녀의 눈동자가 혼들렸다.

"아, 선생님."

채린은 곤란한 얼굴이었다. 채린이 강우를 부르자 그녀의 뒤에 서 있던 여자가 채린의 어깨를 밀치고 강우 앞에 나섰다. 아는 사람이었다. 저번에 자살 기도를 하고 실려 왔던, 20대 초반의 여자는 강우를 기다렸다는 듯이 씩씩대며 말했다.

"선생님이 책임지세요."

"제가 뭘?"

부들부들 떠는 여자와 달리 백강우는 태연했고 여유로웠다. 채린만이 어쩔 줄 몰라 두 사람을 번갈아 보았다. 여자는 지지 않고 대답했다.

"선생님 때문에 남자 친구하고 헤어졌어요. 선생님이 제 신장이 병신 될 거라고 그래서 남자 친구가 병신하고는 못 만나겠대요. 그리고 입 안에 얼마나 상처가 났는지 아세요? 이것 때문에 밥도 못 먹고 생활도 불편하다고요."

"이별은 유감입니다만, 환자분이 음독을 했다고 하니 위세척을 안 할 수는 없었습니다. 제가 알기로 환자분 신장은 회복이 된 걸로 아는데요?"

처음에 불만 신고 접수가 되었을 적, 강우는 기가 막혀서 당시 그녀를 진료했던 내과 전공의에게 환자의 상태를 물어보았다. 환자가 별 탈 없이 퇴원했다고 전해 들은 그는 불만 접수가 들어온 게 이해가 되지 않았다.

강우가 사실만 쭉 늘어놓자 여자의 기세가 한풀 꺾였다.

"그, 그러니까 선생님이 투석 이야기만 안 했어도 안 헤어졌다고요! 물질적으로 보상하라고는 안 할 테니 여기서 사과해 주세요."

여자의 억지에 강우가 눈가를 찡그렸다. 일그러지는 치프의 표정 탓에 아무 죄 없는 채린의 심장이 쪼그라들었다.

이게 사과를 해야 할 상황인지 모르겠다. 진심으로 백강우는 그렇게 생각하고 있었다.

아무 잘못이 없는 입장에서 사과를 하는 건 옳지 않았다. 자존심 문제는 아니었다. 혹여 환자가 녹음기라도 켜 두었을 경우, 녹음된 파일이 증거로 사용될 수 있었다.

사과란 자신의 잘못을 시인하는 것과 같았다. 그래서 인턴 때부터 누누이 지도를 받았다. 잘못하지 않았으면 절대 사과하지 말라고.

"환자분 음독의 이유가 이별을 비관해서라던데, 병원에 오기 전에 이미 끝난 일 아닌가요?"

감정이 실리지 않은 강우의 말에 왜인지 채린의 가슴이 덜컥 내려앉았다. 여자도 마찬가지인 듯 하얗게 질린 얼굴이었다.

"왜 제 탓을 하시는지?"

강우는 여전히 무심한 눈빛이었다.

"그리고 위세척은 다른 선생님이 진행한 걸로 압니다만. 사과도 끝냈고."

본의 아니게 환자에게 상처를 낸 2년 차 장민석이 사과를 했고 그 일은 깔끔하게 끝이 났다. 그런데 여자는 그 일까지 들먹이며 백강우에게 사과하라고 주장하고 있었다. 아무 말도 못하고 부들부들 떨기만 하는 여자에게 강우가 쌀쌀맞게 말을 이었다.

"부질없는 사과에 집착하지 말고 생산적인 일을 하세요. 이별을 남 탓하지 말고."

그 말을 끝으로 그가 냉정하게 응급실 안으로 사라지자 여자가 훌쩍거리기 시작했다. 덜렁 남은 채린이 어쩔 줄 몰라서 여자를 달랬다. 여자의 마음을 온전히 이해하지는 못해도 그 기분만큼은 알 것도 같았다.

"저 선생님이 원래…… 말씀을 좀 차갑게 하세요. 너무 울지 마시고요……."

"힘없는 사람이 사과라도 받고 싶은 게 나쁜 거예요?"

"어…… 음, 그게…… 일단 눈물 닦으세요."

별로 힘없는 사람 같지는 않지만 굳이 여자를 자극하지 않으려 애를 쓰면서 채린이 손수건을 건네주었다. 여자는 고맙다는 양 고개를 까딱거리고 손수건으로 눈물을 닦았다.

툭하면 찾아오는 여자 때문에 진저리가 났는지 환자분류소에 있던 간호사가 가장 가까이 있던 채린을 지목해서 불러왔다. 처음에는 백강우에게 들러붙은 진상 환자라는 선입견으로 채린도 떨떠름했으나 막상 만나 보니 여자는 자신보다 다섯 살은 어린 대학생이었다.

"남자 친구를 많이 좋아하셨나 봐요."

이별에 자살을 기도할 정도로. 채린으로서는 상상도 못 할 일이었으나, 여자는 채린이 자신의 기분을 이해해 주는 거라고 생각했는지 속에 담아 둔 말을 줄줄 풀어놓았다.

"바람 피워도 용서해 줬는데…… 걔랑 결국 사귀기로 했대요. 병원에 있을 때 잘해 줘서 다시 시작할 줄 알았는데, 어떻게 나한테 그럴 수가 있어…… 남자들은 다 이상해!"

그냥 위로랍시고 해 본 말이었는데 여자가 양손에 얼굴을 묻고 흑흑 울자, 채린은 난감하기 그지없었다. 남의 연애사 따위에 관심도 없을 뿐더러 얼른 들어가서 진료를 봐야 하기 때문이었다. 채린의 앞에서 여자가 서럽게 울고 있으니 주변을 지나다니던 사람들이 그들을 흘끔거리기도 했다. 빨리 돌아가는 게 상책이었다.

"백강우 선생님 말이 맞다면, 백강우 선생님한테 사과를 요구해 봤자 도움이 될 건 없을 듯해요. 죄송해요. 제가 도와드릴 수 있으면 좋겠는데……."

"아니에요. 선생님이 무슨 상관이겠어요."

의외로 여자는 포기가 빨랐다. 계속 붙들려 있을 줄 알았던 채린이 마음을 겨우 쓸어내렸다.

여자가 돌아가고 나서야 채린이 너스 스테이션으로 귀환했다. 이미 응급실 안에는 그 환자가 신채린 앞에서 울고 있다는 소문이 퍼졌다. 바깥일에 관심이 많았던 1년 차 간호사, 우선미가 채린에게 바로 물었다.

"또 그 환자 왔다면서요?"

"네…… 근데 지금 가셨어요."

대답하면서도 채린은 슬그머니 강우의 눈치를 살폈다. 그는 무표정해 보였으나, 그동안 강우의 미세한 표정 변화를 지켜봐 온 채린은 그의 기분이 바닥으로 가라앉아 있다는 것을 눈치 챌 수 있었다.

마침 차트 작성을 끝낸 강우가 기가 막힌다는 투로 채린을 돌아보았다.

"도대체 그 환자 가족들은 뭘 하는 거야? 정신 이상자를 왜 가만히 풀어 둬?"

"정신 이상자요?"

채린이 눈을 동그랗게 떴다. 여자의 언행이 종종 이해가 가지 않는다 싶었는데 정신에 문제가 있는 사람일 줄은 몰랐다.

"자살 기도를 하는 사람이 제정신이겠어?"

말을 마친 강우가 채린에게 가까이 오라는 듯 손짓했다. 그에게 다가간 그녀는 그가 모니터에 띄운 전자 차트를 확인했다. 여자는 중증도의 우울증과 강박증에 망상 장애 의심 환자였다. 정신과에서 약을 처방받은 기록도 있었다.

속으로 혀를 내두른 채린이 마른침을 삼켰다. 겉으로 슬쩍 보기에 아픈 사람 같지 않는데, 싶어서였다.

"넌 왜 환자 말을 쓸데없이 끝까지 듣고 있어?"

"저는 몰랐어서……."

괜히 또 혼이 난 채린은 풀이 죽었다. 강우는 그 환자의 차트를 끄고 의자에서 일어났다. 너스 스테이션을 빠져나가려던 강우가 걸음을 멈추더니 채린을 돌아보았다. 웅진이 말한 '친절한' 태도란 저런 걸까? 환자를 어르고 달래는 건 백강우의 성미와 동떨어져 있었다. 한편, 강우의 시선을 힐난으로 알아들은 채린이 입술을 삐죽였다.

"선생님이 한 번 사과해 주지 그러셨어요? 그럼 다시는 안 올 것 같던데……."

"내가 뭘 잘못했는데?"

기가 막힌다는 듯 강우가 되묻자, 대답하는 채린의 목소리가 기어들어 갔다.

"그, 그냥…… 그러면 좋게 좋게 끝나니까요."

"좋게 끝날지 계속 달라붙을지 어떻게 알아? 말도 안 되는 소리 하지 마."

"하지만……."

울먹이던 여자의 모습이 안타까워서 신채린은 백강우처럼 냉정하게 잘라 낼 자신이 없었다. 채린이 뭐라고 말하려던 차에 강우가 먼저 그녀의 말허리를 뚝 잘랐다.

"저런 환자들한테 잘해 주면 너한테 계속 집착해. 다음에 그 환자 오면 바로 싸이(정신과)로 콜 해. ER에서 해결할 일 아니니까."

"네."

단호한 지시에 채린은 고개를 푹 수그릴 수밖에 없었다. 강우는 미련 없이 자리를 떴고, 근처에 있던 선미가 채린의 등 뒤만 안쓰럽게 바라보았다.

당직 후, 날이 밝을 때 자는 잠은 얕고 불편했다. 응급의학과는 다 좋은데 이처럼 밤낮이 바뀔 때가 많아 피로가 쌓이곤 했다.

한참을 뒤척거리다가 겨우 선잠에 들었건만, 누군가가 침대에 앉는 느낌이 들었다. 강우가 미간을 좁혔다. 여전히 눈은 감고 있었지만 침대 한편이 꺼지는 느낌만은 생생했다.

병원 앞, 오피스텔에서 혼자 사는 백강우의 집에 찾아올 사람은 거의 없었다. 있어 봤자 서울 반대편에 살고 있는 어머니 정도?

물론 어머니가 여기까지 올 일 또한 별로 없었다. 강우가 6년제 대학을 졸업하자마자 어머니는 하나뿐인 아들을 독립시키고자 부단히 노력을 했고, 다른 전공의들의 어머니처럼 음식을 해다 주거나 빨래와 청소를 대신해 준 적 또한 한 번도 없었다. 그 역시 어머니의 손길을 바란 적은 없었다.

이내 누군가가 그의 이마를 쓸었다. 여기서 그는 집에 들어온 사람이 어머니가 아니라는 것을 확신했다. 어머니라면 아들의 어깨를 잡고 짤짤 흔들어 깨웠을지언정 부드러운 손길로 이마를 쓸어 줄 리가 없었다.

그렇다면 누구지?

손길이 어쩐지 익숙하다 싶은 순간, 강우는 놀라 눈을 떴다. 블라인드를 내린 창가에서 희미하게 햇빛이 새어 들어오고 있었다. 그는 몽롱한 가운데 눈앞에 있는 사람의 정체를 확인하고 저도 모르게 입을 벌렸다.

신채린이 있었다. 호텔 침대 위에 있었을 때와 똑같은 상황이었다. 정신이 번쩍 든 강우가 당황해서 말을 더듬었다.

"너, 뭐, 뭐야?"

"선생님."

침대 위에 앉은 채 그녀가 그에게로 고개를 기울였다. 채린의 얼굴이 가까워지자 강우는 심장이 입 밖으로 튀어나올 것만 같았다.

"솔직히 말해 보세요."

"……뭘?"

상체를 살짝 일으킨 채 뒤로 슬금슬금 물러나며 강우는 채린과 거리를 벌렸다. 그의 얼굴을 매만지고 있던 그녀의 손이 힘없이 침대 위로 떨어졌다. 문제는 침대 위에서 다시 움직인 그녀의 손이 그의 허벅지에 올라갔다는 점 정도? 움찔 놀란 그가 그녀의 손을 툭 쳐 냈다.

"뭐 하는 거야? 여긴 어떻게 알고 들어왔어?"

"그게 중요한가요?"

'미친 거 아니야? 얘 왜 이래?'

동글동글하니 예쁜 눈으로 그녀가 그를 그윽하게 바라보았다. 그는 자신이 차 냈던 이불을 끌어당겼다. 그녀는 그의 행동을 부질없는 반항 정도로 보는지 피식 웃으면서 말을 이었다.

"솔직히 말해 보세요. 그날, 호텔에서 사실은 진도 더 나가고 싶었죠?"

"미쳤어?"

……라고 하면서도 강우는 마른침이 넘어갔다. 당직 때문에 꼬박 밤을 새워서 피곤해 죽겠는데, 잠이 싹 달아나는 느낌이었다.

"난 그러고 싶었는데."

그녀가 빙그레 미소를 지었다. 그의 어깨가 바짝 긴장했다. 이제는 신채린이 이 집을 어떻게 알고 찾아왔는지, 잠긴 문을 어떻게 열었는지는 중요하지 않았다. 그녀가 잠가 두었던 카디건 단추를 하나하나 풀기 시작했다.

"잠깐. 신채린."

그가 그녀의 이름을 불러 저지하려 했으나, 그녀는 망설임 없이 카디건을 스윽 벗었다. 이성은 신채린을 당장 내쫓으라고 외치는데 본능이 그녀의 가느다랗고 하얀 팔에 집중하기 시작했다.

그러고 보니 그녀는 술자리가 있던 그날 그 차림 그대로였다. 몸에 달라붙는 면 티셔츠가 그녀의 몸매를 드러내었다. 혼란에 빠진 백강우는 손으로 입가를 가리고 고개를 돌려 버렸다. 귓가에 그녀의 목소리가 들렸다.

"선생님은 내 오빠도, 아빠도 아니니까…… 이런 짓 좀 한다고 해서 나쁠 거 없잖아요."

이내 채린이 침대 위로 다리를 올려 앉았다. 슬프게도 강우는 벽에 가로막혀서 더 이상 뒤로 물러설 수가 없었다. 그가 소리를 숨기지 못하고 침을 삼키자 그녀가 까르르 웃었다. 두 사람 사이에 야릇한 분위기가 감돌았다. 그녀가 조금 더 가까이 다가오더니 그의 턱을 부드럽게 잡았다. 입을 가리고 있던 손이 스르르 떨어졌다.

"선생님, 나 좋아하죠? 내가 신경 쓰여서 미치겠죠?"

곧바로 부정하려 했으나, 이상하게도 아니라는 말이 나오지 않았다. 그녀는 그럴 줄 알았다는 듯 눈웃음을 쳤다. 이내 그의 입술에 그녀의 입술이 겹쳐졌다. 부드럽고 말랑말랑한 감촉에 입술이 촉촉해질 무렵, 백강우는 눈을 떴다.

익숙하기 그지없는 하얀 천장을 멍하니 보며 강우는 잠시 동안 상황을 이해하지 못하고 눈만 깜빡거렸다.

'꿈?'

그러니까 방금 전까지 생생하게 이어지던 감촉은 모두 꿈?

상황을 파악한 강우가 벌떡 상체를 일으켜서 가쁜 숨을 터뜨렸다. 평소와 다름없이 오피스텔 안은 고요했다. 자신을 제외한 제3자의 존재는 눈을 씻고 찾아봐도 보이지 않았다. 그는 믿을 수 없다는 듯 다시 주변을 둘러보았다. 당연히 실내에는 개미 새끼 한 마리도 없었다.

"⋯⋯내가 왜 이러지?"

그가 혼잣말을 중얼거리고는 마른세수를 했다. 채린의 미소 띤 얼굴이 떠오르자 식은땀이 등골을 타고 주룩 흘렀다.

"선생님, 나 좋아하죠? 내가 신경 쓰여서 미치겠죠?"

꿈속에서 그녀가 뱉었던 당돌한 말이 떠오르자 그의 얼굴이 새빨개졌다.

'아니야, 그럴 리가 없어. 내가 그 어린애를⋯⋯.'

물론 신채린은 열아홉 살이 아니라 스물일곱 살이었다. 고작 세 살밖에 차이 나지 않으면서도 백강우에게 신채린은 어린애였다. 처음 만났을 때의 그 이미지 때문일 것이다. 그 '어린애'가 유혹하는 꿈을 꾸고 말았으니 죄의식이 파도처럼 밀려올 수밖에.

죄책감에 빠진 그는 믿을 수 없다는 듯 고개를 절레절레 저으며 냉장고를 열었다. 차가운 물을 마시자 정신이 조금 돌아왔다. 하지만 얼굴에 올라온 열기는 쉽게 사그라지지 않았다. 덧붙여 눈치 없는 하반신도 자기주장을 하고 있었다. 블라인드가 내려진 창가는 꿈속에서처럼 햇빛이 새어 들어오고 있었다. 그는 저 창밖으로 뛰어내리고 싶어졌다.

'꿈은 무의식이라던데……'

왜 거부의 말이 나오지 않았을까? 그는 복잡한 표정을 숨기지 않았다. 홀로 있는데 굳이 표정 관리까지 할 필요는 없었다. 남은 물을 마시기 위해 물병으로 시선을 돌린 그가 뒤늦게 페트병에 붙어 있는 라벨을 난처한 눈빛으로 응시했다. 그러고 보니 이 생수, 그 호텔에 있던 거랑 같은 것이었다. 그는 갑자기 물을 마시기가 껄끄러워졌다. 도로 냉장고에 물을 넣어 두고 강우는 침대로 돌아와 털썩 주저앉았다.

침대에 앉아 있으려니 문득 눈을 꼭 감고 침대에 누워 있던 채린이 떠올랐다. 어쩔 줄 몰라서 눈을 꼭 감고 뻣뻣하게 굳어 있던 그녀에게 더 이상 장난이나 위협을 할 마음이 들지 않았다. 그런 채린을 상대로 야릇한 꿈을 꾸고 말았다. 자괴감이 강우의 어깨를 무겁게 눌렀다.

'내가 어린 애를 가지고 무슨 생각을 하는 거야?'

지금까지 백강우에게 신채린은 열아홉 살, 그때의 이미지를 벗지 못했다. 물론 올해, 성숙한 모습으로 전공의 수련 과정에 들어왔지만 그녀는 은수의 사촌 동생일 뿐이었다. 방금까지는 말이다.

그런데 갑자기 신채린이 여자가 되었다.

"이러면 안 되지."

말도 안 되는 생각을 털어 내기 위해 그가 일부러 소리 내어 중얼거렸다. 신채린은 백강우를 존경하는 선배로 생각하고 있었다. 부끄럽기는 하지만 존경한다는데 모범적인 모습을 보이지는 못할망정 야한 꿈이나 꾸고 있었다.

"아니면 백강우는 그런 위험하고 나쁜 남자가 아니라는 건가?"

순간, 채린의 당돌한 목소리가 머릿속에서 또렷하게 재생되었다. 위험하고 나쁜 남자. 그녀의 앞에서는 아니었지만 뒤에서는 변태가 따로 없었다.

강우는 힘없이 침대에 누웠다.

'존경한다면서 그땐 왜 반말이야?'

멋대로 백강우의 이름을 척척 부르던 채린이 떠올라 강우는 베개에 얼굴을 묻고 앓는 소리를 냈다. 다시 자야 하는데 큰일이었다. 억지로 다른 생각을 하려고 해도 채린의 반말이 계속 맴돌았다. 머릿속이 신채린으로 가득 채워진 느낌에 눈을 감아도 잠들 수가 없었다.

'제발 자게 해 줘, 신채린!'

생각하지 않으려고 노력할수록 채린의 미소나 목소리가 선명해졌다. 강우가 한숨을 내쉬었다. 그런데 아까 꾼 꿈이 절대 이어지지 않기를 바라면서도 한편으론 키스 이후에 무슨 일이 생길지 문득 궁금해졌다.

그 시간, 백강우의 원망을 잔뜩 받고 있는 신채린 역시 침대에 널브러져 있었다. 자야 하는데 마음이 복잡해서 잠이 오지 않았다. 평소라면 눕자마자 기절하듯 잤을 텐데 말이다. 원인은 요 근래 있던 일들 때문이었다.

신채린을 대하는 백강우의 태도는 변함이 없었다. 뱅글뱅글 돌려서 고백을 했는데, 그 고백이 먹힌 건지 아니면 무시당한 건지 채린으로서는 알 수가 없었다. 그가 자신의 고백을 받아 줄 거라는 기대는 계좌에 입금된 숙박비를 보자마자 와장창 깨졌다.

'불편해질 테니까 모르는 척하는 걸까?'

그게 지금으로서는 가장 일리 있는 가정이었고, 가장 상냥한 거절 방법이었다. 백강우는 신채린의 기분까지 생각해 주고 있다는 뜻이니까. 그렇다고 그의 무시가 그녀에게 위로가 될 리는 없었다.

역시 첫사랑은 실패한다는 속설이 맞는 걸까? 채린은 우울한 눈으로 강우의 낡은 가운을 바라보았다. 백강우는 절대 틈을 내주지 않았다. 어제, 환자를 대하는 그의 싸늘한 태도에 옆에 있던 채린도 덩달아 상처를 받는 기분이 들 정도였다.

그녀는 미련이 철철 넘치는 손길로 그를 쓰다듬듯 가운을 쓸었다. 몸이 피곤해서 그런지 마음이 약해져서 괜스레 눈물이 나왔다.

그때, 철컥 소리와 함께 전공의 숙소의 출입문이 열렸다. 룸메이트인 다정은 근무 중일 텐데, 싶어서 채린이 고개를 쭉 빼고 아래를 내려다보았다. 잠가 둔 문을 연 사람은 역시 근무 중이어야 할 다정이었다. 채린이 소매로 눈물을 닦고 다정에게 말을 붙였다.

"어? 무슨 일 있으세요?"

"안 잤어?"

"자려고요."

다정이 책상 위에 널려 있는 서류를 챙기는 걸 보니, 파견 근무 수속이 한창인 모양이었다. 응급의학과 전공의들은 4년 동안 타 진료과에 6개월 이상 파견을 가야 했고, 4년 차를 제외하고 각 연차별로 한 달, 두 달, 석 달을 파견 나갔다. 2년 차 안다정은 두 달 간의 파견을 준비하고 있었다. 2년 차 때는 본원을 떠나 한 달은 지방으로, 다른 한 달은 전처럼 본원 내 타 진료과로 돌아가면서 파견을 나간다고 들었다.

"신 선생, 백강우 선생님하고 당직 계속 겹치네. 괜찮아?"

서류를 챙긴 다정은 어색하게 웃는 채린을 흘깃 곁눈질하고 물었다. 기운 없어 보이는 게 또 백강우에게 한 소리 들었나 싶어서였다.

"아…… 네. 괜찮습니다."

"하긴, 요즘 별로 안 혼나지?"

다정의 말에 채린이 힘없이 웃었다. 남들은 모르는 감정을 혼자 감당하려니 버거웠지만 다정에게 자신이 힘든 이유를 솔직히 말할 수는 없었다. 다정이 서류를 팔에 끼고 나가려다가 아차, 하면서 고개를 돌렸다.

"어제 왔던 환자 말이야, 백강우 선생님한테 자꾸 사과하라고 하던 환자."

"아, 네. 왜요?"

"이번에는 신 선생 찾더라."

"네? 절요?"

뜻밖의 말에 채린이 눈을 동그랗게 떴다. 다정이 책상에 기대어 선 채로 채린을 올려다보면서 바깥소식을 전해 주었다. 다정의 표정이 심각해지자 채린이 몸을 일으켜 정자세로 앉았다.

"신 선생은 지금 오프라고 솔직히 말하고 싸이(정신과) 콜 했어.

몸이 아프다는 말도 있어서 전에 진료했던 내과인 척하고 환자 발 묶었고. 부모 부르기로 한 모양이야."

"아……."

그 상황이 머릿속에 그려졌다. 채린이 앞으로 그 환자를 응급실에서 볼일이 없었으면 좋겠다고 생각할 무렵이었다.

"김 교수님이 더는 못 참겠다고 그러시더라."

"네? 교수님께도 연락이 들어갔어요?"

"내가 말씀드렸어. 백강우 선생님까지는 남자니까 괜찮겠지만 신선생은 여자니까 어떻게 위협을 받을지도 모르고."

상황을 심각하게 고려하지 않았던 채린은 내심 놀랐다. 어제 강우의 '환자가 집착한다'는 말이 무슨 뜻인지 이제야 알 것도 같았다. 풀이 죽은 채린에게 다정이 계속 말했다.

"환자한테 너무 친절할 필요는 없어. 오히려 단호한 게 서로에게 좋아."

"별로 친절하지 않는데……."

어제 그 여자도 귀찮은 마음에 대충대충 대했다. 채린이 의아해하자 다정이 피식 웃으면서 말을 이었다.

"신 선생은 보면 참 신기해."

"네? 제가요?"

살다 살다 신기하다는 소리는 또 처음이었다. 채린이 동그랗게 뜬 눈을 깜빡거렸다.

"부잣집 막내딸들은 그런 이미지 있잖아. 막무가내고 이기적인 이미지. 근데 신 선생은 그런 이미지가 아니라서."

어쨌든 첫인상은 별로였다는 뜻인가 보다. 채린은 다정과의 첫 만남을 기억해 냈다. 안다정이라는 이름답게 이 선배는 무뚝뚝하고 차가웠다. 나름대로 성격과 친화력이 좋은 채린마저 다정과 잘 지낼 수 있을까 걱정이 될 만큼 말이다.

"처음엔 조금 걱정했거든, 비위 어떻게 맞추나 하고."

"네? 그러셨어요?"

"지내 보니까 괜한 걱정이었어. 깍쟁이 같지 않아서 다행이야."

편견에 갇혀 있었던 다정이 미안한 눈빛을 보였다.

안다정은 꼭 백강우처럼 무표정하고 감정을 드러내지 않아서 채린으로서는 상상도 못 했던 사실이었다.

첫 만남은 찬바람이 불었으나, 룸메이트로 지내면서 두 사람의 사이는 점점 따스해졌다. 여기에는 강우의 도움도 있었다. 3월 내내 백강우에게 구박받는 채린이 측은해서 다정은 다른 사람보다 채린을 챙겨 주고는 했다. 물론 다정이 은근슬쩍 도움의 손길을 내어 주는 걸 채린도 알고는 있었지만, 지금은 그 무엇보다 편견 없이 대해 주었다는 사실이 고마웠다. 이 선배와는 앞으로도 좋은 사이가 될 수 있을 것만 같았다.

"그만 쉬어. 피곤하지?"

"네……."

"아, 책상 위에 신 선생 손수건 두고 갈게. 그 환자가 준 거야."

다정이 가운 주머니에서 손수건을 꺼내 채린의 책상 위에 두고 나갔다. 그러고 보니, 어제 눈물을 닦으라고 환자에게 손수건을 건넸었다. 버리는 셈 치려고 했는데 돌려받을 줄은 몰랐다. 환자에게

과하게 친절을 표현해서 강우의 말대로 환자가 집착하는 걸까? 친절의 결과가 집착이라니, 채린은 씁쓸해졌다.

책상 위에 놓인 손수건을 쳐다보다가 도로 누운 채린은 옆에 놓여 있는 강우의 가운을 끌어당겨 안았다. 헛헛한 마음은 이 가운으로 이제 만족되지 않았다. 채린은 눈을 감았다. 눈앞까지 가까이 다가왔던 그의 얼굴을 떠올리는 것도 점점 허무해졌다.

오늘도 신채린은 백강우와 당직 근무가 겹쳤다. 겹칠 수밖에 없는 것이 4년 차 전공의는 백강우와 유성준 둘뿐이라 둘이 건강을 갈아 가면서 세 사람 몫을 해야만 했다. 두 사람의 당직 근무가 겹치는 데에는 강우의 의도도 작용했다. 신채린을 유성준 근처에 두지 않겠다는 의지가 확고하게 담긴 스케줄이었다.

물론, 정규 근무 중에 성준이 채린에게 접근하는 것까지 강우가 막을 수는 없었지만.

"백강우랑 호텔 갔었다며?"

"어, 어, 어떻게…… 아니, 그게 오해하지 마세요. 이상한 일은 없었습니다."

깜짝 놀란 채린이 양손을 내저으면서 급히 대답했다. 성준이 능글맞은 미소를 지어 보였다.

"알아. 백 치프가 말해 줬어."

"아…… 네."

성준의 담백한 대꾸에 채린의 얼굴이 새빨개졌다. 혼자 이상한 생각을 하고 있었나 보다. 머쓱한 기분에 그녀가 손을 스르륵 내리고 주변을 둘러보았다. 다행히 주변에는 사람이 없었다.

그러고 보니, 성준은 강우가 그날 일을 말했다고 했다. 혹시 자신이 모르는 특별한 감정 같은 것도 말하지 않았을까? 순간, 채린의 눈동자가 반짝거렸다. 채린이 지푸라기라도 잡는 심정으로 성준의 가운 소매를 붙잡고 물었다.

"저, 선생님. 혹시 치프 선생님이 다른 무슨 말씀 안 하셨어요?"

"무슨 말?"

"그날 술을 너무 많이 드셔서 피곤하다든가……."

"아, 맞다!"

성준이 짝, 박수를 쳤다. 채린의 손이 성준의 가운 소매에서 떨어져 나왔다. 그가 그녀에게 고개를 기울이고 소곤거렸다.

"신 선생, 어떻게 백 치프한테 소맥 먹였어? 걔 절대 안 먹는데."

"그냥 타서 드렸는데요."

남자의 자존심을 살짝 건드리기는 했으나, 강제로 먹인 것도 아니었다.

"그걸 먹어?"

"네."

그런 걸 듣고 싶은 게 아니어서 채린이 심드렁하게 대답했다. 신채린이 듣고 싶은 건 백강우의 속마음이었다. 친한 동기인 유성준에게는 슬쩍 마음을 흘리지 않았을까 싶었는데, 성준은 쓸데없는 소리나 하고 있었다.

"신기하네. 백강우는 소맥 먹으면 죽어서 절대 안 마셨는데……."

그건 그랬다. 폭탄주를 보고 떨떠름해 하던 강우의 표정이나, 왜

술을 섞느냐고 식겁해서 묻는 목소리까지 채린은 생생하게 기억할
수 있었다.

"별로 드시고 싶어 하진 않으셨어요."

"그런데도 먹었단 말이지? 나중에 비법 좀 알려 줘."

성준이 채린의 귓가에 속삭였다. 비법 같은 건 없다고 채린이 대
꾸할 무렵이었다. 그녀의 등 뒤에서 화난 듯한 강우의 목소리가 들
렸다.

"또 놀아? ER(응급실)에 놀러 왔어?"

깜짝 놀란 채린이 몸을 돌렸다. 미간을 찌푸린 강우가 그녀와 성
준을 번갈아 보았다. 호랑이 선생님한테 혼난 학생처럼 채린의 표
정이 시무룩해졌다.

"노총각 히스테리라도 있냐? 서른밖에 안 됐는데?"

성준은 강우와 동갑이면서도 동기를 유들유들하게 놀렸다. 물론
그 놀림은 백강우에게 통하지 않았다. 성준의 말을 무시한 강우가
채린에게도 한마디 했다.

"신채린, 너도 유성준하고 노닥거리지 말고 일이나 해."

"죄송합니다."

채린이 고개를 숙이고 도망치듯 자리를 떴다. 백강우는 정말 변
함이 없었다. 그녀가 멀어지는 것을 지켜보던 성준이 기가 막힌다
는 투로 말했다.

"왜 애를 잡아? 이제 안 잡는다며?"

"잡긴 누가 잡아? 아니면 더 놀라고 격려해 줘? 너도 쟤한테 관심
좀 꺼."

"싫은데?"

강우는 혀를 날름거린 성준을 흘겨보았다. 사실, 굳이 채린에게 다가와서 경고를 할 필요는 없었다. 옆에 있던 사람이 유성준만 아니었더라면 말이다. 유성준은 방심할 수 없는 놈이었다.

"백강우는 존경하고, 나는 사랑하게 만들면 되겠네."

틈만 나면 이런 소리를 지껄이기 때문이었다.

동기의 뒤통수를 후려갈기고 싶어졌으나 강우는 주먹을 꽉 쥐는 것으로 그 충동을 억눌렀다.

성준은 멀리서 채린을 지켜보고 있던 강우의 시선을 일찌감치 눈치채고 일부러 채린과 친밀한 모습을 연출해 냈다. 대화도 평범하게 하면 되는 것을 고개를 기울여서 말한다거나, 귓가에 속삭이는 식으로 백강우를 자극했고 아니나 다를까 백강우 치프는 월척이 되었다.

"배울 것 많은 1년 차한테 쓸데없이 바람 넣지 마."

사람 낚는 베드로…… 아니, 유성준은 오늘도 백강우를 낚았다. 제 솔직한 감정도 모르고 담담한 표정으로 멀어지는 강우를 성준이 기가 막힌 듯 바라보았다. 백강우는 눈치도 빠르고 똑똑한 줄 알았더니 다 허당이었다.

한편, 채린은 울적하게 너스 스테이션으로 들어가 구석 자리에 앉았다. 백강우가 유성준에게 낚인 바람에 쓸데없이 신채린에게 불똥이 튀었다. 오늘도 또 백강우한테 혼이 나고 말았다. 자신이 뭔가를 크게 잘못했다면 모를까, 잠깐 유성준하고 대화를 했다는 이유로!

우울해하는 채린을 보다 못한 선미가 상냥하게 말을 건넸다.

"선생님, 무슨 일 있으세요?"

"네? 아뇨. 왜요?"

"안색이 안 좋아 보여서요. 물 드실래요?"

"괜찮습니다."

채린이 고개를 저으며 애써 미소를 지었다. 계좌에 백강우의 이름으로 25만 원이 찍혔을 때부터 기대를 버렸어야 했다. 왜 아직까지도 미련이 남아 가지고는 그에게 상처를 받는 건지 모르겠다. 더불어 여자로서의 자신감도 뚝뚝 떨어졌다. 첫사랑은 절대 이루어지는 게 아니었다.

그때, 채린은 너스 스테이션으로 다가오던 강우와 눈이 마주쳤다. 그녀가 저도 모르게 입을 벌렸다. 그러나 그는 마치 못 볼 꼴을 본 양, 미간을 좁히고 고개를 휙 돌렸다. 순간 채린은 가슴속에서 화가 치밀어 올랐다.

'술자리에서 나쁜 감정을 다 풀자며? 왜 자기는 아직도 저러는 건데?'

강우의 태도는 싫어하는 사람을 무시하는 것과 다름이 없었다. 이런 사소한 모습 하나하나에 상처가 쌓여 갔다. 채린이 저도 모르게 투덜거렸다.

"너무해, 진짜."

"네?"

채린의 혼잣말을 언뜻 들은 선미가 고개를 들었다. 지레 놀란 채린이 어색하게 웃으면서 고개를 흔들고 자리에서 일어났다. 일단 도망치는 것이 상책이었다.

신채린 말고도 도망친 사람은 여기 또 있었다. 의국으로 들어간 강우는 가슴을 쓸어내렸다. 자신을 향한 채린의 시선이 너무나도 따갑게 느껴져서 고슴도치가 되는 줄 알았다. 키스하는 꿈을 꾼 뒤로 백강우는 신채린을 똑바로 바라보기가 힘들어졌다.

때마침 전화가 걸려 왔다. 신채린에게 향한 관심을 돌리기에 제격이었으나 하필이면 신채린의 사촌 오빠인 조은수의 전화였다. 물론 신채린은 성인이니까 조은수가 보호자 같은 건 아니었지만, 어쩨 껄끄러운 연락이었다. 강우가 떨떠름하게 전화를 받았다.

"어."

—나야.

힘없는 목소리에 강우는 대꾸하지 않았다. 은수의 전화는 며칠 전, 동창의 결혼식 때부터 툭하면 걸려 오곤 했다. 그날은 은수가 10년 동안 사귀었던 혜영과 크게 싸운 날이기도 했다.

—나 10분쯤 뒤에 도착하거든.

"알았어. 로비로 와."

시계를 흘긋 본 강우가 대충 대답했다. 은수는 강우에게 혜영과 직접 만나서 사과하고 싶다고 자리를 마련해 달라 부탁했다. 그게 오늘이었다. 강우를 통해서 자리를 만드는 이유는 간단했다. 김혜영이 조은수의 연락을 모조리 차단해 버렸기 때문이었다. 은수가 조심스럽게 물었다.

—혜영이한테 연락…… 했어?

"으음, 이제 할 거야."

—수술 들어갔으면 어떡해?

"이 시간에 무슨 수술? 끊어."

안절부절못하는 친구의 마음도 헤아리지 않고 강우는 매몰차게 전화를 끊은 뒤 곧장 혜영에게 연락했다. 항상 콜에 익숙한 전공의들은 재깍재깍 전화를 받았다.

─뭐야? 왜 이걸로 전화해?

콜폰이 아니라 개인 휴대폰 번호로 전화가 걸려 와서 혜영은 의아해했다.

"김혜영, 잠깐 ER 좀 내려와."

─어쭈, 이젠 막 명령질이야?

혜영의 목소리는 평소와 다름없이 활기찼다. 은수의 기운 없는 목소리와는 정반대였다. 강우는 이 커플의 주도권이 누구에게 있는지 단번에 알 수 있었다. 그가 귀찮은 목소리로 물었다.

"10분 정도면 올 수 있지?"

─무슨 일인데 그래? 환자야?

"그건 아닌데, 묻지 말고 잠깐 내려와 줘."

휴대폰을 가운데 두고 잠시 침묵이 일었다. 항상 이유를 명쾌하게 설명하던 백강우가 아무것도 묻지 말고 내려와 달라는 건 조심스러운 일이라는 뜻이었고, 이 상황에 짚이는 건 하나뿐이었다.

─혹시 조은수 때문이니?

"……그래. 중간에 나 끼우지 말고 둘이 좀 해결해. 오늘만 참는 거야."

강우가 낮은 목소리로 대꾸하자 혜영은 어쩔 수 없다는 양 한숨을 길게 내쉬었다.

―슬슬 은수 봐야 할 때라고 생각했어. 내려갈게.

진작 그렇게 말을 하지. 강우는 대답 없이 전화를 끊었다.

혜영이 내려오기를 기다리는 동안 강우는 다음 주 행사 일정 등을 정리하고 쓸데없이 테이블 위를 치웠다. 다른 일을 하지 않으면 자꾸 신채린이 떠오르는 탓이었다. 이내 의국 출입문이 열리고 혜영이 들어왔다. 혜영은 비어 있는 의국을 둘러보더니 황당하다는 식으로 말했다.

"너희 의국은 왜 이렇게 텅텅 비었어?"

"다 바깥에 있지. 그게 응급에 대응하기 좋거든."

응급의학과 의국은 주로 비어 있는 편이었다. 언제 응급 환자가 들이닥칠지 몰라서 숙련된 전공의들은 너스 스테이션 근처 컴퓨터 앞에 앉아 차트 정리를 할 때가 많았다. 생소한 눈빛으로 다시 한 번 의국 안을 둘러본 혜영이 의자에 털썩 앉았다.

"은수는 언제쯤 온대?"

"10분 뒤에 온댔으니 조금 있으면 도착하겠지."

"미안해, 너 끼게 해서."

혜영이 사과했다. 자신이 은수의 연락을 차단해서 강우에게로 불똥이 튄 모양이었다. 조은수와 백강우는 학생일 적에 단짝처럼 같이 다녔으니 은수는 그 누구보다도 강우에게 의지했을 것이다. 강우가 서류를 옆으로 밀어 치우고 물었다.

"도대체 왜 그렇게 튕기는 거야? 그냥 결혼하지 그래? 솔직히 혼처 좋잖아, 은수네 정도면."

강우의 말에도 일리가 있긴 했다. 혜영이 한숨을 내쉬고 양손으로 턱을 괴었다.

"남자들은 모르는 게 있어. 부담스럽기도 하고."

"부담스러울 건 또 뭔데?"

무심하기 짝이 없는 소리에 혜영의 표정이 바삭 구겨졌다.

"야, 생각해 봐. 네가 만약…… 그래, 신 선생하고 연인이라고 쳐
봐."

그 순간, 책과 서류 등을 정리하던 강우의 손이 우뚝 멈추었다.
그가 뻣뻣하게 고개를 돌려 혜영을 믿을 수 없다는 눈으로 쳐다보
았다.

"……누가 누구랑?"

"아니, 그냥 그렇게 가정을 해 보자고."

이번에는 혜영이 아니라 강우의 얼굴이 일그러졌다. 신채린이 백강
우의 연인이라는 가정은 키스하던 꿈만큼이나 뜬금없었다. 유혹적이
고 당돌한 채린의 얼굴이 떠올라 강우의 표정이 더욱 나빠졌다.

물론 백강우의 속내를 알 길 없는 김혜영은 동창의 반응을 다르
게 해석했다.

"너, 신 선생 싫어하는구나?"

"누가 싫다고……."

강우가 바로 부정했으나, 혜영은 강우의 진심을 믿어 주지 않았다.

"괜찮은 앤데 왜 싫어해?"

"누가 싫다고 그랬어? 안 싫어해."

"안 싫어하면 표정이나 풀어."

그는 아무 대답도 하지 않고 그녀의 시선을 피했다. 하지만 김혜

영의 가정은 아직 끝이 난 게 아니었다.

"네가 신 선생하고 연인이야. 결혼을 눈앞에 뒀어. 그럼 처가가 부담스럽지 않겠냐?"

"……그걸 내가 어떻게 알아? 쓸데없는 가정을 하고 있어."

아무렇지 않은 척 받아쳤으나 백강우의 심장은 평소보다 빠르게 뛰고 있었다. 그는 자신의 심박수를 애써 무시했다. 혜영이 계속 말했다.

"대단한 집안 사람들인데, 우리 같이 평범한 의사가 눈에나 차겠냐고. 거긴 발에 차이는 게 의사잖아."

이번에도 강우는 대답하지 않았다. 그 으리으리한 저택만큼 큰 집을 그는 아직 서울 시내에서 본 적이 없었다. 박탈감 같은 것을 느끼기에 백강우는 이미 나이를 먹을 만큼 먹었다. 이는 김혜영 역시 마찬가지일 텐데, 싶을 즈음이었다.

"솔직히 우리, 어디 가서 무시받고 산 적은 없잖아. 자존심 상할 일도 없었고."

"그 집에 들어간다고 누가 널 무시한대? 너 혼자 지레 겁먹은 거 아니고?"

의사들 사이에 묻혀 살다 보면 종종 잊긴 하지만 대한민국에서 의사라는 직업은 그 자체로 대우를 받아 왔다. 게다가 그런 의사들 사이에서도 무시당한 적 없는 강우는 혜영의 걱정이 이해되지 않았다.

"그럴 수도 있겠지……."

혜영이 허탈하게 긍정했다. 언니의 결혼이 실패로 귀결되는 것을 지켜보면서 괜스레 겁을 먹은 걸 수도 있었다. 언니의 시댁 식구들과 은수의 집안사람들이 같을 리가 없는데도 자꾸 마음의 벽이 생겼다. 어느 순간부터 은수의 가족들을 형부의 가족들과 겹쳐 보고 있었던 걸지도 모르겠다.

침묵 사이로 강우의 휴대폰이 울렸다.

"은수 왔나 보다."

혜영의 눈동자가 흔들렸다. 그러거나 말거나 강우는 은수의 전화를 바로 받았다.

"로비로 나갈게."

―혜영이는?

"여기 있어."

안도의 한숨이 휴대폰을 통해 강우에게 전해졌다. 병원에 오면서도 은수는 혜영이 만나 주지 않을 최악의 가능성을 걱정하고 있던 모양이었다. 이만큼 김혜영에게 절절매고 있는데, 왜 김혜영은 조은수와의 결혼을 부정적으로 생각하는지 강우로서는 알 길이 없었다.

"나가 봐. 너희 둘이 해결해."

"ER 안 바쁘면 나랑 같이 가 줘."

"싫어."

더 이상 타인의 일에 끼고 싶지 않은 강우가 딱 잘라 거절했다. 혜영이 입술을 삐죽거렸다.

"아, 좀! 은수랑 또 싸울 것 같아서 그래."

"너희 툭하면 싸웠잖아. 뭐가 무서운데?"

"깨질 위기거든."

아무렇지 않은 목소리였으나, 혜영의 표정은 심각했다. 강우는 혜영을 물끄러미 쳐다보았다. 제3자의 입장이라 그런 걸까? 아무리 봐도 이별 위기 같지는 않았다. 자리까지 주선해 줬으면 됐다. 더 이상 남의 일에 끼어드는 것은 사절이었다. 강우가 얄밉게 대꾸했다.

"헤어지든 말든 내가 무슨 상관이야?"

"상관있지. 헤어지면 조은수가 너한테 맨날 전화할걸?"

김혜영은 백강우의 성격을 너무 잘 알고 있었다. 귀찮고 성가신 일은 피하고 싶어 하는 백강우를 깔끔하게 설득한 혜영이 씨익 웃었다. 한숨을 푹 내쉰 강우가 결국 혜영을 따라 의국을 나갔다.

혜영과 강우가 함께 있는 것을 발견한 채린이 쪼르르 다가와 오랜만에 본 혜영에게 아는 척을 했다.

"어? 선생님."

"신 선생, 오늘 당직이야? 아직도 퇴근 안 했네?"

"네."

수줍게 웃어 보인 채린이 힐끔 강우의 눈치를 살폈으나 그는 그녀 쪽을 돌아보지도 않았다. 오히려 백강우는 신채린에게 붙잡힌 이 상황이 마음에 들지 않은 듯했다. 딱딱하게 굳은 그의 입매를 슬픈 눈으로 보다가 채린이 시선을 떨구었다. 좋아하는 사람에게 무시당하는 것도 어느 정도껏이지, 전혀 상관없는 혜영이 채린과 강우의 눈치를 살필 정도였다. 채린의 가슴 한쪽이 서늘해졌다.

채린이 애써 미소를 지으며 꾸벅 고개를 숙였다.

"저 먼저 가 보겠습니다."

"응, 나중에 봐."

빠른 걸음으로 멀어져 가는 채린의 등을 응시하던 혜영이 고개를 돌려 못된 동창을 불렀다.

"백강우."

"왜?"

"너, 신 선생 안 싫어한다며?"

"안 싫어한다니까?"

이건 진심이었다. 백강우는 신채린을 싫어하지 않았다. 정확히
말하자면, 백강우는 신채린이 자꾸 의식되어서 부담스러웠다. 머릿
속에 또렷하게 남은 꿈의 잔상이 자꾸 그를 괴롭히는 탓이었다.

"사람을 면전에서 무시하고 있잖아."

물론 그런 사정을 모르는 혜영이나 채린으로서는 강우의 태도가
무시 그 이상도 이하도 아닌 것처럼 보였다. 응급실 출입문으로 향
하면서 강우가 황당하다는 투로 받아쳤다.

"내가 언제?"

"지금 그러고 있……."

"잔소리할 거면 혼자 가."

"알았어! 안 할게."

강우의 한마디에 혜영의 기세가 단숨에 꺾였다. 무시당한 채린에
게는 미안하지만, 중요한 건 은수와의 만남이었다.

오랜만에 연인을 만난 은수는 쭈뼛거리면서 혜영과 일정 거리를
유지했다. 주눅이 든 얼굴로 은수는 혜영의 눈치를 살피고 있었다.

"혜, 혜영아……."

"네 번호 차단했었어."

반면, 혜영은 담담했다. 그녀는 은수의 기분을 살필지언정 밖으

로 표를 내지는 않았다. 한동안 연인에게 번호가 차단당한 잔인한 현실에 은수의 눈동자가 흔들렸다. 다행히 혜영이 말을 덧붙였다.

"머릿속이 복잡해서, 너랑 대화할 여유가 없었거든."

"그래, 이해해."

강우는 팔짱을 끼고 친구 커플을 무심한 눈으로 바라보았다. 조은수는 쭈뼛거리고 김혜영은 여유로운 모습이었다. 커플 사이의 권력 구도가 적나라하게 드러나는 현장이었다. 강우는 은수가 저자세를 유지하는 모습을 보다 못해 고개를 돌려 버렸다.

'뭐가 잘못이야?'

친구 커플의 화해를 돕기 위해 강우도 상황을 전해 듣기는 했다. 아직 결혼 합의가 되지 않았는데 조은수가 김혜영을 본가에 데려갔다고 했다. 어차피 결혼할 생각이라면서 도대체 그게 왜 문제인지 강우로서는 이해가 되지 않았다. 거기에 김혜영이 조은수의 집안에 갖고 있는 부정적인 생각 역시.

"네가 신 선생하고 연인이야. 결혼을 눈앞에 뒀어. 그럼 처가가 부담스럽지 않겠냐?"

그때, 아까 혜영이 뱉은 황당한 말이 떠올랐다. 하지만 여기에도 강우는 동의할 수 없었다. 만약 백강우가 신채린과 결혼을 하게 된다 하더라도 주눅이 들거나 부담스러워할 일은 없을 것 같았다.

'내가…… 지금 무슨 생각을 하는 거지?'

당돌하게 자신을 응시하던 채린의 얼굴이 느닷없이 생각나서 강우는 당황스러웠다. 눈앞의 친구들에게 집중하기 위해 그가 정신줄을 단단히 잡았다. 강우가 당황하든 말든 혜영과 은수의 대화는 계속 이어지고 있었다.

"분명히 보드 따고 결혼 이야기하자고 했는데, 갑자기 너희 집에 인사를 시켜 버리면 내 기분이 어떻겠어?"

은수는 할 말이 없었다. 그동안 초조하기도 했다. 그는 전문의 시험에 합격하면 곧장 군 복무를 해야 했다. 떨어져 있는 동안 혜영이 변할 거라는 생각은 하지 않았지만, 그녀와의 관계를 더욱 단단하게 만들고 싶었다. 전문의 시험을 보고 결혼 약속을 하는 건 너무 늦는다는 생각이 자꾸 들었다. 그래서 혜영의 의사를 모르는 척 그녀를 집으로 데려갔었다.

"가뜩이나 내가 너희 집, 부담스러워하는 거 너도 알면서."

"부담스러워하지 말라고 했잖아."

"그게 마음대로 되는 게 아니라고."

"……알았어."

은수가 시무룩하게 대답했다. 이번 싸움은 다른 때와 달리, 두 사람이 서로의 입장과 고집만을 이기적으로 주장하면서 시작되었다.

"보드 시험 전까지 결혼 이야기 안 할게."

아쉬운 쪽이 고집을 꺾어야 했고, 이 관계에서 아쉬운 쪽은 단연코 조은수였다. 한동안 혜영과 연락이 되지 않자 은수는 매일 밤을 후회로 지새웠다. 그녀의 집으로 찾아갈 수도 있었지만 혜영은 부모님과 함께 살고 있어서 그랬다가는 뺨을 맞거나 소금 세례를 받을 것이 분명했다. 그리고 관계는 더욱 악화될 테니, 그녀의 화가 풀어지기만을 기다릴 수밖에 없었다. 다행히 중간에 강우가 있어서 화해하는 시기가 앞당겨졌다.

"네가 하자는 대로 할 테니까, 제발 전화 좀 받아."

혜영이 대답 대신 고개를 끄덕였다. 은수가 한 걸음 혜영에게 다가가 그녀의 손을 조심스럽게 잡았다. 조심스럽지만 단단하게 붙잡은 손은, 그녀를 절대 놓고 싶지 않다는 마음을 드러내고 있었다.

"헤어지자는 소리는 하지 말고. 응?"

"알았어. 미안해."

혜영의 사과에 감정이 북받치는지 은수가 훌쩍거렸다. 혜영은 자신보다 머리 하나는 더 큰 연인을 올려다보고 한숨을 내쉬었다. 다 큰 성인 남자가 울먹이는 꼴을 보게 된 강우의 눈동자가 흔들렸다.

'……울어?'

경악한 강우가 뻣뻣하게 굳어 있자, 혜영이 무언의 눈치를 주었다. 여기까지면 됐다는 눈빛에 강우는 미련 없이 돌아섰다.

응급실 안으로 돌아온 강우는 기가 막혔다. 스무 살 때부터 조은수와 함께 다녔지만, 질질 짜는 모습은 처음 보았다. 그런데 은수가 우는 모습이 익숙한 듯 혜영은 태연하기 그지없어서 강우는 더욱 충격적이었다.

'얼마나 좋으면 눈물이 나오는 거야?'

사춘기 때부터 울어 본 적 없는 백강우로서는 신기한 일이었다. 생각에 빠져 있는 동안, 강우의 시선은 무의식중에 채린에게 닿아 있었다.

모르는 척을 하고 싶었는데 워낙 그의 시선이 따가워서 장본인인

채린은 물론 주변에 있던 전공의들도 겁을 덜컥 집어먹고 채린에게
잘못한 것이 있느냐 따져 물었다. 억울해진 채린이 고개를 저었으
나, 이미 다들 그녀의 곁에서 도망친 뒤였다.

참다못한 채린이 씩씩거리면서 강우에게 다가갔다.

"하실 말씀 있으세요?"

"아니?"

근데 왜 빤히 쳐다보는 건지 모르겠다. 채린이 불만스럽게 입술
을 삐죽이다가 퍼뜩 정신을 차렸다. 그러고 보니 오랜만에 백강우
와 마주하는 기분이었다. 상황을 인식한 순간부터 채린의 심장이
주책없이 널뛰었다.

"신채린."

"네?"

"유성준하고 놀지 마."

하지만 백강우는 이번에도 잔소리였다. 꾀를 부린다는 오해를 받
고 싶지 않아 채린은 적극적으로 해명에 나섰다.

"논 거 아닙니다. 지나가다가 잠깐……."

"그게 노는 거지 뭐야?"

그가 인상을 찌푸리고 바로 받아쳤다. 백강우는 신채린을 유성준
의 근처에서 몰아내겠다는 의지가 가득했다. 문제는 강우가 채린의
기분까지 파악하지 못했다는 데 있었다.

"선생님."

그녀가 그를 조심스럽게 불렀다. 그는 그녀를 바라보는 것으로
대답을 대신했다. 그녀의 눈가가 촉촉해졌다. 울컥 치미는 복잡한

감정을 억누르고 그녀가 말을 이었다.

"악감정…… 버리자고 하셨잖아요."

"나 너한테 악감정 없다니까?"

"그런데 왜 이러세요?"

백강우는 말과 행동이 달랐다. 적어도 신채린에게는 말이다. 그녀가 원망을 담아서 길게 말을 늘어놓았다.

"다른 사람 방패로 삼는 거 싫어하시는 거 아는데요, 유성준 선생님이든 다른 윗년 차 선생님이든 간에 다들 서로 이야기 잘하는데 왜 저한테만 이러시는지 모르겠어요."

성준과 사소한 이야기를 나눌 때마다 강우한테 혼이 났던 채린은 주변 사람들을 유심히 관찰했다. 그러나 성준이 다른 전공의와 노닥거려도 강우는 본 척도 하지 않았다. 오로지 신채린이 엮여 있을 때만 백강우는 화를 냈다.

"아까도……."

"아까 뭐?"

"아닙니다."

혜영과 인사를 나눌 적에 자신을 대놓고 무시하던 강우가 떠오르자 채린의 눈에 눈물이 고였다. 혜영마저 의아함을 느낀 듯 강우를 힐끗거릴 정도였다. 자신만의 착각이 아니겠지만, 무시 당한 건 자신의 착각으로만 남겨 두고 싶었다. 그게 사실이라면 정말 속이 상할 것 같아서였다.

"그러면 유성준하고 말을 섞지를 마."

"제 말은……!"

꽉 막힌 강우의 대꾸에 울컥 화가 치밀었으나 채린은 심호흡을 길게 하는 걸로 감정을 삭였다. 방금 전까지 자신을 똑바로 보던 강우가 어느새 불편한 듯 눈가를 일그러뜨린 채로 고개를 돌렸다. 쳐다보기도 싫다는 걸까? 강우의 행동을 제멋대로 넘겨짚은 채린이 바닥을 내려다보았다. 눈물이 나올 것 같아서였다.

"선생님 보기 언짢으시다니 이제 유성준 선생님하고는 거리 두겠습니다."

웬일로 신채린이 마음에 드는 소리를 했다. 강우가 고개를 끄덕이며 뭐라 말할 참이었다. 채린의 뒤에서 3년 차 간호사가 다가오더니 대놓고 강우를 비난했다.

"아니, 백강우 선생님! 왜 또 신 선생님을 태우세요?"

"태운 거 아닙니다."

"태운 게 아니긴요? 아무 상관도 없는 걸로 사람 피 말리시네. 신 선생님이 얼마나 열심히 일하시는데요."

이 상황은 누가 봐도 백강우가 신채린을 구박하는 모양새였다. 이미 3월부터 신뢰를 잃은 강우가 답답한 한숨만 길게 내쉬고 돌아섰다.

채린의 시선이 강우의 등에 물끄러미 꽂혔다. 첫사랑은 이루어지지 않는다고 했던가? 채린 역시 답답해져서 자신을 감싸 준 간호사에게 꾸벅 인사를 하고 응급실을 나갔다. 정말 울컥울컥 울화가 치밀었다. 악감정을 다 털자고 말한 백강우는 대놓고 사람을 무시하고 괜한 트집을 잡았다. 신채린이 바라는 건 그저 백강우의 호감뿐인데, 그거 하나 얻기가 이토록 힘들 줄은 몰랐다.

밖에서 채린은 익숙한 두 사람을 발견했다. 아직 이야기를 나누고 있는 은수와 혜영이었다. 눈을 동그랗게 뜬 채린이 은수에게 말을 붙였다.

"오빠가 여기는 웬일이야?"

"1년 차가 바깥도 나오고 말이야, 얼른 들어가."

"잠깐만 바람 좀 쐬고."

채린이 힘없이 대꾸하고 멀리 노을을 응시했다. 자신의 마음처럼 붉고 뜨거운 노을은 점점 사라질 것이다. 그녀는 저 노을처럼 백강우를 향한 서투른 연심이 사라졌으면 좋겠다고 생각했다.

"야, 너희 병원 너무 풀어 주는 거 아니야? 1년 차한테?"

"ER은 백강우 소관이거든? 너나 얼른 가. 질질 짜지 말고."

귓가에 스치는 10년 차 연인의 대화에 채린이 피식 웃었다. 지금만큼 조은수가 부러운 적이 없었다.

"이따 전화할게."

은수가 손을 흔들면서 주차장으로 멀어져 갔다. 오늘 당직인 혜영도 기지개를 켜고 외과 건물로 슬슬 돌아갈 준비를 했다. 그때, 채린이 혜영의 뒤에 대고 물었다.

"은수 오빠, 또 울었어요?"

"좋아서 운 거니까 너무 걱정 마."

조은수가 좋을 일은 화해뿐이었다.

"화해하셨구나……."

"화해…… 라고 할 것도 없지, 뭐. 10년 사귀어 봐. 툭하면 싸우고 화해하고 그래."

혜영이 채린에게 고개를 돌리고 대답했다. 싸우고 화해한다는 말마저 부러워서 채린이 희미한 미소를 지었다.

"참, 백강우는 들어갔어?"

"네."

강우를 떠올리자 채린의 안색이 단박에 어두워졌다. 채린을 안쓰럽게 바라보던 혜영이 주변을 살피고 나서 조심스럽게 입을 열었다.

"있잖아, 신 선생."

"네?"

"강우가…… 좀 까칠하지?"

그 순간, 채린은 울컥하고 가슴 깊은 곳에서 뜨거운 게 치밀어 올랐다. 백강우를 향한 원망과 슬픔 등 복합적인 감정이었으나 그 누구에게도 말할 수는 없었다. 대답 대신 채린은 고개만 숙였다.

"아까 보니까 신 선생한테 좀 까칠하게 구는 것 같더라고."

"……네, 좀 엄격하세요."

혜영은 아까 강우가 채린에게 보인 반응이 마음에 걸렸다. 채린의 이름만으로도 표정을 구긴다거나 그녀를 앞에 두고도 투명 인간 취급을 하는 건 백강우답지 않았다. 신채린을 싫어하는 것이 아니고서야 백강우가 그토록 격렬한 반응을 보일 리가 없었다.

뭐, 백강우가 신채린을 싫어하든 말든 지금 상황에 바꿀 수 있는 건 없었다. 채린이 조금만 더 굳건히 9월까지만 버티면 괜찮을 것이다. 9월부터 4년 차들은 병원 근무에서 열외가 되니 말이다. 일단 혜영은 채린을 달래 주기로 했다.

"그래도 아주 성질 지랄 맞은 애는 아니야."

"네, 압니다."

"강우는 원래 좀 까칠했어. 특히 여자한테."

그제야 채린이 고개를 들었다. 혜영이 한숨을 내쉬고 나서 계속 말했다.

"좀 잘생겼잖아? 그래서 은근히 짝사랑하는 애들이 있었는데, 정말 쌀쌀맞았어. 고백하면 뻥뻥 차이니까 본과 2학년쯤 됐을 땐 아무도 고백을 못 하는 거 있지?"

"아……."

설마 고백 탓인 걸까? 채린이 마른침을 삼켰다. 백강우가 신채린을 썩 내켜 하지 않는 이유가 만약 그날 호텔 방에서 마지막으로 남긴 고백 때문이라면 너무 허무할 것 같았다. 그러면 영원히 강우를 향한 자신의 마음을 전할 수 없는 건가? 채린은 울고 싶어졌다. 이도 저도 못하는 건 싫었다.

"왜 그러냐고 은수가 물어본 적이 있거든. 너무 무례한 거 아니냐고. 그때 뭐랬는줄 알아?"

채린이 고개를 저었다.

"피곤하고 정신없어 죽겠는데 왜 남까지 신경 써야 하냐고 그러는 거 있지? 진짜 이기적이지 않아?"

그러나 채린은 혜영의 말에 동조하지 않고 미소만 지었다. 백강우가 신채린에게 트집을 잡아 화를 내는 이유를 이제 좀 알 것도 같았다. 백강우는 지금도 그런가 보다. 피곤하고 정신없는 4년 차, 거기에 의국장 감투까지 쓰고 있으니 신채린의 감정이 귀찮고 불편한 것이다. 고백하지 말걸. 뒤늦은 후회로 채린의 안색이 나빠졌다.

"그래도…… 으음, 은수가 며칠 동안 나 만나게 해 달라고 강우를 쪼았다더라고. 그거 들어주는 거 보면 아주 나쁜 놈은 아니야."

어째 말하고 나니 강우 욕만 한 기분이라 혜영이 황급히 덧붙였다. 그러나 채린에게 그 말이 들릴 리가 없었다. 채린은 주먹을 꼭 쥐고 물었다.

"혹시 아세요?"

"뭘?"

"고백하신 분들한테 뭐라고 했는지."

"그건 왜?"

혜영이 고개를 갸웃거렸다. 그런 걸 채린이 궁금해하리라고는 생각지 못해서였다. 채린은 대답 없이 어색하게 웃기만 했다. 만약 여기서 신채린이 백강우에게 은근슬쩍 고백과 비슷한 말을 했다고 털어놓으면, 혜영은 뒤로 넘어갈지도 몰랐다. 채린이 대강 얼버무렸다.

"그냥, 궁금해서요."

"아, 이건 비밀인데…… 모르겠다."

머리를 긁적인 혜영이 다시금 주변을 살폈다. 아무도 그들에게 관심을 갖지 않는다는 걸 확인한 후에야 혜영이 입을 열었다.

"강우가 고백 거절할 때 자기는 여자한테 관심이 없다고 그랬거든."

지금도 백강우는 여자한테 관심이 없어 보이는데…… 라고 생각할 때였다. 폭탄과도 같은 혜영의 말이 이어졌다.

"그래서 잠깐 게이라고 소문도 돌았잖아. 얼굴 반반한데 여자한테 관심 없다니까 게이 아니냐고."

"네에?"

전혀 상상도 못 한 소식에 채린이 경악했다. 심장이 바닥으로 쿵 떨어지는 착각이 들 정도였다. 채린의 목소리가 너무 커서 멀리 있던 사람들이 그들 쪽을 흘끔거렸다. 손으로 입가를 가린 채린은 혜영의 말을 기다렸다. 혜영이 키득거렸다.

"강우가 여자를 사귄 적이…… 없는 것 같긴 한데 게이는 아니겠지, 뭐. 어디 가서 말하지 마. 그 이야기 들으면 백강우 완전 치를 떨어."

"네, 네……."

얼떨떨한 기분으로 채린이 고개를 끄덕거렸다.

오늘 당직인 혜영은 도로 외과 병동으로 돌아갔고 채린 역시 멍한 표정으로 응급실로 되돌아왔다.

'게이 소문이라니…….'

채린은 차마 강우 쪽을 바라보지도 못했다. 갑자기 눈앞이 캄캄해졌다. 한 번도 생각해 본 적 없는 상황에 맥이 탁 풀렸다. 혜영은 강우가 동성애자라고 딱 잘라 말하지도 않았고, 오히려 부정까지 했으나 채린은 덜컥 불안해졌다.

'그 소문 진짜…… 는 아니겠지?'

공주병이나 도끼병 환자라고 비난해도 할 말은 없지만, 신채린은 남녀 상관없이 항상 호의만을 받아 왔다. 여자들이 예쁜 여자를 질투한다는 건 편견에 불과했다. 똑똑하고 예쁜 채린에게 주눅이 들어 부담스러워하던 옹졸한 남자들만 제외하면 남녀 모두가 채린에게 호감을 가졌다. 그래서 신채린은 항상 자신감으로 가득 차 있었는데 백강우에게 그 자신감과 매력은 통하지 않았다.

'아닐 거야.'

시작도 하기 전에 패배하는 상황은 끔찍했다. 채린이 복잡한 눈으로 강우를 따라 시선을 옮겼다. 물론 혜영은 강우가 그 소문에 치를 떨었다고 했지만, 여자에게 관심이 없는 백강우의 모습은 영락없이…….

'아닐 거야. 절대 그러면 안 돼!'

백강우가 동성애자라면 신채린의 연심이 성공할 승률은 0%가 되는 거였다. 채린이 머리를 부여잡았다. 이성줄을 꼭 잡고 계속 부정하고는 있는데 어째, 그동안 백강우의 언행이 자꾸 이상하게 비추어졌다. 특히 이런 것 말이다.

"신채린, 너도 유성준하고 노닥거리지 말고 일이나 해."
"유성준하고 놀지 마."

그러고 보니 어쩐지 경계하는 느낌이었다. 백강우가 누구를 경계했던 걸까? 설마 유성준이 아니라 신채린을 경계한 거라면…….

'그럼 그것도 다 유성준 선생님한테 내가 접근하는 게 싫어서?'

채린의 안색이 싹 바랬다. 백강우가 동성애자라는 대전제를 두면 이상한 언행이 전부 설명이 되었다. 백강우는 신채린이 유성준의 근처에 접근하는 것을 싫어했고, 남자 후배들보다 신채린을 달달 볶았고, 호텔 객실에서도 신채린에게 손끝 하나 대지 않았고…….

'아냐, 아냐, 안 돼!'

채린이 속으로 절규했다. 절망적인 기분으로 그녀는 계속해서 강우의 뒤를 눈으로 좇았다. 아까 백강우가 그랬듯, 무의식적인 행동이라 그녀는 자신이 그를 계속 응시하고 있다는 사실조차 까맣게 잊었다. 그때였다. 참다못한 강우가 채린에게 다가와 차갑게 물었다.

"왜 자꾸 쳐다봐?"

"네?"

멍하니 고개를 든 채린이 정신을 차리기까지는 오래 걸리지 않았다. 놀란 그녀가 입가를 가리고는 고개를 조아렸다.

"죄, 죄송합니다."

"너한테 악감정 없으니까 착각하지 말고 진료나 봐. 차팅을 하든지."

정말 백강우가…… 남자를 좋아할까?

"선생님."

절망적인 마음을 꼭꼭 숨기고 채린이 강우를 불렀다.

"유성준 선생님이요……."

"뭐?"

강우는 성준의 이름이 채린의 입에서 나오자마자 미간을 찌푸렸다. 아직도 유성준 이야기를 해야 하나 싶어서였다. 그러나 채린은 쓸데없는 소리나 뱉었다.

"두 분 많이…… 친하신 것 같아서요."

"그게 너랑 무슨 상관이야? 유성준한테 신경 꺼."

문제는 그게 백강우에게나 쓸데없는 소리라는 데 있었다. 채린의 눈가가 일그러졌다. 덜컥 가슴이 내려앉는 느낌이었다. 그러니까 백강우는 신채린이 유성준한테 관심을 보일까 봐…… 경계를 하고 있던 건가?

현실을 믿고 싶지 않은 채린은 강우가 다시 등을 홱 돌리자마자 그의 가운을 덥석 잡았다. 강우의 걸음이 뚝 멎었다. 신채린의 촉촉한 눈동자를 볼 때마다 꿈의 잔상이 떠올라 미칠 것만 같은 백강우는 얼굴을 구겼다.

"선생님, 잠깐만요……."

그 무시무시한 표정에 채린은 강우에게 차마 '선생님, 게이 아니죠?'라고 말할 수는 없었다. 대신 채린의 눈에서는 눈물만 뚝뚝 떨어졌다. 암담하기도 하고 현실을 부정하고 싶기도 하고, 그의 냉정한 태도에 상처를 받기도 해서 서러운 눈물이 멈추지를 않았다.

결국 4년 차 백강우가 1년 차 신채린을 울렸다! 응급실 곳곳에 있던 의료진들이 강우와 채린을 주목했다. 채린이 머뭇머뭇 강우의 가운 자락을 놓았다. 목구멍이 꽉 막힌 양 아무 말도 나오지 않았다. 고장난 라디오처럼 그녀의 입에서는 의미 없는 사과의 말만이 흘러나왔다.

"죄, 죄송…… 합니다."

말을 마친 신채린은 그 자리에서 곧장 도망쳐 버렸고, 백강우에게 원망의 눈초리가 몰리는 것은 당연했다. 너스 스테이션에서 조마조마하게 두 사람을 지켜보고 있던 3년 차 간호사가 강우에게 후다닥 달려왔다.

"선생님, 좀! 신 선생님 좀 그만 태우시라니까요!"

"아니, 제가 뭐라고 했습니까?"

황당한 건 강우도 마찬가지였다. 계속 자신을 쳐다보더니 유성준하고 친한 것 같다고 헛소리를 하질 않나, 그러다가 가운을 잡고 울질 않나!

백강우 치프의 기분이 바닥을 뚫고 떨어졌다. 강우의 주변을 감싼 싸늘한 공기에 오늘 당직 근무를 하는 응급실 의료진들 모두 말을 멈추고 시선만 교환했다.

아무래도 오늘 당직 근무는 흉흉할 것 같아, 모두들 1년 차 전공의인 신채린을 걱정했다.

대처 방법 8.
사랑 고백하기

그 이후로 채린은 강우와 단둘이 대화할 일은 없었다. 채린은 암울하게 당직 근무를 마치고 매일 있는 케이스 스터디까지 반쯤 혼이 나간 채로 끝을 냈다.

이렇게 실연을 당할 줄 누가 알았을까? 채린은 혜영의 말을 듣지 말걸, 하고 뒤늦게 후회했다. 그때, 그녀의 어깨를 누군가가 잡아 멈춰 세웠다.

"신 선생."

"헉!"

성준의 목소리에 깜짝 놀란 채린이 그의 손을 쳐 내고는 주변을 둘러보았다. 다행히 근처에 백강우는 없었다. 실연을 당하긴 했지만 더 이상 강우에게 미움받고 싶지는 않아서, 채린이 처음으로 얼굴을 굳히고 성준에게 경고했다.

"선생님, 가까이 오지 마세요."

"뭐? 왜?"

"치프 선생님이 별로 안 좋아하세요."

그거야 그렇겠지. 성준은 강우를 자극하기 위해 일부러 채린에게
접근하곤 했다. 그럴 때마다 쏜살같이 다가온 백강우는 유성준의
주변에서 신채린을 떼어 내려고 애를 썼다. 동기의 그런 모습이 재
미있어서 성준은 일부러 채린에게 스킨십을 할 때도 있었다.

"뭘 안 좋아해? 우리 둘이 노닥거린다고?"

"……네."

채린이 우울하게 대답했다. 이러면 안 되는 걸 알면서도, 채린은
여유 만만한 성준이 얄밉고 부러웠다.

"신 선생, 결국 백 치프가 울렸다며?"

반쯤은 유성준 탓도 있다고 말할 수도 없고, 채린은 답답할 따름
이었다. 상황을 모르는 성준은 미소를 잃지 않은 채 히죽거리고 있
었다.

"왜 울었어?"

"묻지 마세요."

채린이 웬일로 차갑게 말을 잘랐다.

"아이, 왜?"

"묻지 마시고 저한테 손도 대지 마세요."

"성, 성추행으로 신고할 거야? 그런 의도 아닌데!"

"진짜 그러는 수가 있어요."

어제와 다르게 독해진 채린을 보고 성준이 그녀에게서 한 걸음 물러났다. 이제 앞으로 성준은 채린에게 스킨십을 하지 않을 것이다. 그리고 보면 유성준이 신채린에게 스스럼없이 스킨십을 할 때마다 백강우의 표정이 좋지 않았다.

'그렇겠지⋯⋯.'

어느 누가 좋아하는 사람 근처에 다른 사람이 있기를 바라겠는가? 채린의 가슴이 욱신거렸다. 첫사랑은 이루어지지 않는다는 말이 사실이었다. 그것도 이렇게 황당하게 막을 내리게 될 줄은 몰랐지만 말이다. 채린이 우울하게 허공을 바라본 채 물었다.

"선생님, 여자 좋아하시죠?"

"응? 무슨 뜻이야?"

질문 의도를 이해하지 못한 성준이 고개를 갸웃거렸다. 설마 유성준도 동성애자인 걸까? 차라리 그게 나을지도 모르겠다. 그러면 적어도 백강우는 행복해질 테니까. 채린이 씁쓸하게 바꾸어 물었다.

"⋯⋯남자 좋아하세요?"

"뭐? 어딜 봐서 내가 그래 보여?"

"아니면 됐고요."

안타깝게도 유성준은 동성애자가 아닌 모양이었다. 백강우가 안됐다 싶으면서도 채린은 고소한 기분이 들었다. 자신만 실연을 당하는 게 아니니까!

'흥!'

그래, 착한 척은 다 부질없었다. 백강우도 상처를 받고 아파 봤으면 좋겠다. 어느 순간, 신채린의 어두운 내면이 고개를 들었다. 마침 유성준이 이성애자라고 하니 손을 내밀어 볼까? 그러면 백강우가 크게 상처를 받겠지, 등등.

'그건 너무 나갔어. 유성준 선생님한테도 실례야……'

채린이 무슨 생각을 하는지도 모르고, 성준은 심각한 표정으로 물었다.

"나한테 이상한 소문 도는 거 아니야?"

"아니에요, 그런 거."

채린이 손을 내저었으나 성준은 여전히 찝찝한 모양이었다.

"그런 소문 돌면 말해 줘. 내 취향은 섹시한 연상녀라고. 알았지?"

"네……"

유성준의 취향 따위, 신채린이 알 바는 아니었다. 중요한 건 백강우의 취향이었다. 그런데 왠지 뒤통수가 따가웠다. 슬그머니 곁눈질을 했더니 아니나 다를까, 백강우가 눈을 부릅뜨고 있었다.

"선생님, 그럼 전 이만……"

가슴이 서늘해진 채린이 성준에게서 멀어졌다. 그러고 보면 백강우는 유난히 신채린만을 구박했다. 진짜 다른 두 동기는 남자라서 내버려 둔 건가 보다.

상상의 나래가 펼쳐질수록 채린은 절망에 빠졌다. 좋아하는 남자에게 견제와 질투를 받을 줄 누가 알았을까.

'아닐 거야. 그냥, 그냥 내가 싫은 거겠지.'

채린은 속으로 계속 되뇌었다. 하지만 생각하면 할수록 퍼즐이 딱딱 들어맞았다. 술에 취해서 호텔 객실에 단둘이 있는데도 손끝 하나 대기 싫어하던 모습 역시……

당직 근무를 했던 채린은 의국에서 퇴근 준비를 서둘렀다. 백강우도 어제 당직 근무를 했기 때문에 그가 언제 올지 몰랐다. 그와 마주치면 또 울게 될 것 같았다. 아직 실연의 상처는 아물지 못했다.

하지만 채린의 마음과는 다르게 강우가 의국으로 들어왔다. 그를 보자마자 그녀는 어쩔 줄 몰랐다. 정적을 깨뜨리듯 큰 소리를 내면서 출입문이 닫혔다. 감정이 잔뜩 실린 강우의 행동에 채린은 겁을 집어먹었다.

아까 유성준하고 대화를 하지 말걸! 이미 물은 엎질러진 채였다. 채린은 눈을 질끈 감았다. 제발 치프가 자신을 지나쳐 주기를 바랐으나…….

"신채린."

강우가 무거운 목소리로 채린을 불렀다. 채린은 목이 꺾인 양, 고개도 들지 못했다. 그는 아무 의자나 빼서 앉았다. 어제 느닷없이 울던 신채린의 모습은 황당했으나, 막상 몸 둘 바를 모르는 그녀를 보자 안타깝기도 했다.

그의 목소리가 조금 누그러들었다.

"퇴근 전에 이야기 좀 해."

"……네."

"앉아."

채린은 강우와 멀찍이 떨어져 앉았다. 그 와중에도 그녀는 고개를 숙이고 있었다. 그의 얼굴을 바라보면, 혹은 그의 눈빛에서 불쾌함을 읽으면 눈물이 다시 날 것 같아서였다. 살짝 누그러져서 그런지 강우의 목소리가 평소보다 조금 다정해졌다.

"어제는 왜 그랬어?"

"그게…… 선생님 때문이 아니었어요."

그녀가 거짓말을 어렵게 뱉었다. 솔직하게 말할 수는 없었다. 신채린이 백강우를 짝사랑했는데, 백강우가 좋아하는 사람이 유성준이라는 걸 뒤늦게 깨달아서 울었다고 말할 수는 없지 않은가!

'그래, 차라리 평생 묻어 두자.'

보통 첫사랑은 이루어지지 않는다고 하니, 자신 역시 이루어지지 않은 것뿐이라고 가볍게 여기면 될 것이다. 이내 강우가 한숨을 내쉬었다. 그의 한숨 소리마저 달콤하게 들려서 채린은 울고 싶었다.

"쓸데없이 오해를 받잖아."

채린은 아무 대답도 하지 못했다. 하긴, 새벽 내내 응급실 분위기는 엉망진창이었다. 모두가 백강우의 눈치를 살폈고, 신채린을 동정했다. 다들 신채린이 백강우에게 혼이 나서 일이 일어났다고 알고 있었다. 이런 상황에서 오해를 풀기 위해 나서야 하는 쪽은 채린이었다.

"죄송합니다. 제가 다른 선생님들한테 잘 말씀드릴게요."

"됐어."

인제 와서 해명해 봤자, 다른 사람들이 들어 줄 리가 없었다. 이미 백강우는 신채린을 괴롭히는 나쁜 놈으로 도장이 콱 찍히고 말았다. 아마 채린이 하나하나 찾아다니면서 설명을 해도 다들 채린을 동정하면서 '백강우 선생님이 시켰어요? 괜찮아요, 다 이해합니다' 하고 말할 것이 분명했다.

아무것도 기대하지 않는다는 강우의 태도에 채린이 고개를 번쩍 들고 다급히 말했다.

"하, 하지만 유성준 선생님한테라도……."

"여기서 유성준이 왜 나와?"

강우가 황당하다는 듯이 눈살을 찌푸렸다.

"선생님 이미지가 나빠지니까요."

"내 이미지가 나빠진다고?"

"네."

"유성준한테?"

왜 이렇게 꼬치꼬치 묻는 걸까? 이것조차 신채린이 유성준에게 관심을 갖는다고 생각하는 걸까? 채린의 생각은 꼬리에 꼬리를 물고 멀리멀리 엇나갔다. 그녀가 떨떠름하게 긍정했다.

"……네."

"그게 무슨 상관인데?"

강우는 채린의 말을 이해하지 못했다. 백강우의 이미지가 유성준에게 어떻게 비추어지든 무슨 상관이란 말인가?

"유성준 선생님한테는 그래도 좋은 이미지였으면 하실 테니까요."

어제 새벽에 실연한 자신이 직접 설명하려니 비참해서 채린은 소리 내어 울고 싶었다. 눈물을 참는 건, 자신의 감정을 평생 묻기 위해서였다. 그게 자신은 물론 백강우에게도 나은 결정일 테니까.

그러나 강우는 여전히 채린의 말뜻을 정확히 이해하지 못했다.

"내가 왜?"

"네?"

"유성준이랑 내가 이미지 따질 사이야? 4년 동안 별꼴을 다 봤는데?"

강우의 황당한 대꾸에 채린이 그제야 고개를 갸웃거렸다. 뭔가 잘못 생각했나? 그제야 채린과 강우의 눈이 마주쳤다. 결국 답답함을 이기지 못하고 강우가 물었다.

"너 도대체 무슨 생각을 하고 있는 거야?"

"어, 그게……."

말을 잇지 못한 채린은 눈을 감았다. 강우의 시선이 묵직하게 느껴졌다. 그의 시선이 닿는 얼굴이 뜨거워졌다. 이런 순간에도 자신은 그를 좋아하고 있었다. 그의 눈빛에 설레고, 그의 목소리에 두근거렸다.

하지만 이제 마음을 정리해야 할 때였다. 채린은 마음을 다잡고 눈을 떴다. 아까보다 한층 맑아진 눈으로 그녀가 희미하게 웃으면서 대답했다.

"선생님이 유성준 선생님을 많이 좋, 좋아하시는 것 같아서요."

누가 누구를 뭐해? 강우는 두 눈을 깜빡거렸다. 채린의 말이 단번에 머릿속에 입력되지 않았다. 백강우가 유성준을 많이 좋아한다. 무척이나 간단한 문장인데도 그 뜻이 기가 막혀서 전혀 와닿지 않았다.

"뭐라고? 다시 말해 봐."

백강우는 참 잔인했다. 그 말을 반복시키다니. 채린은 울지 않으려고 어금니를 세게 물고 고개를 다시 숙였다. 여기서 우는 모습을 보이면, 자신은 물론, 강우 역시 난처해질 것이 분명했다. 하지만 그녀는 떨리는 목소리를 막지는 못했다.

"선생님이…… 유성준 선생님을…… 좋아하시는……."

거기까지 들은 순간, 백강우의 얼굴이 와그작 일그러졌다. 아까 들은 게 착각인 줄 알았는데!

"야! 신채린!"

그녀의 이름을 크게 부르며 그가 자리에서 벌떡 일어났다. 반동으로 인해 의자가 바닥으로 나동그라졌다. 큰소리에 깜짝 놀란 채린이 눈을 동그랗게 떴다. 그가 양손으로 책상을 짚고 믿을 수 없다는 표정으로 그녀를 내려다보고 있었다.

"너 지금…… 무슨 소리를 하는 거야?"

"아, 아, 아닌가요?"

"내가 유성준을 좋아한다고?"

그의 기세에 눌린 그녀가 고개를 얕게 끄덕거렸다. 충격과 공포가 따로 없었다. 눈앞이 어지러워진 강우가 눈을 지그시 감더니 책상에서 한 손을 떼고 얼굴을 감쌌다. 신물이 훅 넘어왔다.

갑자기 강우의 안색이 나빠지자 채린이 안절부절못하며 조심스럽게 말을 붙였다.

"왜, 왜 그러세요?"

"……토할 것 같아."

"네?"

당황한 채린이 비틀거리는 강우를 부축하기 위해 자리에서 일어났다. 그의 팔을 꼭 잡고 그녀는 다른 의자를 빼서 그를 앉혀 주었다. 운신도 못 할 만큼 충격을 받은 백강우의 모습은 처음이었다.

"도대체 넌…… 무슨 생각을……."

기가 막혀서 강우의 말이 드문드문 끊겨 나왔다. 채린은 어깨를 움츠리고 쓰러진 의자를 일으켜 세우며 힐끔, 그의 안색을 곁눈질했다. 여전히 그의 안색은 좋지 않았다. 왠지 모를 죄책감 때문에 그녀가 모기만 한 목소리로 물었다.

"저, 괜찮으세요?"

"지금 내가 괜찮게 생겼어?"

강우가 어금니를 꽉 깨물고 잇새로 말했다. 채린이 어쩔 줄 몰라서 눈동자만 굴렸다. 백강우의 격렬한 반응 때문에 슬프거나 원망하는 감정은 이미 사라진 지 오래였다.

한참 뒤, 요동치는 위장을 진정시킨 그가 허탈하게 말했다.

"도대체 어떻게 그런 미친 생각을 하게 된 거야? 좀 들어 보자."

다행인지 불행인지, 방금 전에 강우가 채린의 이름을 소리쳐 부른 바람에 아무도 의국 근처에 다가오지 못했다. 강우의 노기 섞인 목소리를 들은 의국원들은 채린을 걱정하면서도 용기 있게 나서지 못하고 쪼그라들었다.

"그게…… 선생님이 저랑 유성준 선생님이 같이 있는 걸 싫어하셔서요."

채린이 강우의 눈치를 힐끔거리면서 우물쭈물 설명을 시작했다.

"그리고, 음…… 저를 별로 좋아하지 않으시기도 하고."

"세상 사람들이 널 다 좋아해야 해?"

"아뇨, 그렇다는 건 아닌데요."

그가 기가 막힌다는 투로 묻자 그녀가 시무룩하게 고개를 저었다. 백강우는 신채린을 썩 좋아하지 않는 걸까?

"여자한테도 별로 관심 없는 것 같고……."

"내가 여자한테 관심이 있는지 없는지 네가 어떻게 알아?"

차라리 여자한테 관심이 없었으면 얼마나 좋았을까? 강우는 황당하기 그지없었다. 눈앞의 이 여자 때문에 요즘 미치겠어서 일부러 그녀를 무시하고 못 본 척을 해 왔다.

"김혜영 선생님한테 들었습니다. 고백받아도 다 거절하셨다고."

채린이 먼 과거를 들먹였다. 강우는 눈가를 한 손으로 가리고 한숨을 내쉬었다.

"나 참, 어이가 없네. 신채린, 너도 의대 다녔잖아?"

"……네."

"연애할 시간이 있어?"

"은수 오빠는 했잖아요."

"그러니까 걔 성적이 그 모양이지."

조은수는 유급을 아슬아슬하게 면하곤 했다. 그것도 혜영의 채찍 덕분이었다. 혜영은 은수에게 유급을 해서 같이 졸업하지 못할 바에야 헤어지자고 강수를 두었고, 은수는 어쩔 수 없이 눈물을 흘리며 공부를 해야 했다.

강우의 한심한 얼굴을 마주한 채린은 눈동자만 데굴데굴 굴렸다. 뭔가 이상하다. 정황은 딱딱 들어맞는데, 백강우 본인이 질색을 하고 있었다.

'게이가…… 아닌 걸까?'

희망적인 상상에 그녀의 가슴이 두근, 강하게 뛰었다. 그래도 아직 모르는 일이었다. 채린이 다른 근거를 댔다.

"1년 차 중에서도 유난히 저한테만 엄격하셨고, 남자 동기들한테는……."

"그만."

미간을 좁힌 강우는 도저히 못 들어 주겠다는 양 고개를 저었다. 핼쑥한 얼굴로 채린이 입을 다물었다. 어쨌거나 결론은 하나였다.

"그러니까 넌 내가 지금 남자를 좋아한다고 생각한다는 거지?"

"네."

미친 소리도 이런 미친 소리가 없다. 강우는 양손에 얼굴을 묻어 버렸다. 머리가 지끈거렸다. 두통약을 먹고 자야겠다. 마음 같아서는 일주일 정도 휴가를 내고 집 안에 틀어박히고 싶은 심정이었다. 어쩌다 백강우가 신채린에게 그런 이미지가 되어 버린 걸까? 그가 단호하게 부정했다.

"아니니까 어디 가서 그런 소리 하지 마. 알았어?"

"……그럼 여자를 좋아하시는 거죠?"

손을 내린 강우가 채린을 물끄러미 쳐다보았다. 핼쑥하니 우울한 표정은 어디로 가고 채린의 눈동자가 반짝거리고 있었다. 그녀를 무심하게 응시하던 그는 대답할 가치도 느끼지 못해서 고개만 끄덕였다.

"그러면 제가 유성준 선생님하고 같이 있을 때……."

성준의 이름이 나오자마자 강우가 이를 갈았다.

"내가 하나 경고하는데, 유성준하고 붙어 있어서 좋을 건 없어. 내가 걱정하는 건 유성준 선생이 아니라 신채린 선생이었으니까!"

"어…… 정말요?"

멍하니 강우를 바라보던 채린이 멍청이처럼 물었다. 속이 답답해진 강우는 책상에 머리를 박아 버리고 싶었다.

"제발, 제발 이상한 생각 좀 하지 마. 생긴 건 멀쩡해 가지고 머리가 왜 그래?"

"죄, 죄송합니다."

심각한 오해를 한 상황에서 그녀가 할 수 있는 말은 사과의 말뿐이었다. 그런데 어째 사과를 하는 사람이 웃음을 참으려 애를 쓰고 있었다. 그녀의 이상한 표정에도 강우는 아무 생각도 하고 싶지 않아서 지친 듯 등받이에 몸을 기댔다. 기가 막히고 황당해서 진이 다 빠졌다. 그가 힘없이 말했다.

"……나가 봐."

"네!"

백강우와 반대로 신채린은 갑자기 에너자이저가 되었다. 힘차게 대답하고 밖으로 나온 채린은 새어 나오는 미소를 참지 못했다. 하룻밤의 오해는 이렇게 가볍게 끝이 났다. 마음을 접을 필요도 없고 이르게 실망할 필요도 없었다!

'아니었어!'

채린이 훨훨 날아갈 것 같은 기분으로 응급실을 나섰을 무렵, 백강우만큼이나 어두운 얼굴로 유성준이 의국에 들어왔다. 성준은 웬일로 책상에 엎드려 있는 동기를 발견하고 의아해했다. 강우의 근처에서 의자를 빼고 털썩 앉은 성준이 말을 붙였다.

"야, 병원에 이상한 소문 돌아?"

"무슨 소문?"

"나 게이라는 소문."

"넌 또 뭐야?"

방금 전까지 신채린에게 시달렸던 백강우가 화를 이기지 못하고 몸을 벌떡 일으켰다. 잔뜩 구겨져 있는 강우의 표정에 성준이 깜짝 놀라 몸을 뒤로 뺐다. 그런데 마음에 걸리는 단어가 있다.

"또?"

성준이 눈을 동그랗게 떴다. 성준에게 대꾸하기 싫어 강우는 한숨만 길게 내쉬었다. 성준이 억울해 죽겠다는 투로 말을 줄줄 이었다.

"아까 공주님이 나한테 남자 좋아하냐고 물었다고. 이상한 소문 도는 거 아니야? 뭐 들은 거 없어?"

"없어!"

"깜짝이야. 왜 성질이래?"

저런 놈하고 엮일 뻔하다니! 신채린의 발칙한 상상에 강우는 눈앞이 아찔해졌다. 다시 생각해도 몸서리가 쳐졌다. 뭐? 백강우가 유성준을 많이 좋아해? 겨우 진정시켰던 위장이 도로 요동치는 듯했다. 강우는 책상에 머리를 쾅 박아 버렸다.

"기가 막혀서 그렇다. 기가 막혀서."

이해할 수 없는 강우의 태도에 성준이 입술을 삐죽거렸다.

한편, 채린은 언제 울상이었냐는 듯 방긋방긋 웃고 있었다. 백강우에게 크게 혼난 줄 알고 채린을 위로하러 온 응급실 의료진들은 행복해 보이는 채린의 모습에 위로의 말을 꿀꺽 삼켰다.

'다행이야, 진짜.'

전공의 숙소로 돌아온 채린은 씻지도 않고 바로 침대로 올라갔다. 백강우가 게이가 아니라서 정말 다행이었다. 하루 만에 오해가 풀려서 망정이지, 아니었으면 사실을 알게 될 때까지 끙끙 앓을 뻔했다.

"휴……."

2층 침대에 누운 채린은 한숨을 길게 내쉬고 강우의 가운을 품에 안은 채 뒹굴거렸다. 그는 그녀에게 악감정이 없다고 말하곤 있지만, 썩 좋아하는 눈치는 아니었다. 그래도 승률이 0%인 것보다야 지금 상황이 백배, 천배 나았다. 호감은 차근차근 쌓아 올리면 되는 거다. 완전히 무너졌던 자신감이 도로 회복되어서 신채린은 현재 무슨 일이든 다 잘할 수 있을 것만 같았다.

'초조해하지 말자.'

긴장이 풀리자 눈이 절로 감겼다. 당직 근무를 한 데다가 마음고생까지 해서 이내 그녀는 잠에 빠져들었다. 조금만 자고 일어나야지…… 생각하면서 채린은 정신줄을 놓았다.

그리고 얼마쯤 지났을까?

"어?"

진료 외의 일이 많아서 점심시간에 식당 대신 숙소로 들어온 다정은 바닥에 떨어져 있는 가운을 발견하고 허리를 굽혔다. 세상모르고 잠들어 있는 채린이 자다가 흘린 건가 싶어서였다.

'왜 이렇게 커?'

그런데 가운 사이즈가 여성용이 아니었다. 여자 전공의 숙소는 금남 구역인데 어떻게 남성용 가운이 있는지 모르겠다. 여러 가지 가정을 머릿속으로 세우며 눈가를 찡그린 다정은 가운 가슴 주머니에 적힌 이름을 살폈다.

백강우.

파란 실로 익숙한 이름이 수놓아져 있었다. 다정이 고개를 갸웃거렸다.

의사 백강우도 아니고 응급의학과 백강우도 아닌, 그저 이름만 적힌 가운이라니? 그런 건 학생 때나 사용했었다. 인턴용 가운은 이름 앞에 '의사'라고 적혀 있었고, 전공의가 입는 가운에는 진료 과목이 적혀 있기 마련이었다. 그러고 보니 가운이 오래됐는지 꽤 낡은 듯했다.

'치프 선생님 가져다 드려야 하나?'

그러니까 이 가운은 백강우가 학생 때 입었음 직한 가운이었다. 그게 왜 이 방에 있는지는 모르겠지만…….

"헉!"

그때, 다정의 머리 위에서 놀란 숨을 들이마시는 소리가 들렸다. 가운을 면밀히 살피던 다정이 고개를 들었다. 채린이 입가를 가리고 다정의 손에 들린 가운을 응시하고 있었다. 다정이 덤덤하게 말했다.

"아, 이거 치프 선생님 가운 같은데."

무표정한 다정과 반대로 채린은 난처한 듯 눈동자를 이리저리 굴렸다. 다정에게 저 가운을 들킬 줄은 몰랐다.

난감해 하는 채린을 보자 다정은 눈치껏 이 가운이 누구의 것인지 알 수 있었다. 의외였다. 신채린이 백강우의 오래된 가운을 가지고 있을 줄이야.

"신 선생 거야?"

"그, 그게요……."

룸메이트 안다정의 표정은 도통 읽을 수가 없었다. 안다정은 의아해하지도 않고, 불쾌해하지도 않았다. 여전히 담담한 게 어떻게 보면 로봇 같기도 했다. 이럴 땐 괜히 수를 쓰지 말고 그저 솔직한 게 최선이었다.

"선생님, 정말 죄송한데 비밀로 해 주시면 안 될까요?"

다정의 무심한 눈동자가 꼭 강우의 눈빛 같아 채린의 양심이 콕콕 찔렸다. 채린은 양손을 모으고 간절한 시선을 보냈다. 다정이 고개를 끄덕였다.

"치프 선생님은 이거 신 선생이 가지고 있는지 모르는구나?"

"……네."

다정이 머리 위로 번쩍 가운을 들어 채린에게 돌려주었다. 채린이 소중하게 가운을 받아 들었다. 가보라도 되는 양, 채린은 강우의 가운을 품에 안았다.

"그런 걸 왜 가지고 있어?"

정곡을 찌르는 다정의 질문에 채린의 입술이 바짝 말랐다. 다정은 채린을 신기하다는 듯 올려다보고 있었다. 다정 자신이 신채린이었다면 백강우의 가운을 저렇게 온전히 보관하고 있지 않았을 것이다. 그만큼 채린은 강우에게 눈에 띄게 구박을 받았다.

"되게 오래된 것 같은데."

"······아마 치프 선생님이 본과 1학년 때 입은 걸 거예요."

"본과 1학년? 실험 가운이야?"

"네, 그럴걸요."

의대생이었던 백강우의 가운을 입고 신채린이 미친 듯이 공부를 해서 의대에 합격했다는 나름대로 훌륭한 의미가 깃들어 있는 가운 이었다.

"그걸 보관하고 있었어?"

"······네."

채린이 얼굴을 붉히며 긍정하자 다정의 눈에 이채가 서렸다. 감 정 표현에 인색한 다정이 이만큼 놀라워하는 건 처음이었다.

"신 선생, 치프 선생님 좋아했구나."

다정의 정확한 지적에 채린이 붉어진 얼굴을 가운으로 가렸다.

"전혀 몰랐네, 난."

그럴 만도 했다. 솔직히 말하자면, 안다정은 신채린이 백강우를 미워하는 줄 알았다. 아니, 미워한다기보다는 꺼려하는 정도라고 생각했는데 무려 짝사랑을 하고 있었다니! 짝사랑 상대한테 혼쭐이 날 때마다 채린은 무슨 기분이었을지, 다정은 상상도 되지 않았다.

"치프 선생님이 본과 1학년 때면······ 도대체 언제야?"

"제가 고3 때요."

"설마 그때부터 좋아했어?"

"······뭐, 비슷해요."

정확히 말하자면 그때, 백강우가 신채린의 첫사랑이 되었다. 그 이 후로 살인적인 공부량에 백강우라는 존재를 잠깐씩은 잊곤 했으나 그럼에도 불구하고 이 가운은 드레스 룸에 곱게 보관되어 있었다.

그러다가 우연히 이 병원에서 재회를 했다. 처음에는 백강우에게 남은 감정이 감사하다는 마음뿐이라고 생각했는데, 어째 점점 연심은 깊어져만 갔다.

다정이 혀를 내둘렀다.

"신 선생, 정말 대단하다. 그렇게 태우는데 아직도 치프 선생님이 좋아?"

"저도 제가 왜 이러는지 모르겠어요."

말을 잃은 다정이 채린을 한참 응시했다.

다정만큼이나 채린도 자신의 감정이 도무지 이해가 가지 않았다. 3월 내내 유난히 혼이 많이 났다. 다른 두 동기들에 비해서 자신이 백강우에게 배로 혼이 났다는 것쯤은 멍청이가 아닌 이상, 채린도 알고 있었다. 그러면 그를 미워해야 하는데 그에게 다른 마음이 들었다.

"설마 신 선생, 치프 선생님 따라서 우리 병원에 온 거야?"

"그건 아니고요, 어쩌다 보니까 우연히 그렇게 됐습니다."

"그렇구나."

채린은 할아버지가 몰래 손까지 써 가며 수련을 반대한다고는 창피해서 말할 수 없었다. 다행히 다정은 더 이상 캐묻지 않았다. 타인의 일에 관심 없는 모습도 정말 백강우와 꼭 닮았다.

그 순간, 채린의 머릿속에 스파크가 번뜩였다. 만약 안다정이라면 백강우의 마음을 다른 누구보다 잘 알지 않을까? 안다정은 백강우와 성격이 많이 비슷했다! 채린이 마른침을 꿀꺽 삼키고 입을 열었다.

"저, 선생님⋯⋯."

"응?"

"이거 아시는 분이 선생님뿐이거든요."

"뭘? 아, 가운?"

"네."

"알았어. 비밀로 해 줄게."

남의 깊은 사정에 관여하고 싶지 않아서 다정은 흔쾌히 비밀을 지켜 주기로 했다. 다정이 여기저기 소문을 낼 성격도 아니었고, 며칠 뒤면 '아, 그런 일이 있었지?' 하고 덤덤하게 넘기고 잊어버릴 것이 분명했다.

"감사합니다."

몇 달가량 함께 살아 본 채린은 다정이 믿음직했다. 그래서 채린은 다정에게 더욱 물어보고 싶었다. 안다정의 입을 통해 백강우의 심정을 알아보고 싶어졌다.

"그리고요⋯⋯ 저 하나만 여쭤 보고 싶은 게 있는데요."

"뭔데?"

매사에 무덤덤하고 침착한 데다 이성적인 안다정은 백강우의 여자 버전 같았다.

"기분 나쁘실지 모르겠지만, 제가 보기에 선생님이 치프 선생님하고 성격이 좀⋯⋯ 많이 비슷해 보여서요."

"내가? 그런가?"

전혀 생각해 보지 못한 양 다정이 의아해했다. 나쁘게 꼬아 들으면 무심하고 냉정하다고도 들릴 수 있는데 다행히 다정은 별로 기분 나빠 하지는 않았다. 채린은 마른 입술을 축이고 천천히 말했다.

"네, 그래서 뭐 하나만 꼭 여쭤 보고 싶어요."

"뭔데?"

이 와중에도 다정은 시간을 낭비할 수가 없어서 책상 앞에 앉았다. 선배의 등을 응시하면서 채린이 떨리는 목소리로 털어놓았다.

"제가 치프 선생님한테 조금 돌려서 고백한 적이 있거든요."

"고백을 했다고?"

"네……."

채린의 긍정에 깜짝 놀란 다정이 고개를 홱 돌렸다. 벌써 고백까지 했을 줄은 상상도 못 했다. 신채린은 행동력이 좋은 모양이었다.

"언제?"

"얼마 안 됐어요. 근데…… 왠지 그게 안 통한 것 같아서요."

백강우가 동성애자라는 오해를 풀어서 채린의 기분이 나아지기는 했지만 따지고 보면 원점이었다. 자신의 마음을 은근히 드러냈음에도 불구하고 채린을 대하는 강우의 태도는 변함이 없었다. 그게 신채린의 감정을 모르기 때문인지, 알면서도 무시하려는 건지 타인인 채린으로서는 알 수가 없었다. 그리고 채린이 제일 궁금한 것역시 이것이었다.

"아, 그랬구나. 뭐라고 했는데?"

"악감정이 아니라 다른 감정이 있다고요."

"응?"

다정이 저도 모르게 눈가를 일그러뜨렸다. 채린이 초조한 눈빛으로 다정을 바라볼 무렵이었다.

"그게 고백이라고?"

"좀 돌려서 했어요."

"……어, 그래."

신채린의 행동력이 좋다는 말은 다 취소였다. 다정이 깊은 한숨을 내쉬었다. 지금 저걸 사랑 고백이라고 한 건가? 기가 막히면서도 다정은 후배의 기분이 이해가 되기도 했다. 자신을 잡아먹지 못해 안달이 났던 백강우에게 직접적으로 고백하기가 쉽지는 않았을 것이다.

"어, 어떨까요? 선생님이 치프 선생님이라면요."

"치프 선생님이 말씀 안 하셨어? 말 정확히 똑바로 하라고."

점쟁이처럼 정확하게 짚는 다정의 말에 채린은 내심 놀랐다. 몇 번 강우에게 지적을 받은 적이 있었다. 말을 할 때 중요한 정보를 빼먹지 말라고 말이다. 안다정에게도 그대로 듣다니, 역시 안다정과 백강우는 영혼의 쌍둥이가 아닐까? 채린은 다정에게 물어보기를 잘했다고 생각했다.

"신 선생, 이건 내 생각이지만, 신 선생이 했다는 그 '고백' 말이야……."

다정이 말을 끊고 다시금 한숨을 내쉬자 채린은 침이 다 꼴깍 넘어갔다. 초조해하는 후배를 배려해서 다정이 바로 결론만 말해 주었다.

"백강우 선생님은 절대 그렇게 생각 안 할걸?"

"네에?"

채린의 미간이 좁아졌다. 다정이 설명을 덧붙였다.

"악감정이 아니라 다른 감정이 있다고 했다며? 그 다른 감정이 뭔지 정확하게 말해 줘야지."

"하, 하지만…… 여자가 남자한테 감정이 있다고 하면 보통 그런 느낌이잖아요."

"그거야 우리가 여자 입장이니까 그렇고, 남자들은 잘 못 알아들어. 유성준 선생님 정도나 되어야 알아들을걸?"

1년 차부터 남탕에서 유일한 홍일점으로 지냈던 안다정은 남자들의 단순한 사고방식을 직접 부딪치면서 배웠다. 그들은 뭔가 고도로 돌려 말하는 법이 없었다. 그래서인지 작년, 3년 차 유성준이 4년 차 선배들까지 손에 쥐고 흔들었다. 물론 그 선배들은 의국을 나갈 때까지 성준에게 교묘하게 조종당했던 사실을 깨닫지 못했다.

"유성준 선생님이요?"

"눈치 백 단이잖아."

그랬던가? 채린의 머릿속에 성준의 이미지는 능글맞은 푼수 정도였다. 하마터면 거기에 '연적'이라는 단어가 추가될 뻔했지만 말이다.

혼란스러워하는 채린에게 다정이 피식 웃으면서 물었다.

"뭐가 무서워서 빙빙 돌려 말했어?"

"당연히 무섭죠. 차이면 어떡해요?"

후배의 솔직한 대답이 다정은 귀엽게 느껴졌다. 영화배우처럼 예쁘고 분위기 있는 얼굴을 찌푸린 채 채린은 하지 않아도 될 걱정을 하고 있었다.

"신 선생을 찰 남자가…… 이 세상에 있을까?"

"치프 선생님이라면 가능할걸요."

"글쎄, 내 생각은 그렇지 않은데."

채린이 눈을 동그랗게 떴다. 신채린은 예쁜 얼굴에 직업도 좋다. 성격도 착하고 활달해서 주변 사람들을 기분 좋게 만들어 주곤 했다. 집안 또한 더할 나위 없이 훌륭해서 채린을 거절할 남자는 세상에 없을 것이라고 다정은 확신하고 있었다. 그게 백강우라 할지라도.

"아무튼 고백을 할 거면 다이렉트로 말을 해 줘야 알아들을 거야. 사실 나만 해도, 신 선생이 미리 고백했다는 말을 해서 알아들은 거거든. 악감정의 반대말이 사랑은…… 아니잖아?"

"그렇군요."

채린이 고개를 끄덕였다. 선배의 말을 듣고 보니 자신이 경솔했던 것도 같았다. 다정이 책꽂이에서 두툼한 전공 서적을 꺼내 들면서 덧붙였다.

"잘됐으면 좋겠네. 오래된 인연인 것 같은데."

"첫사랑…… 일 거예요."

"그래?"

"네. 치프 선생님 덕분에 여기까지 온 거기도 하고요."

가운 소매를 매만지면서 채린은 추억에 젖었다. 이 가운을 입고 공부를 했고 좋은 성적을 받았다. 할아버지의 반대에도 불구하고 강우의 말대로 세 군데 모두 의대 원서를 넣어서 의과 대학에 합격했다. 백강우가 없었더라면 신채린이 지금 이 자리에 있을 리가 없었다.

"대단하다. 치프 선생님도 그거 다 알면 기뻐하시겠네."

이제 상담은 끝인 듯했다. 논문과 전공 서적을 살피며 다정이 대강 대답하고는 펜을 들 무렵이었다. 다정의 등 뒤로 채린이 조심스레 물었다.

"선생님은…… 좋아하는 분 안 계세요?"

"응, 없어."

사랑이라는 건, 안다정의 사전에 존재하지 않는 단어였다.

근무를 끝내고 와서 확인해야 할 부분을 빠르게 체크한 다정은 책 사이에 펜을 끼워 두고 의자에서 일어나 시간을 살폈다.

"가 봐야겠다. 점심 먹으려고 했는데 시간은 안 되겠네."

한숨을 내쉰 다정을 채린이 안타깝게 바라보았다.

"제가 뭐 사 가지고 의국으로 갈까요?"

"아니야. 당직 서고 잠도 못 잤을 텐데."

손을 내저은 다정이 걸음을 재촉해서 나갔다. 문이 닫히고, 숙소 안에는 침묵만이 맴돌았다.

'그래서 태도가 변하지 않았던 거구나.'

뒤늦게야 채린은 강우에게 자신의 고백이 닿지 않았음을 깨달았다. 그럼 도대체 백강우는 신채린의 말을 어떻게 받아들인 걸까? 분명 다른 감정이 있다고 말을 했는데, 설마 그냥 무시해 버린 걸까?

"아, 모르겠다. 일단 좀 자야겠어!"

채린은 가운을 이불처럼 덮고 모로 누웠다. 이 가운을 덮고 있으면 백강우에게 안긴 기분이 들어서 좋았다.

*　　*　　*

백강우는 잠드는 게 이제 무서워졌다. 현실에서 백강우가 괴롭힌 만큼 꿈속에서 괴롭힐 요량인지 채린이 꿈에 한 번 나오기 시작하더니 선잠을 잘 때마다 나타나 괴롭혀서 죽을 맛이었다. 물론 현실의 신채린은 이 상황을 알 리가 없었지만 말이다.

'미치겠네.'

오전 여섯 시. 병원으로 출근해야 할 시간이었다. 신체 건강한 백강우에게 신채린이 나오는 꿈은 무척 자극적이었다. 얼마나 자극적이냐면 죄책감 때문에 현실의 신채린을 똑바로 쳐다보지 못할 정도였다.

정신을 차리기 위해 찬물로 샤워를 하고 강우는 출근을 했다. 퇴근한 다음, 오랜만에 이불 빨래를 해야겠다는 비참한 생각을 하면서.

웬일로 일찌감치 와 있던 성준이 중얼거렸다.

"배고파."

물론 백강우는 유성준의 말을 들은 척도 하지 않았다. 강우의 관심을 받지 못한 성준이 동기의 안색을 면밀히 살폈다. 평소보다 눈가가 어둡고 피부가 까칠해 보였다. 뭔가 재미있는 냄새가 나서 그가 계속 말을 걸었다.

"넌 어제 오프였으면서 왜 그렇게 다크서클이 짙어?"

"잠을 좀 설쳐서 그래."

"왜?"

강우는 성준에게 사실을 말할 수는 없었다. 신채린이 나오는 자극적인 꿈에 대해 말하는 순간 성준이 무슨 짓을 할지 몰라서였다. 강우가 귀찮은 듯 고개를 저을 때였다. 의국 문이 열리고 채린이 들어왔다.

"안녕하세요."

"공주님은 오늘도 활기차구만?"

성준이 강우의 귓가에 소곤거렸다. 사내놈이 귀에다 대고 속삭이는 게 껄끄러워서 강우가 성준을 옆으로 밀었다.

채린이 흘깃 강우 쪽을 쳐다보았다. 평소와 하나도 다르지 않은 광경이었다. 성준이 옆에서 뭐라고 떠들고 있고, 미간을 찡그린 채로 강우는 듣고만 있었다. 그녀는 저 두 사람을 이상하게 엮었던 자신이 괜스레 부끄러워졌다.

'역시 직접적으로 고백을 해야 해.'

강우의 호감을 적립한 다음에 크게 한 방을 날릴 생각이었던 채린은 마음을 바꾸었다. 다정의 말을 들어서일까? 왠지 용기가 났다. 신채린을 거절할 남자는 어디에도 없다는 말도 그렇지만, 백강우와 성격이 비슷한 안다정의 확신 있는 목소리는 벌써부터 고백에 성공할 것 같은 착각을 불러일으켰다.

물론 안다정은 당장 고백하러 가라는 소리는 하지 않았지만 며칠 고민했던 채린은 서두르기로 했다. 호감을 다 쌓기 전에 가슴이 터질 것 같아서 이 마음을 하루라도 빨리 알리고 싶었다. 백강우가 동성애자도 아닌데, 뭐 어때? 가슴앓이는 그날 하루만으로도 충분했다. 채린이 주먹을 꼭 쥐었다가 펴고 강우를 불렀다.

"치프 선생님……."

"왜?"

"저 이따가 말씀드리고 싶은 게 있어서 그런데 시간 좀 내주셨으면 합니다."

"뭔데?"

강우 대신 성준이 먼저 관심을 보였다. 다정의 말에 따르면 유성준은 눈치 백 단이라고 했다. 거기다 백강우의 옆에 딱 달라붙어 있는 모습이 얄밉기까지 해서 채린은 어색한 미소로 대답을 회피했다. 강우가 채린을 의아하게 쳐다보았다.

"지금 해."

"조금 이따가 말씀드릴게요."

채린이 성준을 난처하게 힐끔거리면서 말했다. 제3자가 있는 곳에서 고백을 할 수는 없었다. 성준이 묘한 눈빛으로 채린을 살피더니 키득거렸다.

"그럼 점심 때 말하면 되겠네. 둘이 같이 아주 맛이 없는 구내식당에 가서."

성준이 눈치 백 단이라는 정보를 들어서일까? 채린은 그에게 꼭 속내를 읽힌 기분이 들어서 머쓱해졌다. 눈치 빠른 유성준과 정반대로 백강우는 신채린의 결심을 눈곱만큼도 모르고 있었다. 일할 때는 그 누구보다도 눈치 빠른 백강우가 이럴 때는 둔하기 짝이 없었다.

"거길 뭐 하러 가? 이따 의국에서 말해."

"네, 알겠습니다."

채린이 고개를 꾸벅 숙이고 의국을 나갔다. 닫힌 출입문을 보던 성준이 피식거리며 혼잣말을 했다.

"결단을 내렸구만, 오늘."

요 며칠 신채린이나 백강우나 아슬아슬해 보였는데, 오늘이 디데

이였나 보다. 그래도 성준의 예상보다 채린의 결심이 빨랐다. 둘이 계속 지지부진한 관계를 이어 갔으면, 성준은 자신이 의국장 감투를 돌려받는 7월부터 백강우와 신채린을 하나로 묶어서 매번 당직을 시킬 생각이었다.

쓸데없는 소리에 강우는 반응하지 않았다. 턱을 괸 성준이 옆에 앉아 있는 동기를 흥미진진하게 바라보았다. 백강우가 얼마나 놀랄지 성준은 상상만으로도 즐거웠다.

"기분 나쁘게 뭘 봐?"

"곧 기분 좋아질 거야."

훅, 하고 성준이 강우의 귓가에 바람을 불었다. 소름이 끼쳐서 강우가 미간을 찌푸렸다. 그러고 보니 신채린이 백강우와 유성준의 사이를 의심했었다. 갑자기 동기가 징그러워진 강우는 의자에서 벌떡 일어났다.

"어디 가?"

"너랑 같이 있기 싫어서."

"뭐? 왜?"

성준에게 채린의 오해를 설명하고 싶지 않아 강우는 대꾸 없이 나가 버렸다. 강우의 뒤를 졸졸 쫓아 성준도 응급실로 따라 나왔다.

"공주님이 무슨 소리를 하려나?"

성준은 이번에도 또 채린 이야기를 꺼냈다. 강우는 동기의 입에서 채린이 언급되는 게 싫었다. 그게 유치하기 짝이 없는 독점욕이라고는 생각조차 하지 못한 채, 강우는 성준을 구박했다.

"너, 왜 그렇게 신채린한테 관심이 많아?"

"그거야…… 혈기 왕성한 남자니까."

변태 같이 씩 웃는 성준에게 강우가 어이없다는 시선만 주었다. 하지만 한편으로는 백강우 역시 양심이 쿡쿡 찔렸다. 자신이 유성준과 다를 게 뭔지 모르겠다. 하나 다른 점이라고는 유성준은 변태 같은 속마음을 바깥으로 드러내고 자신은 꼭꼭 숨긴다는 정도였다.

오늘은 오전부터 환자가 밀려들어 왔다. 응급 환자보다는 비응급 환자가 많아서 그나마 다행이었다. 바쁜 와중에도 신채린은 점심시간을 보장받았다. 어떻게든 점심에 시간을 내려고 얼마나 노력했는지 모른다.

차트 정리를 마친 채린이 너스 스테이션을 나왔다. 시끌시끌한 응급실 소음이 노랫말처럼 감미롭게 느껴졌다.

"우리 애는 언제 봐 줘요?"

"아…… 잠시만요. 음……."

환아의 차트를 확인한 찬형이 어색한 미소를 지어 보였다. 아이는 검사 결과를 기다리는 도중이었다. 지금은 특별히 의료진이 해 줄 일이 없었다.

"혈액 검사 결과 나올 때까지 조금만 기다려 주세요."

"사람이 얼마나 바쁜데. 빨리 좀 하세요. 의사가 없으면 교수라도 불러오든가."

환아의 엄마로 보이는 보호자가 세게 나오자 2년 차 김찬형이 쩔쩔맸다. 주변에 있던 간호사들이 찬형을 동정했다.

"VIP도 아닌데 다 제쳐 두고 교수님을 불러오라니……."

"비응급이면서 막무가내인 사람 또 오랜만이네."

그러거나 말거나 신채린은 백강우를 찾아 다녔다. 다행히 강우는 멀지 않은 곳에 있었다. 환자에게 증상을 설명하던 강우가 채린의 시선에 고개를 돌렸다. 눈이 마주치기 무섭게 채린의 얼굴이 붉어졌다.

'오늘 진짜 제대로 고백을 해 보자!'

마음을 다잡은 채린은 강우가 차트 정리까지 마치기를 기다렸다가 그가 의자에서 일어나기 무섭게 그를 불렀다.

"선생님."

채린의 기대 가득한 눈빛과 상기된 얼굴을 보자 강우는 얘가 또 무슨 소리를 할까 싶어 내심 걱정스러웠다. 며칠 전 당직 때는 지구 종말을 앞에 둔 사람인 양 어두운 얼굴로 백강우를 동성애자로 오해하질 않나…….

'그건 진짜 미친 거 아니야?'

그날 일을 떠올리기만 해도 강우는 등골이 오싹했다. 만약 신채린이 직접적으로 말을 하지 않아서 그 오해가 가중되었더라면 지금쯤 그녀에게 있어서 백강우와 유성준은 커플로 보였을지도 몰랐다. 상상만으로도 끔찍했다.

강우가 앞장을 서고 채린이 그의 뒤를 졸졸 쫓아 의국으로 사라졌다. 채린의 뒷모습을 면밀히 살피던 간호사가 손으로 입가를 가리고 조심스레 물었다.

"어머, 누가 따라가 봐야 하는 거 아니에요?"

"왜요?"

"백강우 선생님이 신채린 선생님 울렸잖아요."

엄밀하게는 신채린이 혼자 북 치고 장구 치다가 울었던 거지만, 제3자들 눈에는 백강우가 무조건 나쁜 놈이었다. 간호사들이 서로 걱정스러운 시선을 주고받았다. 이러다가 분위기가 다 깨지겠다 싶어서 성준이 나섰다.

"제가 가 볼 테니까 걱정하지 마세요."

"하긴, 유 선생님 정도는 되어야 백 선생님 말리죠."

간호사들이 모두 가슴을 쓸어내렸으나 성준은 의국에 갈 생각은 없었다. 재미있는 구경을 하고는 싶지만 분위기를 깨고 싶지도 않았다. 일단 성준은 너스 스테이션을 나가서 의국으로 가는 척만 했다.

그때, 텅 비어 있는 의국에 채린은 강우와 단둘이 남았다. 혹여 누군가가 도중에 방해할까 봐 채린은 출입문 잠금장치를 딱, 잠갔다.

'왜 문을 잠그지?'

뜬금없는 채린의 태도에 강우의 눈동자가 불안으로 흔들렸다.

"저…… 말씀드리고 싶은 게 있습니다."

"알아. 뭔데?"

채린이 흘끔 강우의 눈치를 살폈다. 무심한 듯하면서도 따뜻하게 느껴지는 건 착각일 뿐일까? 채린은 다정이 했던 말을 잊지 않았다. 신채린을 거절할 남자는 없다는 말이었다. 부디 다정의 말이 옳기를 바라면서 채린이 대답했다.

"호텔에서 제가 했던 말, 기억하세요?"

"네가 한두 마디를 했어? 무슨 말?"

"선생님한테 악감정은 없고요, 대신 다른 감정이 있다고 말씀드렸잖아요."

"아……."

"기억…… 하세요?"

강우가 기억한다는 투로 고개를 끄덕였다. 존경한다는 말을 하려는 걸까? 고작 존경을 표하기 위해서 의국 문을 걸어 잠그다니, 강우는 채린의 행동이 통 이해가 되지 않았다. 하긴, 신채린은 이해하지 못할 짓을 종종 하곤 했다. 백강우는 이제 신채린을 자신의 기준으로만 평가하지 않기로 했다.

"그래."

백강우를 향한 신채린의 두 눈이 초롱초롱했다. 존경심 가득한 눈동자라고 착각한 강우는 괜스레 머쓱해지면서도 양심이 불편했다. 자신을 존경하고 따르는 후배와 꿈속에서 낯부끄러운 행각을 벌였으니 죄책감이 생기지 않을 리가 없었다. 강우는 왠지 채린을 똑바로 쳐다보기가 힘들어졌다.

한편, 강우의 기분은 알지도 못한 채린은 속으로 그를 탓했다. 아니, 고백을 들었는데 저렇게 무덤덤하다니! 역시 다정의 말마따나 강우는 고백을 제대로 알아듣지 못한 것이 분명했다. 채린이 한숨을 겨우 삼키고 나서 입을 열었다.

"그거 관련해서 말인데요."

손바닥에 식은땀이 맺혔다. 어깨에도 긴장이 들어차서 딱딱해졌다. 직접적인 고백은 은근슬쩍 홀리는 마음과는 차원이 달랐다. 채린이 침을 삼켰다. 새벽에 강우에게 선전포고를 한 후로 입술이 바짝바짝 말라서 일부러 립글로스를 두껍게 발랐는데도 아무 소용이 없었다. 심장 박동이 이 이상은 빠를 수 없다 싶을 만큼, 빠르게 뛰었다. 손바닥에 맺혔던 땀이 이마와 등줄기에서도 나기 시작했다.

이 많은 신체 반응이 일어난 건 단 2초에 불과했다. 그리고 채린은 드디어 자신의 마음을 똑바로 고백했다.

"제가 아무래도 선생님을 좋아하는 것 같습니다."

"음……."

아무 생각 없이 고개를 끄덕이던 강우가 멈칫, 모든 행동을 멈추었다. 그가 자신의 앞에 서 있는 채린을 믿을 수 없다는 눈으로 올려다보았다.

"뭐라고?"

"제가…… 선생님을 좋아합니다."

채린이 고백을 어렵게 반복한 순간, 강우가 경악 어린 표정으로 의자에서 벌떡 일어났다. 지금 내가 무슨 소리를 들은 거지? 그의 두뇌가 모든 생각을 멈추어 버렸다. 뻣뻣하게 굳은 강우를 보면서 채린이 쐐기를 쾅 박았다.

"제가 말씀드린 그 다른 감정이…… 선생님을 좋아하는 감정이에요."

"왜, 왜 이래? 갑자기?"

백강우가 보기 드물게 당황했다. 평소의 무표정하던 모습은 어디로 가고 그는 붉어진 얼굴로 말도 제대로 잇지 못했다. 그날, 호텔 객실에서 보였던 반응과는 천지 차이였다.

"제가 너무 돌려 말해서 역시 제대로 전해지지 않았네요."

채린이 힘없이 중얼거렸다. 그때까지도 강우의 사고 능력은 돌아오지 않았다. 그녀가 양손을 꼭 맞잡고 말을 계속 늘어놓았다.

"선생님이 저, 탐탁지 않게 생각하는 것도 압니다. 하지만…… 말씀은 드리고 싶었어요."

"잠깐만, 신채린 선생. 정신을 차려. 날 좋아한다고? 내가 그동안……."

"네, 저 엄청 태우셨죠."

그녀가 담담하게 대꾸하자마자 그의 미간이 찡그러졌다.

"하지만 그건…… 제가 잘못했던 거니까요. 원망하지 않습니다."

강우는 차마 여기서 3월의 괴롭힘은 전부 시나리오가 짜여 있던 거라고 털어놓을 수는 없었다. 대신 그는 마른세수를 하고 정신줄을 붙잡으려 노력했다. 지금 신채린이 백강우에게 사랑 고백을 했다. 심지어 호텔 객실에서 했던 말도 사랑 고백의 일환이었다. 그가 기가 막힌 듯 혼잣말처럼 중얼거렸다.

"호텔에서 나한테 감정 있다고 한 게…… 존경심이 아니었다고?"

"존경심이라고요?"

채린은 그 말이 존경심으로 비추어지리라고는 상상도 하지 못했다. 그녀가 머리를 긁적이면서 솔직하게 대답했다.

"뭐, 그것도 없진 않지만 제 의도는 고백이었는데……."

강우의 눈동자가 당황으로 흔들렸다. 의외였다. 사실 그동안 봐 온 백강우의 성격상, 채린은 자신이 뺑 차인다면 가차 없이 거절을 당할 줄 알았다. 그런데 지금, 백강우는 어쩔 줄 몰라 쩔쩔매고 있었다!

'안다정 선생님 말이 맞는 것 같아.'

천하의 백강우라 할지라도 신채린을 거절할 리가 없다는 말. 역시 안다정은 백강우와 영혼의 쌍둥이인 것이 분명했다. 그렇다면 자신의 고백을 그는 받아들여 줄 것이다. 채린의 가슴이 기대로 막 부풀 무렵이었다. 누군가가 의국 출입문을 똑똑 두들겼다.

"치프 선생님, 계십니까?"

2년 차, 김찬형의 목소리였다.

"왜?"

당황한 기색을 숨긴 강우가 이때다 싶어서 후다닥 출입문을 열었다. 도망치는 그의 뒷모습을 채린이 날카롭게 응시했다. 사냥감을 노리는 맹수의 눈빛이었다.

문이 열리자 찬형이 울상이 된 채로 부탁했다.

"잠깐 나와 주세요. 보호자가……."

김찬형의 부탁은 백강우에게는 구사일생의 기회였고, 신채린에게는 더할 나위 없는 방해였다. 채린이 이를 갈면서 강우의 뒤를 쫓아 나갔다. 찬형의 말에서 생략된 부분은 분명 보호자가 행패를 부리고 있다는 뜻이리라.

'어떤 놈이야?'

자신의 중요한 고백 타임을 방해한 놈들을 가만두지 않겠다고 다짐하면서 채린은 강우의 뒤에 섰다. 이내 고래고래 고함을 치는 남자 목소리가 채린에게도 닿았다.

"책임자 나와!"

"웬 미친놈이야?"

보호자에게 다가가기 전에 강우가 찬형에게 사정 설명을 요구했다. 소심한 찬형은 풀이 죽어서 바로 설명하지 못했고, 대신 다정이 요점만 짚어 말했다.

"자기 아들 안 봐 줬다고 애기 아빠가 화가 났어요."

"방치했어?"

"아뇨, 검사 결과 나오고 좀 기다려 달라고 말씀드렸는데 듣질 않으세요."

다정의 정리에 상황을 파악한 강우가 고개를 끄덕이고 나섰다. 이미 보안 요원도 둘이나 신고를 받고 달려와 있었다. 그래도 어린 환자가 있으니, 보호자인 아이 아빠를 억지로 끌고 나가기가 불편한 듯했다.

강우가 사무적으로 물었다.

"무슨 일입니까?"

"야, 새파랗게 어린 것들 말고 교수를 불러오라고!"

채린은 누워 있는 아이를 아까 지나가면서 언뜻 봤었다. 찬형을 들들 볶고 있던 아이 엄마가 참다못해 남편에게 전화를 건 모양이었다. 그래서 화가 머리끝까지 난 아이 아빠가 달려온 것이 틀림없었다. 성질을 내는 보호자에게 강우가 차분하게 말했다.

"저한테 말씀하시죠."

"애가 아파서 우는데 가만히 내버려 둬? 그러고도 너희가 인간이야?"

아이는 지금도 칭얼거리고 있었다. 중요한 검사를 빼먹었을까 싶어서 강우는 환아의 차트를 쓱 훑어보았다. 하지만 검사는 모두 시행되었고, 결과만 기다리면 되는 상황이었다.

"지금은 단순 감기인지 다른 질환인지 확인하려고 검사 결과 기다리는 중이라 저희가 해 드릴 것이 없습니다."

검사 결과가 나와야 다음 처치가 가능했다. 게다가 환자가 많이 밀려서 그만큼 검사도 밀려 있었다.

"열을 내려야지!"

"지금 주사 들어가고 있는데요."

강우가 수액 봉지를 눈대중으로 살폈다. 양이 줄어 있는 걸 보면, 수액은 아이의 몸에 제대로 들어가고 있었다. 그러나 아이 아빠는 황당한 주장을 했다.

"주사만 맞으면 다야? 열을 내려 줘야 할 거 아니야! 간호사든 의사든 달라붙어서!"

순간, 말 잘하던 백강우가 할 말을 잃었다. 그러니까 보호자의 주장은, 지금 아이의 열을 내리기 위해서 바쁜 의료진이 곁에 있어야 한다는 말인가? 강우는 물론 주변에 있던 채린이나 다정, 찬형 등도 기가 막혀서 말이 나오지 않았다. 그러나 아이 아빠는 목에 핏대를 세우고 계속 큰소리를 쳤다.

"사람을 무시하고 있어. 의사가 그렇게 대단해? 어? 여기 관할 경찰서 서장이 우리 아버지야. 애 할아버지라고!"

"예……."

강우가 떨떠름하게 대답했다. 그걸 겁을 먹은 걸로 판단한 보호자는 계속해서 협박 아닌 협박을 했다.

"환자 관리 소홀로 싹 다 집어넣어 버리는 수가 있어!"

"음……."

아무래도 말이 통하지 않는 상대였다. 강우는 답이 없는 가족을 살펴보았다. 아이는 아프다고 칭얼거렸고, 아이 엄마도 불만이 가득한 얼굴이었다. 아이 아빠는 말할 것도 없이 씩씩거리고 있었다. 귀찮아진 강우는 검사 결과가 나오는 대로 이들을 다른 병원으로 전원시키는 게 낫지 않을까 고민했다.

"콩밥 먹고 싶어?"

잘못한 일이 하나도 없는 강우가 한숨을 참고 예의 그 무심한 말투로 차갑게 말했다.

"응급실에서 의료진을 협박하는 것도 죄가 됩니다."

"뭐? 이게 진짜, 어디서 눈을 똑바로 뜨고 말대꾸야?"

보호자가 대뜸 강우의 멱살을 잡았다. 지켜보고 있던 채린이 저도 모르게 입가를 가렸다. 강우가 무표정하게 보호자를 쳐다보았다. 역시 전원을 시켜 버리는 게 낫겠다.

정작 멱살을 잡힌 백강우 본인은 아무렇지 않았으나, 주변에 있는 사람들이 걱정스러운 시선을 주고받았다. 거기에는 채린도 포함이었다. 주취자들이 이성을 잃고 막무가내로 행동한 적은 많지만, 평일 점심시간에 양복을 입은 멀쩡한 남자가 멱살을 잡을 줄은 몰랐다. 그나마 우스운 건, 강우가 보호자보다 한 뼘 정도 키가 커서 멱살을 잡고 있어도 별로 위협적이지는 않다는 점이었다.

"의사 가운 벗고 싶어?"

강우가 아무 말도 하지 않자 보호자는 계속해서 험한 소리를 지껄였다. 병원에서 내쫓겠다는 둥, 감방에 갈 수도 있다는 둥, 말도 안 되는 협박을 하는데 이상하게 신채린의 인내심이 점점 바닥으로 떨어졌다. 그럴 만도 한 것이, 방금 전까지 신채린은 백강우에게 사랑 고백을 하고 있었다. 잘될 것 같은 느낌이었는데 이리로 불려 나왔다가 웬 미친놈의 헛소리나 듣게 되니 기분이 좋을 리가 없었다.

"어떻게, 내쫓아야 하는 거 아니에요?"

간호사가 보안 요원에게 속삭였다. 그때, 수군거리는 말 사이로 채린의 날 선 목소리가 들렸다.

"그만하세요."

보호자는 채린을 위아래로 쓱 훑어보았다. 새파랗게 어린 데다가 여자라서 우습기 그지없었다. 코웃음을 친 보호자가 말을 툭 내뱉었다.

"상관없는 년은 꺼져."

"지금 이 상황 녹음되고 있습니다. 그 손 놓으세요."

채린을 같잖다는 듯 쳐다보던 남자가 강우의 멱살을 잡지 않은 손으로 그녀가 들고 있던 휴대폰을 쳐서 날렸다. 채린의 휴대폰이 바닥으로 나동그라졌다. 채린의 행동이 성질을 더욱 자극한 듯, 보호자의 목소리가 높아졌다.

"너도 같이 의사 면허 박탈시켜 줘?"

협박 같지도 않은 소리에 채린의 눈썹이 움찔 흔들렸다.

"잘못을 했으면 납작 엎드리고 빌어야지, 어디서 고개를 빳빳하게 들고……."

"면허 박탈?"

채린은 남자의 말을 도중에 잘랐다. 항상 미소를 짓고 있던 채린의 얼굴이 싸늘하게 식었다. 이런 일은 작년에도 겪은 적이 있었다.

그때는 응급의학과 과장이었던 막내 외삼촌이 채린을 두둔해 줬는데, 이번에는 어떻게 될지 모르겠다. 그래도 채린은 멈출 수가 없었다. 일단 저지르고 수습은 나중에 생각하자. 저 우악스러운 환자가 금쪽같은 백강우의 멱살을 잡고 있으니, 신채린은 눈에 뵈는 게 없었다.

"어디 해 볼 테면 해 보시죠. 누가 이기나 끝까지 가 보자고."

채린이 한쪽 입가를 끌어 올리고는 눈을 번뜩였다. 이미 신채린의 이성은 맛이 간 상태였다. 정확히는 남자가 백강우의 멱살을 잡았을 때부터였다.

"신채린 선생님 홱 돈 거 아니에요?"

어쩔 줄 몰라 발을 동동 구르던 간호사가 보안 요원에게 다시금 소곤거렸다. 간호사의 말을 옆에서 듣고 있던 찬형이 입을 가린 채 신이 나서 떠들었다.

"그래도 신 선생 정도나 되니까 세게 나가죠. 집안 빵빵하잖아요."

채린이 계속 비아냥거렸다.

"보아하니 저보다 열 살은 더 드신 것 같은데 아직도 아버지 운운하고 사는 게 창피하지도 않으신가."

벌써부터 머리 중간이 벗겨지기 시작한 보호자는 본래 나이보다도 늙어 보였다. 그 점이 콤플렉스였던 터라 남자는 참을 수가 없었다. 거기에 아버지의 그늘까지 지적하는 어린 계집애가 짜증이 나서 그는 강우의 멱살을 놓고 손을 번쩍 올렸다. 그때였다.

"의사 폭행은 범죄입니다."

채린에게 손찌검을 하려던 남자는 강우의 손에 팔이 잡혀서 꼼짝도 하지 못했다. 담담하게 말을 마친 강우가 보안 요원을 눈짓으로 불렀다. 대기하고 있던 덩치 좋은 보안 요원이 강우에게서 보호자를 인계받았다. 상황이 예상대로 흘러가지 않자 아이 엄마가 눈알을 이리저리 굴렸다. 그녀에게 강우가 한마디 덧붙였다.

"잠시도 기다리지 못하시겠다면 아이는 다른 병원으로 전원하는 게 좋겠습니다."

병원을 나가려니 아이가 걱정이 되고 자존심도 상했다. 그렇다고 병원을 나가지 않으려니…….

"젊은 사람들이 낯짝 부끄럽지도 않나. 네 애만 환자야?"

"애들이 열도 나고 그러면서 크는 거지. 하여튼 유난을 떨어. 저런 것들 때문에 멀쩡한 젊은 애들도 싸잡혀 욕을 먹는 거야."

주변에서 구경하고 있던 환자와 보호자들이 한마음이 되어서 부부를 힐난했다. 언제 기세가 등등했느냐는 듯, 아이 엄마는 퇴원 수속을 밟고 싶다고 간호사에게 넌지시 부탁했다.

소란이 일단락된 후, 도로 의국에 돌아온 강우는 하마터면 채린이 쓸데없이 맞을 뻔했다는 사실에 기가 막혔다.

"거기서 왜 끼어들어?"

"……죄송합니다. 근데 너무 화가 났어요."

"대체 화가 왜 나? 이상한 애네, 진짜."

"선생님 멱살을 잡잖아요!"

채린이 양손을 주먹 쥐고 목소리를 높였다. 황당한 부분에서 분노하는 채린을 강우가 떨떠름하게 쳐다보며 물었다.

"넌 눈에 보이는 것도 없어? 그러다가 보호자가 무슨 짓을 할 줄 알고?"

"맞으면 고소하려고 했죠. 아는 변호사가 수두룩한데."

채린이 배짱 두둑한 소리를 했다. 강우가 그녀를 어이없다는 눈으로 보다가 의자에 앉았다. 그가 한층 가라앉은 목소리로 차분하게 말했다.

"안 맞는 게 고소하는 것보다 훨씬 나은 거야."

"그건 저도 압니다."

문득 강우는 3월에 은수가 놀라워했던 것을 떠올렸다. 신채린이 주취자한테 맞고도 얌전히 있었다는 소리에 은수는 물론 조준기 교수도 놀랐었다. 그때는 왜 그러나 싶었는데, 이제야 알겠다. 지금까지 신채린은 성질을 죽이고 있었다. 강우가 마른세수를 하고 헛웃음을 터뜨렸다.

"무섭지도 않아? 너 이제 1년 차잖아."

"제가 무서워하는 건······."

채린이 잠시 말을 멈추고 앉아 있는 강우를 내려다보았다. 이 남자는 신채린에 대해 몰라도 너무 몰랐다. 물론 지금까지 자신이 발톱을 숨기고 있기는 했지만 말이다.

"백강우 한 사람뿐이에요."

그동안 신채린은 백강우에게 미움을 받을까 봐 전전긍긍했다. 다른 건 두려워하지 않았다. 오로지 백강우의 눈치만 보고 지냈다. 세상이 꼭 백강우를 중심으로 돌아가는 양, 신채린은 백강우만을 신경 써 왔다.

강우는 할 말을 잃고 채린을 응시했다. 맹랑하기 짝이 없는 소린데 참 이상하게도 그녀가 자신의 이름을 툭툭 부르는 게 괘씸하기보다 귀엽고, 심지어 가슴이 설레기까지 했다.

'내가 미친 건가?'

호텔 객실에서 신채린이 백강우의 이름을 함부로 불렀을 때의 기억이 아직까지 선명하게 남아 있는 것을 보면, 아무래도 자신은 그녀가 이름 석 자를 함부로 불러 주는 것을 좋아하는 듯했다. 물론 백강우는 그런 현실을 믿고 싶지는 않았다.

"날 무서워하는 거 맞아? 이름을 막 부르면서?"

채린이 뾰로통한 표정으로 슬쩍 시선만 피했다. 사실, 욱하는 마음에 그의 이름을 막 부른 셈이라 할 말이 없기도 했다. 대신 그녀가 화제를 돌렸다.

"저 걱정해 주시는 거 보니까 싫어하진 않으신가 봐요."

"내가 언제 너 싫다고 그랬어?"

백강우는 단 한 번도 신채린이 싫다고 말한 적이 없었다. 성준이 물어봐도, 혜영이 물어봐도 그는 항상 솔직하게 신채린을 싫어하지 않는다고 말했다. 물론 자신이 그녀를 어쩔 수 없이 조금 괴롭히기는 했지만, 진심으로 그녀를 싫어하기 때문에 활활 태운 것은 아니었다.

그런데 엉뚱하기 짝이 없는 신채린은 백강우의 말에 눈을 빛냈다.

"그럼 제 고백에 대한 대답…… 긍정적으로 기대해도 되는 거죠?"

"아니, 그건!"

이러다가 본의 아니게 백강우가 신채린에게 코가 꿰이게 생겼다.

강우가 재빨리 말을 이었다.

"신채린 선생. 이성적으로 생각해. 일단 우린 둘 다 수련하는 입장이야. 연애 같은 거 할 시간도 없고……."

"그 말씀은, 충분히 시간이 있으면 제 고백을 받아 주셨을 거라는…… 말씀이죠?"

신채린은 쓸데없이 똑똑했다. 백강우의 논리는 신채린 앞에서 힘을 쓰지 못했다. 그녀는 그에게 오로지 긍정의 대답만을 받아 내려고 애를 썼다. 그녀가 허점을 파고든 바람에 그가 난감하게 입을 다물었다. 이때다 싶어서 채린이 입을 열었다.

"그러니까 선생님도 저를……."

"신채린!"

더 이상 들으면 큰일이 날 것 같아 강우가 그녀의 말을 막았다. 채린이 눈을 동그랗게 뜨고 그를 똑바로 바라보았다. 강우의 등골이 오싹해졌다. 어떡하지? 왠지 자꾸 신채린에게 말려들 것만 같았다. 초조해진 그가 마른 입술을 손으로 쓸자 채린의 예리한 시선이 강우의 입술에 살짝 닿았다 떨어졌다. 정갈하고 반듯한 입술이 그녀를 마치 유혹하는 듯했다. 그 입에서 나온 말은 여전히 얄미웠지만.

"너 지금 놀 시간이 어디 있어? 1년 차 주제에."

"누가 논다고 했나요?"

채린이 불만스럽게 투덜거렸다.

"그리고 선생님은 저한테 칭찬 잘 안 하시는데요, 다른 선생님들은 제가 1년 차답지 않게 일을 잘한다고 그러시더라고요. 여유 좀 가져도 될 것 같은데요."

"여유 부리다가 바보 된다, 너."

"제가요? 그럴 리 없는데."

신채린이 바보가 된다고? 그녀가 코웃음을 쳤다. 백강우도 미간을 찡그렸다. 자신이 생각해도 어불성설이어서 그런 모양이었다. 채린은 지지부진한 대화를 이제 그만두고 쐐기를 박고 싶었다.

"선생님, 자꾸 상황 탓하면서 이리저리 빠져나가려고 하는 거…… 매력 없어요."

"……도대체 내가 왜 좋아?"

결국, 강우는 신채린이 백강우를 좋아한다는 사실을 인정했다. 채린이 빙그레 미소를 지었다. 여기서 이유를 구구절절 늘어놓을 필요는 없었다. 좋아하는 이유는 연애를 시작한 다음에, 하나씩 하나씩 말해도 되니까.

"좋아하는 데 특별히 이유가 있는 건 아니죠."

"너 진짜……."

그때였다. 강우의 말은 끝까지 이어지지 못했다. 백강우의 입술을 노리고 있던 신채린이 과감하게 덤빈 탓이었다. 강우의 눈이 크게 떠졌다. 믿을 수 없다는 양 떨리는 그의 눈동자와 다르게 채린은 눈을 감고 있었다.

진한 키스가 아니라 가벼운 입맞춤이었다.

단지 입술이 닿았을 뿐인데도 채린은 심장이 터질 것 같았다. 심장 소리가 그에게 전해질까 봐 그녀가 일찍 입술을 떼고 붉어진 얼굴로 강우를 바라보았다. 당황한 백강우는 입을 뻐끔거리다가 겨우 말소리를 낼 수 있었다.

"지, 지금 뭐 하는 거야, 신 선생?"

"선생님, 저는 키스가 좋았습니다."

용기를 내어 기습 키스를 저지른 채린이 환하게 웃으면서 말을 건넸다.

키스가 좋았다니! 백강우는 신채린이 또 덤빌까 봐 한 손으로 입가를 가렸다.

"선생님은요?"

"지, 지금 그걸 말이라고 해?"

"싫으셨어요?"

채린이 시무룩하게 물었다. 하지만 백강우도 싫지는 않았다. 꿈에서나 맞추어 보았던 입술, 그리고 지금 이 가벼운 입맞춤보다 더한 일들을 백강우는 꿈속에서 저질러 왔다. 그래서 더욱 그는 어쩔 줄 몰랐다.

백강우가 바로 부정하지 않았다. 그건 역시 그도 싫지는 않다는 뜻이 아닐까? 칼 같은 백강우의 성격상, 신채린이 입을 맞춘 순간에 싫다는 생각이 들었다면 그녀를 가차 없이 밀어냈을 것이다. 그녀의 가슴이 기대로 부풀어 올랐다.

"저랑 같은 기분이시면…… 선생님도 저랑 같은 마음이지 않을까요?"

"……나가서 일해."

"대답 기다리겠습니다."

채린이 의기양양하게 말하고는 힘차게 의국을 나섰다. 신이 난 신채린과 반대로 백강우는 당혹스러웠다. 그럴 만도 했다. 점점 상황을 받아들이고 있는 머리와 다르게 하반신은 컨트롤이 되지 않아서 미칠 노릇이었다. 아마 하반신을 가려 주는 테이블이 없었더라면 백강우는 지금 무척 자괴감을 느꼈을 것이다.

'진짜 쟤는 겁이 없어.'

끙, 앓는 소리를 내면서 강우가 테이블 위에 엎드렸다. 그는 몸속에 들어찬 열기가 최대한 빨리 빠져 주기를 바랄 뿐이었다. 그때 의국 출입문이 벌컥 열리고 성준이 흥미진진한 표정으로 들어왔다.

"야, 백강우. 잠깐 라면 먹고 왔더니 너랑 공주님이 한 건 했다…… 응?"

혼자 그 재미난 구경을 하지 못한 게 억울했던 성준은 자괴감 가득한 얼굴로 테이블 위에 엎드려 있는 동기를 의아하게 쳐다보았다.

신채린이 백강우에게 드디어 마음을 드러낼 줄은 알았지만 백강우가 이토록 힘이 없어 보일 거라 예상하지 못했던 성준은 고개만 갸웃거렸다.

'뭐지? 분위기가 차인 것 같지는 않았는데.'

의국으로 오는 길에 보았던 신채린은 화려한 미소를 이곳저곳에 날려 대고 있었다.

그녀의 모습을 보아하니, 백강우가 감히 공주님을 차 버린 건 아닐 텐데…….

"왜 그러고 있어?"

"말 걸지 마."

"왜 그래? 공주님한테 카운터 먹었냐?"

뭐랄까? 그동안 성준을 쓰레기로 매도해 왔던 자신이 영락없이 쓰레기가 된 기분이 들어 강우는 아무 대답도 하지 않았다. 성준의 말마따나 카운터펀치를 맞은 것과 비슷하기는 했다. 펀치가 아니라 키스였지만 말이다.

대처 방법 9.
도망다니기

다음 달부터 다시 의국장이 될 유성준은 지금 가볍게 인수인계를 준비하고 있었다. 이미 한 번 해 본 일이라 별로 어려운 일은 아니었다. 문제는 지루하고 귀찮다는 것 정도?

"하기 싫다, 진짜……."

어떻게 해서든 성준은 백강우에게 의국장 일을 나머지 두 달도 맡기고 싶었다. 될 리가 없지만 말이다.

성준이 막 테이블 위에 엎드릴 무렵, 응급실에 있던 강우가 가운 자락을 휘날리면서 의국 안으로 들어왔다. 쾅, 문이 닫히는 큰 소리에 성준이 깜짝 놀라 고개를 들었다. 무표정하던 얼굴은 어디로 가고 난처한 눈빛으로 들어온 강우가 목소리를 낮추었다.

"누가 나 어디 있냐고 물어보면 모른다고 그래."

"어?"

재미있는 냄새가 나자, 지루해 죽을 것 같던 성준의 기분이 나아졌다. 난감해하는 모습만 봐도 알겠다. 백강우는 1년 차 신채린을 피해서 도망온 게 틀림없었다.

"왜 그래?"

"뭐가?"

의자에 앉아 출입문 쪽을 흔들리는 시선으로 보던 강우가 짐짓 태연한 척 성준에게로 고개를 돌렸다. 성준이 키득거리며 콕 집었다.

"완전 호랑이한테 쫓기는 토끼 같잖아."

"누가 호랑이고 누가 토끼야?"

"네가 토끼고, 공주님이 호랑이."

마음에 들지 않는 비유에 강우가 미간을 찡그렸다. 성준이 굳이 채린의 이름을 말로 꺼내지 않았는데도 기분이 나빠졌다. 유성준은 신채린에게 관심이 너무 많았고, 백강우는 그 점이 못마땅했다. 동기의 기분을 아는지 모르는지, 성준이 계속 강우의 속을 긁었다.

"공주님이 너한테 뭐라고 했는데, 그래?"

"됐어. 신경 꺼."

신채린이 백강우에게 사랑 고백을 했다고, 유성준한테 사실대로 말할 수는 없었다. 강우는 한숨을 뱉으면서 고개를 저었다. 이래서 의국에 아무도 없었으면 했다. 그나마 후배들이었으면 인상 한 번 쓰는 걸로 입을 다물었을 텐데, 하필이면 동기만이 덜렁 남아 있었다. 하여튼 되는 일이 없다.

"왜? 설마 공주님이 집안 어른들한테 너 고자질한대? 괴롭힌다고?"

"……그건 그쪽이 바라는 바고."

"하긴."

내막을 대강 알면서도 성준은 모르는 척 강우의 장단에 맞춰 주었다. 갓 전공의 수련을 시작한 채린을 쫓아내 달라는 황당한 부탁을 할 정도로 신채린의 집안은 이상한 구석이 있었다.

그때였다. 벌컥, 의국 출입문이 열리는 소리에 강우와 성준의 고개가 동시에 움직였다. 들어온 사람은 백강우가 그토록 피해 다니던 신채린이었다.

"여기 치프 선생님 계시죠?"

"공주님 왔다."

강우에게만 들리게끔 성준이 소곤거렸다. 일이 점점 재미있게 돌아가는 느낌이었다. 한편, 채린이 성큼성큼 다가오자 강우는 그녀와 눈이 마주치지 않도록 주춤주춤 시선을 돌렸다. 그제 고백 전후로 신채린의 눈빛이나 언행, 분위기가 180도 달라졌다. 전에는 언제 혼날지 모른다는 걱정으로 주눅이 들어 있던 채린은 당당해졌고 강우를 피하지도 않았다. 그리고 이것이 그녀의 본래 성격이었다.

"선생님, 뭐 좀 여쭤 보려고요."

"뭔데?"

강우가 떨떠름한 눈빛을 내비쳤다. 채린이 졸졸 쫓아다니면서 사소한 처방까지 묻느라 오늘도 하루 종일 정신이 없었다. 신기한 것은 화를 내려고 해도 쉽게 나오지 않는다는 데 있었다. 이상하게도 신채린을 정면으로 보면 화를 낼 수가 없었다. 그녀가 생글생글 웃으며 눈동자를 반짝반짝 빛내는데, 전처럼 입이 떨어지지 않았다.

"제가 아까 지나가다 말씀드렸던 40대 남자 환자요, 기억하세요? 브레인 CT(컴퓨터 단층 촬영) 결과가 나와서, 선생님 말씀대로 유로키나제(Urokinase, 혈전 용해제)를 주사하기로 했습니다. 그래서……."

잠시 말을 멈춘 채린이 성준을 쳐다보았다. 성준은 그 특유의 능글맞은 웃음을 짓고 있었다. 성준의 눈치가 빠르다는 걸 전해 들었기 때문일까? 그의 눈빛이 꼭 '다른 이야기 하러 온 거 아니야?' 하고 묻는 것만 같았다.

"그래서 뭐?"

지금 채린이 보고하고 있는 환자는 뇌경색 환자였다. 강한 어지러움을 호소하는 환자를 보자마자 채린은 환자의 질병이 이석증인지 뇌경색, 혹은 뇌출혈인지 확신할 수 없어서 CT 촬영을 실시했다. 결과를 기다리는 동안, 그녀는 스리슬쩍 지나가는 강우에게 일부러 1차 보고를 했었다. 그리고 백강우는 만일 뇌경색일 경우 혈전 용해제 처방을 고려해 보라는 말만 남기고 의국으로 도망쳤다.

뇌경색 환자에게 혈전 용해제 사용은 크게 대단하거나 특이한 케이스도 아니었다. 두 사람이 나눌 만한 대화가 아니라고 여긴 성준이 끼어들었다.

"뭔가 어려운 이야기인가 보네? 내가 환자 봐 줄까?"

"아닙니다. NS(신경외과) 선생님 오셨습니다."

채린은 성준이 자리를 비워 주었으면 좋겠다고 생각했다. 어제 오늘 이틀 동안, 채린은 강우와 단둘이 남을 기회를 틈틈이 엿보았다. 그래서 백강우를 신채린이 그렇게나 졸졸 쫓아다닌 것이다. 반면에 강우는 채린과 단둘이 남으면 그녀가 분명 고백에 대한 대답을 들으려고 할 것이 뻔해서, 그녀를 피해 다녔다.

"그런데 뭘 더 물어보겠다는 거야?"

강우의 못마땅한 목소리에 채린이 입을 다물고 그를 물끄러미 바라보았다. 그녀의 빤한 시선 탓인지 강우의 가슴 한구석이 은근슬쩍 찔렸다.

백강우는 고백 거절이 채린에게 화를 내는 것만큼이나 어려웠다. 고백을 받은 날에는 신채린에게 말려들어서 그녀가 원하는 대로 끌려갈 것만 같아 두려웠다면, 고백을 거절하는 순간에는 그녀가 크게 상처를 받을 것 같아 두려웠다. 그래서 가능하면 대답을 미루거나 피하고 싶었다.

두 사람 사이에 감도는 복잡 미묘한 분위기를 읽고 성준이 자리에서 일어났다.

"아, 너무 오래 비웠다. 먼저 나가 있을게."

성준은 꼭 연극 대사를 읽는 것처럼 부자연스럽게 말하고 출입문으로 향했다. 강우가 제발 남아 있어 달라는 듯 성준의 뒷모습을 절실히 바라보았으나 문은 가차 없이 닫혔다.

결국 둘이 남고 말았다.

마침내 둘이 남았다.

백강우와 신채린의 감상은 한 끗 차이로 갈렸다. 흐뭇한 채린과 달리, 강우는 흔들리는 시선을 겨우 갈무리하고 덤덤한 척 말문을 열었다.

"그래서 유로키나제가…… 왜?"

혈전 용해제? 그런 건 구실에 불과했다. 백강우의 첨언이 아니었어도 신채린은 같은 처방을 내렸을 것이 분명했다.

현재 신채린의 참을성은 이미 최저치로 내려가 있었다. 채린은 성준이 앉아 있던 의자에 털썩 앉았다. 의자를 당겨 자세를 바로 하다가 그녀의 무릎이 강우의 다리를 스쳤다. 그의 길쭉한 다리가 움찔 흔들렸다. 백강우는 긴장하기 시작했는데 신채린은 어째 여유로워 보였다. 3월, 그들의 모습과는 정반대였다.

"선생님, 저 이제 대답을 들어야겠습니다."

채린의 눈동자가 결연하게 빛났다. 강우는 한 박자 늦게 모르는 척 발뺌했다.

"……무슨 대답?"

"오늘로 이틀째인 거 아시죠?"

이틀 전, 점심에 고백을 했다. 고백뿐만이 아니라 어린애 장난 같은 입맞춤도 이어졌다. 당황하고 난처해 하는 그에게 그녀는 혼란스러운 마음을 정리할 이틀간의 시간을 주었다. 그러나 강우는 대답을 회피하려 애를 썼다.

"지금 바쁘니까 그 이야기는 나중에 해."

현재 백강우는 하나도 바빠 보이지 않았지만 채린은 굳이 그 점을 지적하지는 않았다.

"선생님, 제가 싫으신 건 아니잖아요."

채린은 강우의 대답이 이미 나와 있다고 생각했다. 백강우는 좋고 싫음이 확실한 사람이었다. 싫은 일은 딱 잘라서 거절하던 그가 아무 말도 하지 않았다. 적어도 싫다는 뜻은 아니겠지 싶었다. 게다가 백강우의 소울메이트 같은 안다정 역시 그가 신채린을 거절하지 않을 거라고 용기를 북돋아 주었다.

"난 연애 같은 거 할 생각 없어."

"없었으면 그때 당장 거절하셨겠죠, 선생님 성격에."

"그때는!"

자꾸 채린과 무릎이 닿자 참다못한 강우가 양손으로 테이블을 짚고 일어났다. 그녀의 시선이 그를 따라 위로 올라갔다. 그는 얼른 자리를 뜨고 싶어졌다. 신채린의 논리에 말려들었다가 또 키스를 하게 될지도 몰랐다. 그가 한숨을 소리 없이 내쉬고 나서 말을 이었다.

"그때는 어이가 없어서 말이 안 나온 거야."

"그럼 어제라도 말씀을 해 주셨어야죠."

"어제는······."

그가 잠깐 말을 끊었다. 그녀의 의문은 타당했다. 고백을 거절할 생각이었으면 당일, 혹은 그 이튿날에 바로 거절을 했을 것이다. 하지만 백강우는 거절 대신 신채린을 피해 다녔다. 1년 차 신채린이 4년 차 백강우에게 해를 끼칠 사람도 아니니 거절을 어려워할 필요도 없는데.

"어제는 좀 바빴으니까."

채린이 강우를 불신의 눈빛으로 바라보았다. 웃기고 있네! 어제 백강우는 신채린과 함께 정규 근무를 했다. 아침부터 저녁까지 웅급실은 보통 때와 다를 바가 없었다. 평소라면 그녀의 시선을 당당하게 받아칠 남자가 움찔, 눈길을 돌려 버렸다. 그녀가 한마디로 결론을 지었다.

"결국 거절하시는 거네요."

"⋯⋯그래."

거절이라는 단어를 강우가 아니라 채린이 입에 먼저 올렸다. 이틀 동안 끙끙 앓던 강우는 후련하다 싶으면서도 가슴 한편이 허전해졌다. 어쨌거나 그녀는 거절을 당했고 상처를 받을 테니 미안한 마음도 들었다. 그래도 다시는 이런 일이 생기지 않도록, 그가 차갑게 그녀를 나무랐다.

"그때도 말했지만, 우린 병원에 수련하러 온 거야. 1년 차면 배울 것도 많고 가장 힘들 땐데 무슨 여유로 연애를 하겠다는 거야? 그렇게 ER(응급실)이 만만해?"

채린은 말없이 강우의 말을 듣고만 있었다. 왜일까? 생각보다 상처를 받지는 않았다. 그녀의 표정이나 눈빛은 담담했다. 반면에 백강우는 그녀 쪽을 똑바로 바라보지도 못했다. 테이블 위에 올린 제 손에 시선을 고정한 채 그가 차가운 말을 계속 뱉었다.

"다들 너한테 잘한다, 잘한다 하니까 정말 네가 다 잘하는 것 같아?"

쓴소리를 마친 강우가 그제야 손에서 시선을 떼고 채린을 바라보았다. 혼이 나는 입장인 그녀가 고개를 숙이자 그의 심장이 괜스레 조이기 시작했다. 말이 너무 심했나? 솔직히 신채린은 무엇이든 잘해내고 있었다. 아마 이 병원에 응급의학과가 신설된 이후로 신채린만큼 일 잘하는 1년 차 전공의도 없을 것이다. 그래도 생명이 오고 가는 응급실에서 자만은 경계해야 했다.

"알았으면 이제 그만 나가 봐."

더는 채린을 박하게 대할 자신이 없는 강우는 여기서 설교 아닌 설교를 끝내기로 했다. 축객령을 듣고 그녀가 고개를 들었다. 두 사람의 시선이 허공에서 부딪쳤다. 예상과 달리, 채린의 눈동자에는 상처나 실망이 담겨 있지 않았다.

의자에서 일어나 출입문으로 향하던 그녀가 멈칫, 걸음을 멈추더니 뒤를 돌아보았다. 다시 시선을 마주하자, 그녀의 뒷모습을 복잡한 마음으로 지켜보던 그는 깜짝 놀랐다.

"저 혼자 좋아하는 건 막지 마세요."

"쓸데없는 데 한눈팔지 말고 일이나 열심히 해."

채린이 마치 선전포고를 하듯 말하자마자 강우가 받아쳤다. 절대 마음을 받아 주지 않겠다는 양, 그의 목소리는 단호했다.

채린이 나가고 나서야 강우는 어깨에 들어찬 긴장을 풀 수 있었다. 이번 이틀 동안 신채린에게 시달린 느낌이었다. 신채린은 정말 집요했다. 심지어 거절을 당하고 나가면서까지 그녀는 그를 좋아하는 마음을 드러냈다. 마음은 불편했지만, 연애를 할 여유가 없는 터라 그는 신채린을 떼어 내기로 결심했다. 문제는 어떻게 해야 저 끈질긴 여자를 포기시킬 수 있느냐, 그거였다.

일단, 신채린을 잘 아는 사람에게 그녀의 약점을 묻는 편이 나았다. 강우는 망설일 것도 없이 채린의 사촌 오빠인 조은수에게 전화를 걸었다. 조은수는 수술이 일상인 일반외과 전공의라 전화를 받으려나 싶었는데, 다행히 바로 전화를 받아 주었다.

"조은수, 바빠?"

—응? 수술방 들어가야 하는데, 왜?

"뭐 하나만 물어보자."

강우가 말을 서둘렀다.

"신채린이 싫어하는 게 뭐야?"

—……어? 글쎄? 그건 왜?

갑자기 백강우가 신채린에게 관심을 보이자 은수가 의아해했다. 2월에 신채린을 구박해 달라는 부탁을 했을 때에도 그녀가 싫어하는 것이 뭔지 묻지 않던 강우가 이제 와서 왜 묻는지 이해할 수 없었다. 분명 얼마 전에 백강우는 신채린을 더 이상 이유 없이 괴롭히지 않겠다고 선언했는데 말이다.

은수가 의아하게 되묻자 차마 신채린이 백강우에게 사랑 고백을 했다고 솔직하게 말할 수도 없어 강우는 속만 답답했다. 그가 한숨을 겨우 참고 태연한 척 말했다.

"싫어하는 걸 알려 줘야 태울 거 아니야?"

—안 태울 거라며?

"하지 마?"

의심을 받지 않게끔 강우는 일부러 세게 나갔다. 백강우가 한 입으로 두말하는 친구가 아닌데, 하면서 은수가 머뭇머뭇 대꾸했다.

—아니…… 근데 뭐, 아버지도 그렇고 다들 조금씩 포기했어. 태워 주면 우리야 고맙지만.

"그래서 싫어하는 게 뭔데?"

─걔가 싫어하는 거…….

잠시 말을 멈추고 은수는 곰곰이 생각해 보았다. 사촌 동생이 싫어하는 거라…… 그런 건 한 번도 생각해 본 적이 없었다. 자신이 알기로, 신채린이 싫어하는 건 별로 없었다. 아니, 자신이 관심 없었던 걸 수도 있겠다. 어렸을 적부터 채린은 싫어하는 것도, 두려워하는 것도 별로 없었던 것 같다. 기껏해야 밤중에 무서운 꿈을 꾸었다고 울었던 것쯤일까?

─귀신?

강우의 눈가가 일그러졌다. 조은수도 쓸모가 없었다. 수술 준비를 해야 한다니, 보내 주는 편이 낫겠다.

"끊는다."

전화기 너머로 은수가 뭐라 뭐라 항변했으나, 강우는 빠르게 전화를 끊고 나서 한숨을 푹 뱉었다. 귀신을 싫어한다고? 그러면 백강우가 귀신 분장이라도 해야 하나? 하여튼 예전의 부탁도 그렇고 조은수는 백강우 인생에 도움이 되지 않는다.

한편, 의국을 나온 채린 역시 강우와 마찬가지로 한숨을 내쉬었다. 강우의 거절은 실망스러웠지만 생각보다 채린의 기분은 나쁘지 않았다. 백강우의 거절이 진심이라는 생각이 들지 않아서였다.

'나 혼자 착각하는 걸까?'

거절을 거절로 받아들이지 않는 건, 아픈 마음을 보호하기 위한 현실 도피일지도 모른다. 그래도 채린은 더 이상 복잡하게 생각하고 싶지 않았다. 그녀는 환자를 보기 위해 응급실 안쪽으로 들어갔다.

채린을 기다리고 있던 환자는 일고여덟 살 정도 되는 남자아이였다. 아이의 어머니로 보이는 보호자가 대신 설명했다.

"우리 애가 그제부터 계속 토하고 설사를 해서요. 동네 내과 가서 약 지어 먹었는데 설사는 멎었지만 배는 계속 아프다고 하구요. 병원 오기 전에 토했어요. 열도 나는 것 같아서……."

걱정이 묻어나는 눈길로 아이 엄마는 아이와 채린을 번갈아 보았다. 채린은 일단 문진부터 시작했다. 아이들의 복통은 대부분 배탈이나 변비로 인해 일어났다. 토하고 설사를 한다는 설명대로라면 변비보다 배탈, 그러니까 급성 위장관염이 동시에 온 모양이었다.

"어디가 아프니?"

"여기요."

하얀 가운을 입은 의사는 아이에게도 권위를 가졌다. 아이는 훌쩍거리면서도 정확하게 대답하려 노력했으나, 두루뭉술하게 상복부를 쓸 뿐이었다. 채린은 아이가 매만지던 부분을 지그시 눌러 보았다.

"여기?"

"으앗! 아파!"

그때, 깜짝 놀라서 소리를 지른 아이가 고개를 끄덕였다. 아픔이 지속되는지 환아는 눈물을 뚝뚝 흘렸고, 아이 어머니는 안절부절못했다. 채린은 자체적으로 내린 급성 위장관염이라는 병명을 수정했다. 압통이 강하게 느껴지는 증상은 단순 위장관염보다는 충수염일 확률이 높았다. 아이 엄마가 아들의 눈물을 닦아 주고 나서 초조하게 물었다.

"내시경 해 봐야 하나요? 식욕이 없어서 아침부터 안 먹기는 했는데요."

"으음…… 아뇨. 일단 혈액 검사랑 소변 검사부터 해야 합니다."

환아가 모호한 부분을 가리키기는 했으나, 우측 상복부 역시 충수염 통증이 느껴지는 부분이었다. 혈액 검사와 소변 검사로 확인을 마친 다음, CT 촬영을 해 보면 확진이 될 것이다. 채린은 간호사에게 혈액 샘플 채취를 부탁하고 몸을 돌렸다. 주사기 비닐을 뜯는 소리가 사라지더니 주삿바늘을 본 아이가 울음을 터뜨렸다.

채린이 다른 환자를 보러 걸음을 옮길 때였다. 등 뒤로 시선이 느껴졌다. 뒤쪽에는 너스 스테이션이 있었다. 누구의 시선인지 알 수 있었다. 어느 순간부터, 신채린은 다른 사람들과 백강우의 시선을 구분하게 되었다. 그게 사랑의 힘 덕분인지, 아니면 하도 그에게 혼이 나서 그런 건지는 모르겠지만.

재희가 힐끔, 뒤를 곁눈질하고는 채린에게 소곤거렸다.

"야, 너 뭐 잘못했어?"

"아니?"

"근데 치프 선생님이 왜 널 죽일 듯이 노려봐?"

백강우의 강렬한 눈빛은 사정을 모르는 다른 사람들에게 무시무시하게 비추어졌다. 그럴 만도 했다. 3월부터 백강우가 신채린을 얼마나 괴롭혔던가? 이미 응급실 의료진들에게 백강우와 신채린은 갑과 을, 포식자와 피식자, 무서운 선배와 불쌍한 후배였다. 포지션이 바뀐 줄도 모르고 말이다.

"글쎄?"

재희는 전과 달리 여유 만만한 채린을 이상하게 바라보다가 자리를 떴다. 하지만 신채린은 전과 다르게 덜덜 떨지도, 긴장하지도 않았다. 오히려 그녀는 백강우의 시선을 즐겼다. 그가 계속 자신만을 바라보는 것에 기이한 만족감까지 느껴졌다.

1년 차에게 주어진 경증 환자를 세 명 정도 진찰했을 즈음이었다.

"선생님!"

인턴이 손을 번쩍 들고 채린을 불렀다.

"네?"

"이영후 환자 랩 결과 나왔습니다."

아까 복통으로 내원한 아이의 검사 결과가 나온 모양이었다. 채린은 걸음을 서둘렀다. 인턴이 건네주는 검사 결과지를 쭉 살핀 그녀는 예상대로 나온 결과에 덤덤하게 고개를 끄덕였다. 아이는 염증이 있는지 백혈구 수치가 증가되어 있었다. 대신 소변 검사 결과는 모두 정상이었다. 채린은 머리를 맞대고 있는 인턴에게 빠르게 지시했다.

"에피가스트릭(Epigastric, 상복부) TD(Tenderness, 압통)도 있는 걸 보면 압뻬(충수염) 같은데, CT방에 연락 좀 해 줄래요?"

"알겠습니다."

후다닥 멀어져 가는 인턴에게서 시선을 떼기 무섭게 보호자가 불평 섞인 투로 채린에게 말을 붙였다.

"선생님, 애가 너무 아파하는데요."

환아는 안색이 창백해진 채로 식은땀을 흘리고 있었다. 이미 아이의 눈가는 눈물로 얼룩졌고, 고통으로 얼굴도 일그러졌다.

"너무 오래 방치하시는 거 아닌가요? 응급실에 온 지 벌써 두 시간쨴데…… 진짜 이러다가 우리 애 어떻게 되면……."

"걱정하지 마세요. 검사 결과는 괜찮습니다."

채린이 빙그레 미소를 지었으나 보호자의 뚱한 표정은 쉬이 가시지 않았다.

"진통제 놔 드릴게요."

보호자를 달래고 나서 뒤로 고개를 돌린 채린이 간호사에게 진통제를 링거 수액에 섞어 달라고 부탁했다.

주사가 들어가는 것을 불만 가득한 눈빛으로 바라보던 보호자는 채린에게도 불신의 시선을 보냈다. 아이가 이토록 힘들어하는데 의사인 채린의 태도는 느긋하기만 하니 마음에 들지 않았다.

하지만 채린은 중증 외상 환자가 아닌 이상 병이 급박하게 진행되지 않는다는 점을 알고 있었고, 초조해하기보다 침착하는 편이 의사로서 낫다고 생각했다. 두 사람의 생각 차이가 의사와 보호자 사이를 멀어지게 만들었다.

"아이가 복부 CT 찍어야 할 것 같아요."

"CT요?"

생각지 못한 일이라 보호자는 당황했다. 기껏해야 위 내시경을 하지 않을까 싶었는데, CT 검사라고 하니 덜컥 겁이 났다. 아이 엄마가 담당 의사인 채린에게 설명을 요구하려던 때였다. 채린이 간호사에게 다시 말을 붙였다.

"가만히 있어야 하는데 아이라…… 미다(Midazolam, 미다졸람·

진정제)를 줘 볼까요? 빨리 찍어야 하니까요."

"유아도 아니고 말이 통할 테니까 일단 한 번은 찍어 보시는 게 어떨까요?"

1년 차 간호사인 선미가 조심스럽게 의견을 냈다. 진통제가 들어가면서 아이는 몸을 더 이상 뒤틀지 않았다. 이 정도면 CT를 찍는 데 무리가 없을 것이다. 그때, 인턴이 달려왔다.

"선생님, CT방으로 가시죠."

"네."

마침 CT 자리도 났고, 일이 술술 풀렸다. 하지만 채린의 마음과 달리, 아이가 탄 이동식 침대를 밀면서 아이 엄마는 불안한 시선을 거두지 못했다. 아무리 불친절한 응급실이라지만 이 젊은 의사는 아이의 병에 대해 제대로 설명해 주지 않았다. 그저 무슨 검사가 필요하다는 말만 반복할 뿐이었다. 채린을 향한 불만이 차곡차곡 보호자의 가슴에 쌓였다.

CT 촬영실로 가면서 채린은 기분이 나빠 보이는 보호자를 곁눈질했다. 보호자의 불안을 이해하지 못하는 건 아니었지만 왜 이렇게 불만스러워하는지는 이해가 가지 않았다.

"또 주사 맞아요?"

진통제 덕분에 한결 나아진 안색으로 아이가 물었다. 자잘한 검사도 끝났겠다, 주사는 수액이 들어가고 있는 정맥 주사 단 한 번으로 끝이었다. 이제 확보해 둔 정맥 라인에 CT 촬영용 조영제를 투여하기만 하면 그만이었다.

"아니? 가만히 있기만 하면 돼. 움직이지 말고. 할 수 있지?"

"진짜죠?"

아이 역시 의사를 불신하고 있었다. 아이들의 불신은 귀여웠다. 또 아픈 주사를 맞게 하지 않을까, 쓴 약을 먹게 하지 않을까 하는 1차적인 불신이기 때문이었다.

CT를 찍기 전에, 채린이 보호자에게 시술 동의서를 내밀었다. 시술 동의서를 보자마자 보호자의 미간이 홱 좁아졌다.

"이건 뭐죠?"

"아! 그게, CT를 찍으려면 조영제를 맞아야 해요. 그래야 더 잘 보이거든요."

금쪽같은 자식에게 무슨 일이 일어날지 몰라, 아이 엄마는 동의서를 꼼꼼하게 읽었다. 마음에 들지 않는 단어들이 잔뜩 들어가 있는 동의서였다. 웬만해서는 이런 동의서에 서명을 하고 싶지는 않았다. 점점 어두워지는 보호자의 안색에 채린이 바로 설득에 나섰다.

"조영제 부작용이 올 확률이 있어서 원칙적으로 동의서를 받고 있습니다."

"부작용이요?"

서류로 읽는 것과 의사가 직접 하는 말은 차원이 달랐다. 부작용이라는 소리에 보호자는 덥석 겁을 집어먹었다. 떨떠름한 눈치로 보호자가 서명을 꺼려하자, 채린이 걱정 말라는 듯 아이 엄마를 안심시키기 시작했다.

"네, 거의 없지만요. 이걸 작성해 주셔야 저희가 CT를 찍을 수 있어요."

보통 이 정도 설득을 하면 보호자들은 동의서를 흔쾌히 작성해 주곤 했다. 하지만 이번에는 조금 달랐다. 아까부터 불만을 겉으로 표현하던 보호자는 참다못해 채린에게 한마디 하고 말았다.

"선생님, 왜 CT를 찍는지도 말씀 안 해 주셨잖아요."

"아……."

그제야 채린은 자신이 보호자에게 제대로 설명하지 않았음을 깨달았다. 꼭 뒤통수를 망치로 맞은 느낌이었다. 그동안 이렇게 생각 없이 환자와 보호자를 대한 적이 없었는데. 아이 엄마가 왜 의사인 자신에게 이토록 불만스러워하나 했더니, 결국 자신의 잘못이었다. 채린이 진심을 담아 사과했다.

"죄송합니다. 아이가 지금 맹장이 의심되어서 확진하려면 CT 촬영이 필요하거든요."

"맹장이요?"

뒤늦게 전해 들은 사실에 아이 엄마가 눈을 동그랗게 떴다. 단순히 배탈이 난 줄 알았는데, 그게 아니었다. 어린 아이가 얼마나 아팠을까 싶어서 보호자의 얼굴에 근심이 가득 올라왔다.

"네, CT로 확인해 보고 계속 말씀드릴게요."

채린이 미안해하자 아이 엄마의 기분이 조금은 풀어진 듯 보였다. 하지만 채린은 가슴 한구석이 무거웠다.

이틀 전부터 채린은 백강우의 일거수일투족에 예민하게 반응하느라 정신이 없었다. 이틀 동안 오늘처럼 또 깜빡 빼먹은 일이 있지 않을까 생각하자 눈앞이 캄캄해졌다. 온 신경을 진료하는 데 써야 하는데, 신경의 반쯤을 백강우에게 몰아 두었더니 이런 일이 일어나고 말았다. 그때 그녀의 상념을 깨뜨리듯 콜폰이 울렸다.

"CT 결과 나오면 불러 주세요."

그 말을 남기고 채린이 전화를 받았다.

"네?"

—선생님, 잠깐 접수처로 와 주세요.

접수처에서 전공의 하나를 굳이 지목할 일은 거의 없었다. 채린은 의아해하면서 바로 접수처로 나갔다. 접수처 바깥쪽에서 채린을 기다리던 간호사가 손짓을 보냈다.

"무슨 일이……."

그러나 채린의 말은 끝까지 이어지지 못했다. 웬 덩치 좋은 남자가 채린의 앞을 떡하니 막아선 탓이었다. 남자의 우락부락한 팔이 채린의 목으로 휙 뻗어졌다. 깜짝 놀란 채린이 뒤로 한 걸음 물러섰다. 남자의 손이 허공에서 주먹 쥐어졌다. 그는 채린의 멱살을 잡으려고 한 모양이었다.

채린은 다짜고짜 멱살을 잡힐 뻔했으나 이미 눈치 빠른 간호사가 보안 요원을 대동하고 나타났다. 보안 요원이 채린과 남자 사이에 자리를 잡고 경고했다.

"이러시면 안 됩니다."

남자는 보안 요원의 말을 들은 척도 하지 않았다.

"네가 우리 어머니 집에 그냥 보냈냐?"

순간, 채린은 뚜껑이 반쯤 열렸다 닫혔다. 보자마자 폭력에 반말이라니? 결코 마음 약한 성격이 아닌 신채린 역시 욱하고 울화가 치밀었다.

"뭡니까, 대체?"

"골절이라잖아, 골절! 뼈가 부러진 것도 못 찾아내는 게 의사는 무슨 의사야?"

채린은 남자의 말이 곧장 이해되지 않았다. 요 근래, 자신은 이렇게 덩치 좋은 젊은 남자를 진찰한 적이 없었다. 그리고 아무리 봐도 남자는 골절상을 입은 환자 같지가 않았다. 그녀가 눈을 가늘게 뜰 무렵이었다. 60대 초반의 여자가 기겁을 하며 달려오더니 남자의 등짝을 후려갈겼다.

"그만해라!"

덩치 큰 남자를 때린 여자는 채린도 아는 얼굴이었다. 며칠 전에 자신이 진료를 본 환자였다. 등짝을 맞은 남자가 씩씩거렸다.

"어머니도, 가만히 있으면 우리만 바보 된다고요! 의사 놈들이 얼마나 날강도들인데요!"

단숨에 날강도가 되어 버린 채린이 남자에게 황당한 시선을 보냈다. 다행히 남자의 어머니는 정상인이었다.

"아유, 선생님! 죄송합니다."

서류 봉투를 품에 안은 여자가 반복해서 고개를 수그렸다. 아들의 무례한 행동에 화가 머리끝까지 난 양, 그녀의 얼굴은 붉어져 있었다.

이 환자는 며칠 전에 갑작스러운 가슴 통증으로 내원한 환자였다. 엑스레이 상에 골절이 잡히지 않아 협심증이나 식도염 등 내과적인 질환을 의심했으나 모든 검사 결과, 환자는 고령임에도 불구하고 건강했다. 채린은 미세 골절이라고 여기고 환자에게 참을 수 없이 아프다 싶으면 근처 정형외과에 내원하라는 언질만 주었다.

"골절 진단 내려졌어요?"

"어제 드라마를 보다가 너무 웃었는데 아파서…… 선생님이 그 때 아프면 병원 가서 다시 사진 찍어 보라고 했던 말이 떠올라 가지고."

"그래도 다른 데 이상 있는 게 아니니 다행입니다…… 만."

채린이 싸늘한 시선으로 보호자를 쳐다보았다. 남자는 이 상황이 마음에 들지 않는지 고개만 홱 돌렸다. 응급실에서 큰소리를 치는 사람의 대다수는 남자였다. 예전에는 주취자나 행려병자인 중년 남성들만이 유난하게 행동했다면, 요즘은 젊은 남자들도 이상한 피해의식에 사로잡혀 소동을 벌인다고 응급실에서 오래 근무한 간호사들이 설명해 주었다. 이 남자도 후자와 같은 부류였다. 의사는 사기꾼이라는 이상한 피해 의식을 가진 젊은 남자 말이다.

"응급실에는 무슨 일이세요?"

"아, 보험 때문에 병원 기록 떼러 왔다가 이놈이…… 미안하게 됐어요."

환자가 다시 사과를 하고 해프닝은 쉽게 끝이 났다. 세게 나가야 한다는 둥, 큰소리를 쳐야 무시하지 않는다는 둥 아들은 어머니에게 항변을 했으나 어머니는 들어주지 않았다.

멀어져 가는 모자의 뒷모습을 지켜보던 채린은 한숨을 내쉬었다. 환자나 보호자들은 병원과 의사를 진심으로 신뢰하지 않았다. 의사 집안에서 자란 채린으로서는 이해가 가지 않는 일들이었다.

"이상한 사람 진짜 많죠?"

이 소동을 함께 겪은 간호사가 채린을 위로해 주었다. 채린은 말없이 미소만 지었다. 만일 남자의 어머니가 나서지 않았더라면 자신 역시 목소리를 높였을지도 모르겠다. 채린은 간호사와 보안 요원에게 인사를 하고 응급실 안으로 무거운 걸음을 옮겼다.

얼마 지나지 않아 CT 촬영 판독이 끝났는지 전화가 왔다. 채린은 기다렸다는 듯이 영상의학과 전공의의 연락을 받았다.

"네, 선생님!"

―CT 결과 나왔습니다.

"가겠습니다."

곧장 CT 촬영실로 향한 채린은 자신의 진단을 확신했다. 복부 CT 결과, 자그만 충수 돌기가 뿔이라도 난 양 위로 삐죽 튀어나와 있었다. 이게 다른 장기를 자극해서 아이가 구토와 설사, 복통 등에 시달린 모양이었다. 보통 사람들은 충수염, 즉 맹장을 쉽게 생각하지만 이는 사실 응급 수술을 요하는 질환이었다. 채린은 소아외과에 연락을 하고 검사 결과를 애타게 기다리는 보호자에게 돌아갔다.

"어머님, 맹장이 확실해져서 수술을 해야 합니다."

"네?"

수술이라는 단어에 보호자가 눈을 크게 떴다. 채린은 보호자에게 이번에는 제대로 설명해 주기 시작했다.

"으음…… 여기 이건데요."

유난히 하얗게 빛나는 부분을 채린이 가리켰다. 보호자가 눈을 가늘게 뜨고 염증으로 부푼 충수 돌기를 쳐다보았다.

"이거를 잘라 내야 합니다."

충수 돌기를 진정시키는 비수술적 방법, 즉 항생제 요법도 있으나 이는 시간도 오래 걸리고 확실하게 치료된다는 보장이 없었다. 게다가 치료가 된다 하더라도 언제 또다시 염증이 생길지 몰라 대부분은 깔끔하게 떼어 내는 외과적 수술을 선호했다. 아이 엄마는 누워 있는 아이를 돌아보고는 어쩔 줄 몰랐다.

"그럼 지금 당장 수, 수술을 해야 한다고요?"

"네. 외과 선생님께 말씀드렸으니 오실 거예요."

"갑자기 수술이라니……."

아이의 상태도 상태지만, 작고 어린 자식의 몸에 칼자국이 남는다는 상상을 하자 보호자의 눈시울이 붉어졌다.

"흉이…… 많이 지겠죠?"

"흉터는 너무 걱정하지 마세요. 요즘은 작은 구멍만 내서 복강경으로 수술하니까요."

채린의 말에 보호자가 고개를 끄덕였다. 수술해야 하는 운명인지도 모르고 환아는 진통제에 의지한 채 휴대폰 게임에만 매진했다. 그래도 수술이 잘 되어서 건강하게 퇴원할 것이다.

"참, 저희 애가 아까 그 조영제? 그걸 맞았을 때부터 몸이 뜨겁다고 했거든요. 이게 부작용 아닌가요?"

보호자는 언제 걱정에 빠져 있었냐는 듯 채린을 미심쩍게 바라보며 물었다. 조영제 부작용에 관한 시술 동의서가 아직 마음에 걸려서 그런 듯했다. 채린은 휴대폰 게임에 빠져 있는 아이를 다시 곁눈질했다. 아무리 봐도 심각한 부작용이 온 상태는 아니었다.

"부작용이라기보다 그런 경우가 간혹 있어요. 어린 아이라 혈관이 얇아서 그런 거니까 조금 기다리시면 괜찮아질 거예요."

보호자는 여전히 못 미더운 눈치였으나 어쩔 수 없이 고개를 끄덕였다. 의사에게 불신을 갖는 이유 중 하나는 무지 때문이었다. 보통 사람들은 의학 지식을 갖고 있지 못했고, 대형 병원 의사 집단의 이미지 또한 부정적이다 보니 덮어놓고 의심부터 하는 셈이었다.

환자를 소아외과 세부 전문의에게 인계한 뒤에야 채린은 참아 왔던 한숨을 내쉴 수 있었다.

'지친다…….'

자신을 믿지 못하는 사람을 설득하고 다니는 건 힘든 일이었다. 잔뜩 지친 채린에게 손을 내민 사람은 바로 위 선배인 안다정이었다. 다정은 피곤해 보이는 채린에게 커피를 권했다.

"신 선생, 잠깐 커피 마실래?"

"아…… 네."

잠깐 숨을 돌리고 싶어서 채린은 다정을 따라 나섰다. 커피 자판기에서 각자의 취향대로 커피를 뽑은 후, 두 의사는 지친 몸을 벽에 기대었다. 다정은 블랙커피를 마시면서 멍하니 허공만 바라보았다. 복잡한 머리를 식히기에는 아무 생각 없이 멍하게 있는 게 최고였다.

먼저 입을 연 쪽은 채린이었다.

"선생님, 저……."

주변을 둘러본 채린은 아무도 그들에게 관심이 없음을 확인한 후, 목소리를 낮추어 속삭였다.

"치프 선생님한테 제대로 고백했어요."

신채린이 백강우를 짝사랑한다는 사실을 아는 사람은 현재로서는 당사자 둘과 안다정뿐이었다. 커피를 마시다 말고 다정이 입술에서 종이컵을 떼어 냈다.

"언제?"

"엊그제요."

"잘됐어?"

"당연히 거절하셨죠."

"그래?"

　안다정은 사람이 아니라 로봇인지 놀라는 기색도 보이지 않았다. 내심 선배가 깜짝 놀랄 줄 알았는데, 채린은 김이 샜다. 자신의 고백으로 인해 강우가 당황하는 모습을 봐서 그런지 채린은 백강우보다 안다정이 더 감정 기복이 없는 느낌이었다. 채린은 달콤한 커피를 한 모금 마시고 속에 담아 둔 말을 꺼냈다.

"선생님이 저 절대 거절 안 당할 거라고 해서 좀 기대했는데……."

　그런데 차였다. 물론 진심으로 차였다는 생각은 들지 않았지만.

"미안. 내가 치프 선생님이었다면 신 선생 절대 거절 안 했을 거야."

　제멋대로 백강우의 마음을 넘겨짚었다가 실패한 다정이 난처한 표정으로 사과했다. 그러나 채린은 절대 거절하지 않았을 거라는 다정의 말만으로도 기분이 좋아졌다. 그리고 사실, 백강우는 고백을 거절했지만 거절한 것 같지 않게 행동하고 있었다.

　채린이 두려워한 일은 강우에게 고백한 순간 차갑게 내쳐지는 상황이었으나 그런 상황은 현실에 일어나지 않았다. 오히려 그는 거절의 말을 질질 끌었고, 고백한 이후로 그녀를 무척 의식하기 시작했다. 이것만으로도 진일보했다고 채린은 씁쓸한 마음을 달랬다.

겉으로 내색하지 않았지만 다정은 놀란 마음을 추스르고 다시금 커피를 마셨다. 그러고 보니 어제 오늘, 치프인 백강우의 태도가 이상했던 것도 같다. 신채린만 보면 잡아먹으려고 들던 사람이 웬일인지 조용했다. 아니, 조용하다 못해 백강우는 신채린을 피해 다니는 듯했다. 예상치 못한 채린의 고백이 백강우의 기세를 한풀 꺾었나 보다.

"아, 그래서 치프 선생님이 신 선생 피해 다니는구나?"

"……눈치채셨어요?"

다정은 대답 대신 미소만 지었다. 그러나 내막을 알았다고 해서 그녀가 제3자들에게 이 이야기를 할 일은 없었다. 다정은 남은 커피를 단숨에 마시고 예리하게 지적했다.

"그런데 신 선생은 별로 상심한 것 같지 않은데?"

"다시 시작하면 되니까요."

가능성이 0%라고 생각했던 때보다는 훨씬 나은 상황이었다. 백강우의 짝사랑 상대가 유성준이라고 여기고 절망했던 때와 지금은 차원이 달랐다. 게다가 채린은 자신을 향한 강우의 시선마저 즐기고 있었다. 백강우는 이제 신채린을 평범한 후배 대하듯 대하지 못했다. 백강우에게 신채린은 여자가 되고 말았으니까.

다정은 앞만 보고 달리는 후배를 신기하게 응시했다. 포기라는 단어를 모르는 사람처럼 채린은 진취적이고 긍정적이었다. 3월, 주눅이 들어 있던 모습과 현재의 모습은 다른 사람 같았다. 어느 쪽이 진짜 신채린의 성격일까? 다정은 후자라고 생각했다. 그동안 채린은 1년 차 전공의로서 자신의 성격을 눌러 가며 버티고 있었던 모양이었다.

다 비운 종이컵을 휴지통에 버린 다정이 먼저 몸을 벽에서 떼었다.

"난 그만 들어갈게."

"네, 저는 조금⋯⋯."

채린이 남은 커피의 양을 살피며 말할 즈음이었다. 시끄러운 소리를 내며 구급차가 두 대 연달아 들어왔다. 잠시나마 여유를 가졌는데, 구급차의 사이렌 소리에 여유가 사라지고 정신이 반짝 들었다. 채린은 뜨거운 커피를 부랴부랴 마시다가 혀를 데고 눈살을 찌푸렸다.

"DOA(Dead On Arrival, 도착 시 사망) 환자입니다."

"보행자 TA(교통사고) 환자요!"

구급차 문이 열리고 두 대의 스트레처(이동식 침대)가 바깥으로 나왔다. 채린이 혀를 빼문 채 눈을 찡그리고 있을 무렵, 그녀의 곁을 강우가 스쳐 지나가면서 지시를 내렸다.

"그쪽은 은민이가 봐라. 이쪽으로 오세요."

이미 응급 환자 발생 연락을 받은 강우는 구급차 도착 시간에 맞추어 응급실 밖으로 나왔다. 강우는 교통사고 환자에게 직행했다. 4년 차 치프가 이미 사망한 환자를 마중 나갈 일은 없었다. 대신 사망한 환자에게는 인턴이 붙었다. 인턴은 이제 환자의 사인을 알아내기 위해 응급실 과장에게로 연락을 취할 것이다.

자신도 뭔가 해야 할 것 같아 채린이 강우를 힐끔거렸으나 그의 시선은 환자에게만 향해 있었다. 훈련된 대로 다정이 강우의 옆에 붙었으니, 신채린까지 달라붙었다가는 복잡해질 것이 분명했다. 좀 더 빨리 마실걸. 채린은 뒤늦게 비운 종이컵을 구겨 버렸다. 혀가 덴 부분이 깔깔했다.

두 대의 스트레처가 응급실 안으로 줄지어 들어갔다. 인턴 수련 중인 이은민이 심전도계를 사망한 환자의 앙상한 몸에 겨우 부착했다. 한 번의 움직임도 없이 모니터에는 일자 선이 그려졌다.

"할머니가 신고하셨어요. 목욕하고 돌아와 보니 할아버지가 쓰러져 계셨다고요."

슬퍼하는 할머니의 곁에서 구급대원이 대신 설명을 해 주고 자리를 떴다. 은민이 조심스럽게 보호자에게 물었다.

"지병 갖고 계셨어요? 뇌, 심장, 당뇨, 고혈압…… 뭐든."

"당뇨가 있고…… 혈압이 조금 높았어요."

보호자인 할머니는 양손에 얼굴을 묻고 흑흑 흐느꼈다. 그 시간, 죽은 자가 누워 있는 침대 옆에는 사선을 넘나들며 사투를 벌이는 환자가 있었다. 차에 치인 환자는 머리가 깨져서 침대 밑으로도 핏방울이 뚝뚝 떨어졌다. 한 번 심장이 멎었으나 숙련된 의료진의 심폐 소생술이 이루어져서 다행히 환자의 심장이 뛰기 시작했다. 하지만 환자의 상태는 여전히 좋지 못했다.

"새츄레이션(Oxygen saturation, 산소 포화도) 78, BP(혈압) 60에 28, 펄스(맥박) 140입니다."

"일단 산소부터 줘."

안다정의 보고 다음으로 백강우의 목소리가 울리자 긴박했던 공기가 단숨에 침착해졌다. 환자의 심장이 돌아왔다는 소식까지 듣고 채린은 안도하면서 걸음을 돌렸다. 아까 충수염으로 내원한 환자의 차트 정리를 위해서였다. 혀끝이 까칠한 게 계속 거슬렸다.

"신 선생, 왜 그렇게 기운이 없어?"

너스 스테이션 구석에 앉아서 전자 차트 입력을 하던 채린은 등 뒤에서 들리는 목소리에 고개를 돌렸다. 성준이 만면에 미소를 띤 채로 채린을 내려다보고 있었다.

"아……."

왜일까? 채린은 히죽거리는 성준을 보자 그나마 남아 있던 기운이 더 빠져나갔다. 차트 저장을 하고 그녀는 의자에서 벌떡 일어나 성준을 경계했다.

"가까이 오지 마세요."

"정말 이러기야? 우리 사이에?"

"저랑 선생님이 무슨 사인데요!"

꼭 버려진 강아지처럼 성준이 불쌍한 척을 했으나 채린은 기겁하면서 한 걸음 물러났다. 분명 백강우가 유성준 근처에 가지 말라고 경고했었다. 백강우 치프가 4년 차 유성준을 좋아해서는 아니었고, 강우가 오히려 걱정한 쪽은 신채린이라고 했다.

다정의 말에 따르면 유성준은 눈치가 빠르고 교활한 타입이었다. 괜히 성준에게 말려들고 싶지 않아 채린은 성준과 거리를 두기로 결심했다.

"하긴 아무 사이도 아니긴 하지?"

성준이 씁쓸한 척 혼잣말을 중얼거렸다. 물론 채린도 똑똑히 들었으니 절대 혼잣말은 아니었다. 왠지 그가 외로워 보여서 채린의 마음이 잠깐 약해졌으나, 유성준이 불쌍한 것보다 백강우의 조언을 따르고 싶은 마음이 더욱 컸다.

"치프 선생님이, 유성준 선생님하고 붙어 있지 말랬어요."

"백강우가?"

"네. 더 이상 혼나고 싶지 않으니까 저 좀 무시해 주세요."

채린의 대답에 성준이 피식 웃었다. 신채린이 하나만 알고 둘은 모르는지 확인해 보고자 그가 느긋하게 입을 열었다.

"신 선생."

"네?"

"백강우가 왜 그런 말을 했을까 생각해 봤어?"

"……아뇨."

처음에는 백강우가 유성준을 좋아하는 줄 착각했었다. 백강우의 완강한 부정에 그게 착각인 걸 알게 되었지만, 사실 지금도 채린은 강우가 어째서 성준을 피하라는 조언을 했는지 온전히 이해하지는 못했다. 그때, 성준이 폭탄을 던졌다.

"신 선생, 백 치프 좋아하지?"

"네? 어, 그게, 어떻게……."

성준이 던진 말 폭탄은 채린의 심장에서 쾅 터졌다. 심장이 두근두근, 빠르게 뛰기 시작했다. 다른 사람에게 자신의 마음이 들키자 채린의 창백한 얼굴에 홍조가 올라왔다. 다정의 말마따나 4년 차 유성준은 눈치가 빨랐다.

"그저께 고백한 거 아니었어?"

심지어 성준은 정확한 시기까지 짚었다. 이 정도면 눈치를 챘다기보다 동기인 백강우에게 전해 들은 게 아닐까? 채린은 점쟁이가 따로 없는 성준을 의심스럽게 응시했다.

"……백강우 선생님이 말씀하셨어요?"

"백 치프가 그런 걸 말할 사람인가?"

성준이 한 번 떠본 말에 채린은 바로 걸려들었다. 그녀는 싱글싱글 웃는 선배의 얼굴을 한 대쯤 쳐 주고 싶었다. 스스로 이실직고했으니, 이제 아니라고 부정할 수도 없게 되었다. 채린이 불만스러운 표정을 지었다.

"눈치 정말 빠르시네요."

"칭찬이지?"

"글쎄요?"

입술을 삐죽거린 채린은 두루뭉술하게 대답했다. 유성준에게 여동생은 없으나 채린의 모습을 보며 그는 귀여운 막내 여동생을 보는 듯한 기분을 느끼곤 했다. 자신에 대해 솔직한 평가를 내리는 채린에게 성준이 목소리를 낮춰 속삭였다.

"신 선생, 백강우가 왜 신 선생보고 나랑 놀지 말라고 했는지 생각해 봐."

이런 인간이니까 놀지 말라고 했겠지…… 라고는 말할 수 없었다. 대신 채린은 성준에게 못 미더운 시선만 보냈다.

백강우나 신채린이나 놀리는 재미가 있었다. 놀리면 정색하는 백강우도 재미있지만, 놀리는 대로 반응하는 신채린 역시 귀여웠다.

성준이 싱글벙글 웃으며 덧붙였다.

"내 주변에 다른 애들이 와도 아무 신경 안 쓰면서 왜 신 선생한 테만 그럴까? 신 선생이 나하고 눈이라도 맞을까 봐 그러는 거 아니야?"

"네?"

그 순간, 채린의 눈이 동그랗게 커졌다. 백강우가 굳이 신채린에게 유성준을 경계하라고 말한 이유. 눈치가 빠르고 성격이 유한 성준은 후배들에게도 인망이 있었다. 강우 또한 티격태격하긴 해도 성준을 신뢰하고 있었다. 그러나 이는 전부 공적인 상황에서나 통하는 일이었다. 사적 영역으로 들어오면 어떻게 달라질까?

채린과 성준이 대화하고 있을 때마다 쫓아와서 훼방을 놓았던 강우는 무언가를 경계하는 눈초리였다. 처음에 백강우가 동성애자라고 착각했을 때는 신채린을 경계하고 있다고 생각했는데, 알고 보니 백강우는 유성준을 경계하고 신채린을 걱정했다. 그리고 백강우가 유성준을 경계해야 할 이유는······.

그러니까 지금, 유성준은 백강우도 신채린에게 마음이 있다고 돌려 말하는 건가? 갑자기 채린의 심장이 기대로 잔뜩 부풀어 올랐다.

하지만 채린은 고개를 저었다. 이는 자신의 바람일 뿐이었다. 백강우가 신채린을 싫어하는 건 아니지만, 그렇다고 해서 백강우가 신채린에게 호감 이상의 감정을 가지고 있다고 확신할 수는 없었다.

"······저 거절당했어요."

"그래?"

유성준 역시 안다정처럼 별로 놀라지는 않았다. 그럴 줄 알았다는 양 고개를 끄덕이는 성준을 보자 채린은 울컥했다. 성준이 채린을 놀리듯 물었다.

"그래서 백 치프 포기하기로 한 거야?"

"당연히 아니죠. 이제부터 시작입니다."

일단 백강우가 신채린을 싫어하는 건 아니었다. 정말 싫었다면 그는 엊그제 고백을 받자마자 경멸의 시선을 보내며 거절의 말을 가차 없이 뱉었을 테니 말이다. 이틀 동안 이어진 희망 고문에도 불구하고 결과는 거절이었지만, 강우의 머뭇거리던 태도 때문에 채린은 크게 상심하지 않았다. 오히려 고백을 한 덕분에 백강우에게 신채린의 이미지는 친구 동생에서 연애 상대로 올라가기까지 했다. 즉, 백강우가 신채린을 의식하기 시작했다.

"그러니까 잘 생각해 보라고. 내가 눈치가 조금 빠르잖아?"

"많이 빠르신데요."

"괜히 하는 소리 아니야."

성준은 화술도 좋아서 채린의 마음을 충분히 움직였다. 헛된 기대를 했다가 실망하고 싶지는 않은데 채린은 자꾸 성준의 짐작이 맞았으면 좋겠다는 생각이 들었다.

"저거 봐, 저거."

채린의 어깨 너머를 바라보던 성준은 그 말을 끝으로 쯧쯧 혀를 차면서 떠났다. 무슨 일인가 했더니 어느새 멀리서 백강우 치프가 눈살을 찌푸린 채로 그들을 지켜보고 있었다.

성준의 주장에 무게가 실렸다. 강우는 채린과 눈이 마주치자마자 고개를 홱 돌렸다. 성준의 말대로라면 백강우도 신채린에게 이성적인 마음이 없지는 않았다.

저번에는 2년 차 선배인 안다정의 말을 믿었었는데, 이번에는 4년 차 선배인 유성준의 말을 믿고 싶어졌다. 그때 채린은 다시 강우와 눈이 마주쳤다. 멀리서 탐색을 하듯 두 사람 모두 서로를 의식하고 있었다. 채린이 시험 삼아 일부러 활짝 웃어 주자 그가 머쓱한 표정으로 후다닥 자리를 떴다.

'진짜…… 야?'

채린은 믿을 수 없다는 표정으로 강우가 떠난 자리를 한참 동안 쳐다보았다.

백강우가 뒤로 물러난다면, 신채린이 앞으로 나서는 수밖에 없었다. 저녁 여덟 시, 당직 근무를 하지 않는 채린은 퇴근 준비를 하는 강우에게 다가가 발랄하게 물었다.

"선생님, 저녁 드셨어요?"

생글생글 웃는 채린과 반대로 강우는 난감한 듯 미간을 좁혔다. 그는 채린을 똑바로 바라보기가 어째 불편했다. 잔잔하던 심리 상태가 그녀를 보는 순간 안절부절못하게 바뀌는 탓이었다.

"……아니?"

그가 떨떠름하게 부정했다.

"퇴근하실 거죠? 오늘 당직 아니시잖아요. 그럼, 저랑 저녁 같이 드세요."

그녀가 빠르게 제안했으나 당연히 백강우는 칼 같이 잘랐다.

"신채린, 내가 말 안 했어? 나 너랑 사귈 마음 없어. 분명히 거절했다고."

"누가 아니래요? 저녁 좀 같이 먹는다고 사귀는 거 아니거든요."

이번에는 신채린도 지지 않고 받아쳤다. 보통은 무표정하던 강우였으나, 면박을 당하자 난처한 기색을 숨기지 못했다. 아무나 붙잡고 응급실을 뜨고 싶은데 하필이면 신채린 말고 주변에 아무도 없었다. 그가 한숨을 꾹 참고 말했다.

"공부나 해. 말일에 시험 보잖아."

"저녁은 먹고 해야죠."

이쯤 되면 신채린을 퇴치해야 할 것 같았다. 뭐가 있을까? 신채린이 싫어하는 것. 신채린의 사촌 오빠인 조은수는 그다지 도움이 되지 않았지만, 그래도 한 가지 약점을 알려 주긴 했다.

"숙소에 너무 늦게 들어가지 마."

"왜요?"

"전공의 숙소에 괴담 있는 거 몰라?"

괴담이라는 단어에 채린의 어깨가 움찔 움츠러들었다. 강우의 눈빛이 예리해졌다. 그러고 보면, 예전에도 그녀는 헛소리를 한 적이 있었다. 과로 때문인지 기절한 날, 그녀는 그에게 너스 스테이션에 귀신이 있다며 황당한 말을 했었다. 따지자면 신채린이 싫어하는 게 귀신이라는 은수의 말도 일리가 있었다.

"진짜요?"

"밤에 혼자 다니지 말고."

차마 진짜라고 거짓말로 대답하지는 못한 강우가 채린에게서 도망치기 위해 재빨리 걸음을 옮겼다. 응급의료센터 로비로 나온 강우는 뒤에 신채린이 따라붙든 말든 무시하기로 마음을 굳게 먹었다. 하지만 신채린은 한 번 물면 놓지 않는 짐승이었다.

"귀신 같은 거 믿지 말라던 게 누군데……."

그의 뒤를 쫓아가면서 그녀가 들으라는 듯 혼잣말을 했다. 그는 듣지 못한 척 긴 다리를 척척 옮겼다. 그녀 역시 끈질기게 그의 뒤를 따랐다.

"정문 앞에 새로 생긴 고깃집 가 보셨어요?"

"안 가 봤어."

저도 모르게 대답한 강우가 얼굴을 구겼다. 신채린을 무시하려고 했는데 그 다짐은 5분도 지나지 않아 와르르 무너졌다. 응급의료센터 건물을 나서기 직전, 그가 걸음을 멈추고 뒤를 돌아보았다. 양 뺨이 상기된 채린이 반짝거리는 눈으로 그를 올려다보고 있었다.

"잘됐다. 그럼 저랑 같이 가세요."

"내가 왜?"

무시하면 될 것을 백강우는 일일이 대꾸하고 있었다. 이상하게도 칼 같은 백강우는 신채린 앞에서 무뎌졌다. 그녀와 마주하고 있을 때마다 보드라운 입술의 감촉이 생생하게 기억이 나서 미칠 지경이었다. 그런 그의 마음을 아는지 모르는지, 그녀가 줄줄 말을 이었다.

"거기 다른 것보다 된장찌개가 엄청 맛있더라고요. 저번에 구재희 선생하고 가 봤는데 괜찮아서요."

신장개업한 삼겹살집에 1년 차들끼리 가 보기로 했는데 하나씩 계속 일정이 어긋나는 바람에 어쩔 수 없이 채린은 재희와 단둘이 고깃집을 방문해 보았다. 부유한 집안에서 곱게 자란 막내 손녀임에도 신채린은 음식을 가리지 않았다. 구재희보다 맛있게 된장찌개를 해치운 그녀는 찌개 맛에 반하고 말았다.

"그러니까 선약 없으시면 저랑 저녁 같이하자고요. 네?"

"……나 약속 있어."

"거짓말 티 납니다."

항상 당당하게 상대의 눈을 바라보면서 또박또박 말하던 백강우답지 않게 지금 그는 시선을 피하고 목소리 크기마저 낮춘 채 안절부절못했다. 게다가 선약이 있었으면 그는 처음부터 약속이 있다고 말했을 것이다. 백강우를 상대해 본 경험이 어느 1년 차보다도 많은 신채린은 단번에 그의 거짓말을 바로 파악했다.

신채린의 똑똑한 머리를 백강우는 엊그제부터 몸소 실감하고 있었다. 신채린은 백강우가 빠져나갈 구멍을 만들지 않았고, 백강우는 툭하면 신채린의 논리에 넘어가기 일쑤였다. 이번에도 또 채린에게 덜미가 잡힌 강우는 난감하기 그지없었다. 결국 그는 졸렬하게도 4년 차 선배로서의 권위를 이용하기로 했다.

"신채린, 너 내가 만만해?"

"아뇨, 좋아합니다."

슬프게도 졸렬한 방법 역시 실패였다. 신채린을 내쫓을 만한 방법이 없어서 답답해진 강우는 한 손으로 이마를 감싸 쥐었다.

"너 정말 왜 이러는 거야? 내가 분명히 거절했잖아. 지금 연애할 시간 없다고."

진심을 담은 강우의 말에 채린이 고개를 갸웃거렸다.

"선생님, 제 말은…… 연애가 아니라 저녁을 같이 먹자는 겁니다."

정말 의도가 그것뿐이냐고 강우가 미심쩍게 쳐다보았으나 채린은 사심을 숨기고 빙그레 미소를 지었다. 그래도 강우는 고개를 저었다.

"나 후문으로 퇴근해."

"아! 후문 쪽에도 콩나물국밥 엄청 잘하는 데 있어요. 거긴 안다정 선생님이 알려 주셨는데요……."

신채린은 철저하게도 후문 근처 맛집까지 꿰고 있었다. 강우는 두통이 밀려오는 기분에 눈을 길게 감았다 떴다. 그때, 로비를 지나가던 간호사가 두 사람을 보고 눈을 동그랗게 떴다.

"웬일로 두 분이 같이 퇴근하세요?"

백강우가 하도 신채린을 괴롭혀서 두 사람 사이가 썩 좋지 않다는 편견이 응급실 안에 만연했다. 채린과 하나로 묶이고 싶지 않은 강우가 고개를 저었다.

"같이 퇴근하는 거 아닙니다."

"다행이네요. 백강우 선생님이 밖에서도 신채린 선생님 태우시려나 했죠."

자신을 두둔해 주는 간호사에게 채린이 생긋 웃어 주었다. 반면, 강우의 미간은 살짝 일그러졌다. 지금 이 상황은 간호사의 생각과 달리, 백강우가 신채린한테 시달리고 있는 셈이었다. 강우는 깊은 한숨을 꾹 참았다. 간호사가 흘끗, 강우의 눈치를 보고는 부랴부랴

자리를 뜨기 위해 인사를 건넸다.

"그럼 안녕히들 가세요."

"네, 선생님도 들어가세요."

꾸벅 인사를 한 채린이 밝은 표정으로 강우를 돌아보며 말했다.

"저랑 사이좋은 척하시는 게 어떠세요?"

사이좋은 '척'이라니, 강우의 기분이 나빠졌다.

"내가 너랑 사이가 나빠? 왜 사이좋은 척을 해야 해?"

"그거야…… 다른 선생님들 눈에는 선생님이 툭하면 저를 태우시는 것처럼 보이니까요. 사이가 좋아 보이면 무슨 일이 생겨도 태우는 걸로 보이지도 않을 테고 오해받을 일도 없잖아요."

신채린은 쓸데없이 논리적이었고, 백강우는 할 말이 없었다. 이렇게 된 이상, 다른 응급실 의료진들과 마주치기 전에 나가는 편이 최선이라고 판단한 강우는 건물 밖으로 걸음을 옮겼다.

"알았으니까 일단 가."

"네!"

강우의 등 뒤에서 채린의 눈이 반짝 빛났다.

후문으로 퇴근한다던 백강우는 말과 달리 정문 쪽으로 걷고 있었다. 채린이 종종걸음으로 그의 옆에 붙어서 물었다.

"왜 후문으로 안 가세요?"

"거긴 안다정 선생이랑 갔다면서?"

"간 건 아니고, 추천만 받았어요. 전에 간 곳은 정문 쪽 고깃집인데……."

"됐어. 거기 가자며."

어쨌거나 백강우는 정문 근처 고깃집에 갈 생각이었다.

"그리고 나 콩나물 별로 안 좋아해."

무뚝뚝하게 걷던 강우가 한마디 덧붙이자 채린은 왠지 웃음이 나왔다. 채린이 아는 백강우는 필요 없는 말을 뱉는 편이 아니었다. 평소의 백강우라면 지금 와서 콩나물을 싫어한다고 굳이 말을 더할 필요가 없을 텐데 의외의 모습이 귀여웠다.

병원에서 10분 정도 걸어 내려온 두 사람은 새로 개업한 가게로 들어갔다. 새 가게라 외관과 인테리어 모두 깔끔했다. 이미 저녁 시간이 지나서 군데군데 테이블을 잡고 술자리를 즐기는 손님들만이 있었다.

벽과 맞닿아 있는 구석 테이블에 앉은 채린이 메뉴를 쭉 훑어보면서 말했다.

"오늘은 제가 살게요. 제가 억지로 모시고 온 거니까요."

"됐어."

아무리 그래도 4년 차가 1년 차에게 얻어먹는 건 어불성설이었다. 그러나 채린은 자신의 생각을 굽히지 않았다.

"선생님, 빚지고는 못 사신다면서요?"

애가 또 무슨 소리를 할까 두려워진 강우가 채린을 물끄러미 처다보았다. 그녀가 보란 듯이 눈웃음을 치고 앙큼한 속내를 드러냈다.

"이래야 다음에 선생님이 또 밥 사 주시죠."

"수작 부리지 마."

채린의 계산을 강우는 수작이라는 한 단어로 압축해 버렸다. 썩 불편한 단어는 아니었다. 실제로 신채린은 백강우에게 수작을 부리고 있었으니 말이다. 그녀가 말없이 뾰로통한 표정만 지어 보이자 그가 단호히 말했다.

"분명히 말했어, 너랑 잘해 볼 생각 없다고."

"……저 고기도 먹을래요."

듣지 못한 척, 채린은 된장찌개 두 그릇에 삼겹살 2인분까지 주문했다. 새로 손님이 들어오지 않아 가게는 별로 바쁘지 않았고, 그들은 기다릴 것 없이 음식을 받을 수 있었다. 고기를 불판 위에 올리며 채린이 농담을 건넸다.

"퇴근했으니까 한잔하실래요? 저 소맥 잘 말죠?"

"술 시키기만 해 봐."

백강우는 술에 치를 떨었다. 특히 소주와 맥주를 섞은 폭탄주는 무조건 사절이었다. 그 이유를 잘 아는 채린이 히죽거렸다.

고기가 다 구워질 무렵, 채린은 뚝배기에 담긴 된장찌개를 그릇에 덜었다. 강우는 말없이 저녁을 먹었고 테이블 주변 공기는 침체되어 있었다. 무거운 공기가 마음에 들지 않아, 채린이 입을 열었다.

"저요, 고3 때 선생님한테 반한 것 같아요. 모르셨죠?"

뜬금없는 소리에 강우의 손에서 힘이 풀렸다. 젓가락으로 집은 고기가 테이블 위로 툭 떨어졌다. 그는 자신이 잘못 들었다고 생각하려 애를 썼다. 그게 사실이든, 사실이 아니든 간에 처음 만났을 무렵에 반했다는 말은 낯간지러웠다. 어쩔 줄 모르는 그의 마음에 그녀가 쐐기를 쾅 박았다.

"첫사랑이라고요."

고등학교 3학년 때부터 마음속에 백강우 하나만 담았다는 건 아니지만, 첫사랑이라는 말은 사실이었다. 그 증거로 자신은 지금까지 그의 가운을 소중하게 간직하고 있지 않은가. 채린은 강우의 얼빠진 표정을 흥미진진하게 감상하다가 물었다.

"선생님은 제가 어디가 마음에 안 드세요?"

올곧은 채린의 시선을 피하며 강우는 떨어뜨린 고기를 냅킨으로 싸서 버렸다. 그녀는 대답 없는 남자를 앞에 두고 말을 계속했다.

"못생긴 것도 아니고, 멍청한 것도…… 선생님이 보기엔 어떨지 모르겠지만 저 전혀 안 멍청하거든요? 아, 그리고 저희 집에 돈도 많은데."

남녀 상관없이 모두들 신채린에게 호감을 가졌다. 가끔 못난 남자들은 채린을 연애 상대로 두기 부담스럽다는 소리를 저들끼리 지껄이곤 했으나 대체로 신채린은 호감을 사기 충분한 조건을 가지고 있었다. 자신감 넘치는 채린의 말에 강우가 헛웃음을 터뜨리고 대꾸했다.

"네가 이렇게 따질 줄 알고 저녁 안 먹겠다고 한 거야. 그만해."

"알겠습니다. 이제 말 안 할게요."

더 이상 강우에게 미움받고 싶지 않은 채린은 얌전히 그의 말을 따랐다. 신채린은 백강우의 철벽을 쉽게 넘을 수 없었다.

백강우는 보면 볼수록 신기했다. 환상을 갖기 쉬운 의사라는 직업에 빼어난 외모를 가진 남자를 여자들이 가만둘 리가 없었다. 일주일마다 애인을 바꿔 가며 즐거운 싱글 라이프를 즐겨도 무리 없을 남잔데, 그는 여자관계나 연애 관련해서는 하늘 높은 줄 모르고 철벽을 세웠다.

채린이 입을 다물고 고기만 뒤적거릴 즈음이었다. 갑자기 강우가 그녀를 불렀다.

"신채린."

"네!"

채린이 기다렸다는 듯 고개를 번쩍 들자 강우의 어깨가 움찔했다. 에너지 넘치는 그녀에게 종종 말려드는 느낌이 들어서 그는 깜짝깜짝 놀랄 때가 많았다. 그는 짐짓 태연한 척 말했다.

"네 말대로 넌 얼굴도 예쁘고 집안도 좋아. 1년 차답지 않게……."

"선생님."

대뜸 채린이 강우의 말을 끊었다. 그가 눈가를 찡그렸으나 그녀는 꿈을 꾸는 눈빛만 내비치고 있었다. 얘가 또 왜 이러나, 싶어서 그는 긴장하기 시작했다. 그녀가 젓가락을 내려놓고 나서 조심스럽게 부탁했다.

"다, 다시 한 번만 말씀해 주시면 안 돼요?"

백강우의 입에서 예쁘다는 말을 듣게 될 줄이야! 무심한 목소리로 설명하는 것뿐이었지만 신채린에게는 강우의 말이 꼭 달콤한 노랫말처럼 들렸다. 당연히 백강우는 황당한 눈빛으로 당장 거절했다.

"안 돼."

말 한 번 더 해 준다고 입이 닳는 것도 아닌데, 백강우는 절대 신채린의 부탁을 들어주지 않았다. 그의 까칠한 대답에 그녀는 시무룩해졌다.

"또, 넌 1년 차답지 않게 일도 잘해. 아쉬울 것 하나 없는 네가 왜 나한테 이래?"

강우는 채린에게 고백을 받은 순간부터 '왜 하필 백강우인지'가 궁금했었다. 백강우가 보기에 신채린은 아쉬울 것 하나 없는 사람이었다. 아직도 머릿속에 박혀 있는 그 큰 저택에, 얼마 전에 찾아온 조준기 교수에게 꽥 소리를 지르던 모습까지…… 신채린은 다른 세상 사람 같았다. 아쉬울 것 없는 신채린이 연애에 관심 없는 백강우에게 왜 연애 감정을 가졌는지, 그리고 거절에도 불구하고 그녀는 그를 왜 포기하지 않는지 이해가 되지 않았다.

하지만 채린은 눈만 깜빡거렸다. 전혀 생각해 보지 않은 질문이었다.

"뭐가요?"

"연애 같은 거 할 생각 없는 남자한테 목매는 거, 자존심 상하지 않아?"

"그게 왜 자존심 상하는 일이에요?"

채린이 되묻자마자 강우의 말문이 막혔다. 백강우가 신채린을 이해하지 못하듯, 신채린 역시 백강우를 이해하지 못했다. 꿈을 꾸듯 몽롱하게 반짝이던 그녀의 눈빛이 어느새 또렷해졌다. 그녀가 고개를 갸웃거렸다.

"감정 속이고 숨겨야 하는 게 더 자존심 상하는 일이라고 생각합니다. 저는 자신을 속이고 싶지 않아서요."

그녀의 지적이 그의 모순적인 마음을 쿡 찔렀다. 마치 그녀는 그에게 감정을 속이지 말라고 돌려 말하는 듯했다. 자신의 솔직한 마음을 외면하고 속이는 게 더욱 자존심 상하는 일이라고 말이다.

대화의 맥이 끊기자 채린은 불편해졌다. 너무 저돌적으로 말했나 싶어서였다.

"삼겹살 집인데 된장찌개가 더 맛있죠?"

힐끔, 강우의 눈치를 살핀 그녀가 내려놓았던 숟가락을 다시 들고 배시시 미소를 지었다. 그는 대답할 힘도 없는지 답답한 한숨만 내쉬었다.

채린은 술도 한잔하지 않고 삼겹살과 된장찌개를 남김없이 해치웠다. 신채린에게 얻어먹고 싶지 않은 백강우가 계산을 마치고 바깥으로 나오자, 그녀가 그에게 기습적으로 탈취제를 칙칙 뿌려 주었다. 깜짝 놀라 눈가를 찡그린 그에게 그녀가 씩 웃으며 말했다.

"저도 이제부터 빚지고는 못 사는 성격 할래요."

"무슨 소리야?"

"잘 먹었습니다. 다음엔 제가 사 드려도 되죠?"

애랑 또 둘이 밥을 먹으라고? 상상만으로도 힘겨워진 강우가 고개를 저었다.

"됐어."

하늘 높이 철벽을 세우는 강우를 채린이 복잡한 시선으로 바라보았다. 이 남자의 마음을 얻기까지 시간과 노력이 얼마나 들어갈까? 하긴, 노력하는 자가 천하를 얻는 법이다. 이제 겨우 고백한 지 이틀째였다. 갈 길이 멀고 험해도 벌써부터 꺾일 수는 없었다.

채린은 전공의 숙소로 돌아가기 위해 직진을 해야 했고, 강우는 후문 쪽에서 자취를 하기 때문에 왼쪽 길로 들어가야 했다. 오늘의 동행은 여기까지였다. 걸음을 멈춘 채린이 아쉬움 가득한 얼굴로 입을 열었다.

"조심히 들어가세요."

"두고 온 거 있어서 의국 가야 해."

그러나 백강우는 손목시계를 힐끗 보고는 뜻밖의 대답을 했다. 채린의 눈이 동그래졌다. 강우는 그녀의 반응을 애써 무시하고 병원 쪽으로 걸음을 옮겼다. 그녀는 그의 등을 가만히 바라보았다. 철두철미한 백강우 치프가 의국에 뭘 두고 왔을까?

'정말 두고 온 물건이 있는 걸까?'

현재 여기는 밤늦은 시간, 유흥가였다. 술에 취한 사람들이 벌써 거리에 드문드문 보였다. 응급실에 실려 오는 주취자들이 발견된 곳이 보통 이곳이기도 했다. 혹시 백강우는 신채린을 데려다주기 위한 핑계로 있지도 않은 물건 탓을 하는 건 아닐까…….

혼자만의 상상은 뭉게뭉게 머릿속에서 커졌다. 행복한 착각이라고 해도 좋았다. 그에게 따뜻한 관심을 받는 기분은 무척 좋았으니까.

뒤따라오는 소리가 들리지 않아 강우가 고개를 돌렸다. 멍하니 자신을 바라보는 채린을 발견한 그가 미간을 좁혔다.

"뭘 봐?"

"네? 아, 아닙니다."

에둘러 대답하고 후다닥 강우의 옆으로 달려간 채린은 미소를 지었다. 그의 옆에 나란히 걸을 수 있는 이 상황마저도 기뻤다.

'난 진짜 쉬운 여자야.'

쉽지 않은 남자를 힐끔거리면서 채린이 속으로 불평했다.

병원 정문을 지나자 채린은 이 동행의 끝이 다가와서 또다시 아쉬워졌다. 아무 대화 없이 걷기만 하던 그녀가 아쉬움을 이기지 못하고 강우에게 말을 붙였다. 그리고 확인할 것도 있었다.

"선생님, 제가 믿는 건 아닌데요……."

"뭘?"

"전공의 숙소에 괴담…… 어쩌다 생긴 건지 아세요?"

그녀를 쫓아내기 위해 일부러 귀신 이야기를 꺼냈던 강우는 머쓱해졌다. 신채린이 진짜 귀신을 무서워하나 보다. 어떻게 보면 조은수는 제대로 된 정보를 알려 준 셈이었다. 정보를 제대로 이용하지 못한 쪽은 백강우였던 거고.

강우는 불안해하는 채린을 슬쩍 곁눈질하고는 담담하게 대꾸했다.

"안 믿는다며? 신경 쓰지 마."

"그래도 좀 찜찜하잖아요."

무섭다는 말 대신 찜찜하다는 말로 채린은 자신의 두려움을 희석했다. 저번에 쓰러졌을 적, 백강우에게 바보 취급을 받았던 터라 무서워하는 모습을 숨겨야 했다. 귀신 같은 걸 믿느냐며 그가 한심해할 것 같았다.

"몰라. 인턴 때도 듣던 소문이니까. 입구에 귀신 있다고."

흡, 하고 채린이 저도 모르게 숨을 들이마셨다. 꽤 오래된 소문인가 보다. 소문이 오랫동안 지속되는 데는 그 소문을 눈으로 확인한 사람이 많기 때문일 것이다. 진짜 귀신이 있는 걸까? 채린은 점점 가까워지는 전공의 숙소 건물을 떨떠름하게 쳐다보았다.

"그렇…… 군요."

"그러니까 일찍 일찍 다녀."

"……네."

백강우와 함께라서 그런지 다행히 귀신은 머리털 하나 보이지 않았다. 채린이 주머니에서 숙소 출입용 카드를 꺼내자 강우가 기다렸다는 듯 말했다.

"들어가. 난 의국 갔다가 갈 거니까."

"네, 안녕히 가세요."

꾸벅 고개를 숙인 채린은 후다닥 숙소 출입문을 열고 들어갔다. 귀신이 쫓아올까 봐 서두르는 건지, 백강우의 시야에서 벗어나기 위해 도망치는 건지 알 수는 없었다. 유리문 뒤로 보이는 채린의 뒷모습을 응시하던 강우가 고개를 돌렸다.

'미치겠네.'

강우는 한숨이 끊이질 않았다. 신채린은 이틀 전에 사랑 고백을 해서 현실을 뒤흔들어 놓더니, 심지어 오늘은 백강우가 첫사랑이었단다. 기가 막혀서 말문이 다 막혔다. 자신이 기억하는 신채린은 왈가닥 고등학생, 그 정도였는데.

전공의 숙소에서 후문으로 가는 길에 응급의료센터 건물이 있었다. 의국에 갈 이유는 없었다. 두고 온 물건이라는 건 어두운 밤중에 신채린을 데려다주기 위해서 대충 만들어 낸 변명에 불과했다. 솔직하게 말했다가 그녀가 쓸데없이 기대를 할까 봐 일부러 핑계를 댔다.

그런데 웬일인지 오늘 당직 근무인 유성준이 건물 밖에 나와서 한숨을 푹푹 내쉬고 있었다. 성준은 강우를 보고 눈을 휘둥그레 떴다.

"퇴근 안 했어?"

"들어갈 거야. 넌 여기서 뭐해?"

"그냥, 속이 좀 답답해서."

웬일로 유성준이 진지해 보였다. 강우와 마찬가지로 성준도 체력이 중요한 전공의 수련을 시작하면서 담배를 끊었다. 바깥에 나와서 할 수 있는 일이라고는 한숨이나 내쉬고 멍하니 어두운 하늘을 올려다보는 것이 전부였다. 성준이 혼잣말을 중얼거렸다.

"슬슬 포기할 때가 됐나."

"뭘 포기해?"

담담한 동기의 질문에 성준이 눈썹만 까딱거렸다. 좋아하는 여자의 사랑을 듬뿍 받고 있는, 둔해 빠진 강우를 성준이 물끄러미 바라보다가 말을 돌렸다.

"넌 좋겠다."

"무슨 소리야, 뜬금없이."

그러나 성준은 능숙하게 또 화제를 바꾸었다.

"공주님, 왜 찾어?"

다시 커진 채린의 존재감에 강우의 미간이 찌푸려졌다.

"어떻게 알았어?"

"공주님한테 들었지."

성준이 싱글싱글 웃으면서 대답했다. 강우로서는 황당할 따름이었다. 신채린이 제3자인 유성준한테 왜 고백 이야기를 한 건지 도무지 이해가 가지 않았다. 강우가 기가 막힌 투로 물었다.

"왜 그런 얘길 너한테 해?"

"내가 믿음직한가 보지. 누구랑 다르게."

기분이 나빠진 백강우는 가늘어진 눈으로 유성준을 흘겨보았다. 그러거나 말거나 성준은 어깨를 으쓱거리면서 강우의 속을 벅벅 긁었다.

"나라면 절대 안 찼을 텐데."

좋아하는 여자가 고백을 하면 기다렸다는 듯이 화답하고 싶었다. 15년 동안, 성준은 그날만을 기다려 왔으나 좋아하는 상대와 마음이 딱 맞는 축복 같은 일은 일부에게나 일어나는 일이었다. 그 '일부' 안에 백강우는 있었지만, 유성준은 없었다.

"쓸데없는 소리 하지 마. 지금 공부하기도 바쁜 1년 찬데."

"찼다는 건…… 공주님 옆에 다른 놈이 있어도 괜찮다는 뜻이지?"

성준은 강우의 우려를 들은 척도 하지 않았다. 다른 것보다 성준은 무심하기 짝이 없는 동기가 부러웠다. 자기가 축복받은 것도 모르고 어떻게 해서든 신채린에게서 도망치려 하는 백강우의 꼴이 아니꼬웠다.

할 말을 잃은 강우가 성준을 황당하다는 눈으로 응시했다. 제 감정도 제대로 모르는 저런 놈한테 축복이 내려지다니! 성준은 질투가 나서 일부러 동기를 더욱 자극했다.

"공주님 정도면 진짜 조건 최상인데."

"신채린한테 찝쩍거리지 마."

"차 놓고 되레 큰소리치네. 네가 뭔데?"

"의국 분위기 나빠져."

"분위기?"

황당한 주장에 성준이 웃음을 터뜨렸다. 하긴, 지금 백강우의 행동은 모순적이었다. 백강우는 신채린의 고백을 거절해 놓고 정작 다른 사람에게는 신채린에게 접근하지 말라고 경고를 했다. 행동이 모순적일 수밖에 없는 건, 그가 자신의 감정에 솔직하지 않은 탓이었다. 그 점을 백강우도 알고 눈치 빠른 유성준도 알고 있었다. 머쓱해진 강우가 굳이 한마디 덧붙였다.

"병원이 연애하는 곳도 아니잖아."

"흐음…… 글쎄다."

성준이 어깨를 으쓱거렸다. 강우의 말에 동의하지 않는다는 의미였다. 유성준 역시 신채린 같은 놈이라 대화를 나누면 나눌수록 자꾸 말려들기 십상이었다. 강우는 더는 대화하고 싶지 않다는 듯 손을 살짝 들고 돌아섰다.

한편, 그 시간. 채린의 숙소에서는 룸메이트인 안다정이 짐을 정리하고 있었다. 캐리어 안에 옷과 책을 차곡차곡 넣는 다정에게 채린이 슬쩍 말을 붙였다.

"선생님, 파견 준비하세요?"

"응. 한 달은 전남으로 가야 하니까."

1년 차 때와 달리, 2년 차에는 두 달 동안의 파견 근무가 있었다. 그중 한 달은 일손이 부족한 지방에 파견을 나갔고, 다른 한 달은 본원 내 타 진료과에서 1년 차 때처럼 파견 근무를 하며 지도를 받았다.

다정이 캐리어를 닫으며 농담처럼 말했다.

"신 선생, 나 없어서 편하겠네."

"한 달이지만 쓸쓸할 거예요."

다정의 농담에 채린은 진심을 담아 대답했다. 다정이 멋쩍은 투로 어색한 미소를 지었다. 이럴 때 안다정은 조금 사람 같아 보였다. 워낙 로봇처럼 무표정한 게 보통이라 다정의 미소는 희귀했다.

"아, 내가 말 안 했나?"

"네?"

"파견 다녀와서 바깥에 원룸 구할 건데."

다정이 멋쩍어하는 이유는 채린의 진심이 낯간지러웠을 뿐만 아니라, 돌아온 뒤에 있을 계획 때문이기도 했다. 채린이 눈을 크게 떴다.

"네? 왜요?"

"3년 차부터는 전공의 숙소에서 나가야 하잖아. 미리 구해야 하거든."

"아……."

2년 차 전공의들은 좋은 부동산 매물을 찾기 위해 여름부터 발품을 팔았다. 물론 4년 차 전공의들이 병원을 나서는 내년 2월도 매물이 생기긴 했으나, 어떻게 될지 모르는 관계로 여름에 미리 방을 구해 두는 게 나았다. 안다정은 돌다리도 두드려 보고 건너는 신중한 타입이라 위험을 피하기 위해 미리미리 움직이는 편이기도 했다.

채린은 아쉬운 듯 다정을 바라보다가 조심스럽게 입술을 떼었다.

"선생님, 있잖아요."

"응?"

"여기 귀신 있다는 소문이 있어서 그런데, 들어 보셨어요?"

"아니?"

다정이 바로 부정했다. 안다정은 소문에 어둡기도 했고, 쓸데없는 소문을 들었다고 해도 그걸 마음에 담아 두지도 않았다. 무엇보다 다정은 채린이 들어오기 전까지 숙소를 홀로 썼음에도 귀신 같은 건 본 적이 없었다. 다정이 채린에게 의외라는 시선을 주었다.

"귀신? 그런 걸 믿어?"

"그냥…… 찜찜해서요."

"귀신이 어디 있어? 흥밋거리겠지. 신경 쓰지 마."

"네……."

역시 백강우나 안다정은 비슷한 인종인가 보다. 과학적으로 증명된 일이 아닌 이상, 다정이 귀신을 믿을 리는 없었다. 물론 다정은 채린이 귀신이나 초자연적인 현상을 믿는다고 해서 손가락질을 할 생각도 없었다. 그럴 여유도 없고, 귀찮기도 했다.

〈다음 권에 계속〉